全国百佳图书出版单位

化学工业出版社

·北京·

编委会成员

目录

中医妇科学

第一单元　绪论（助理不考）

考情分析

单元	年份/级别	2019	2020	2021	2022	2023
绪论（助理不考）	执业	0	0	1	0	0

各历史时期中医妇科学主要著作及其主要内容见表 1-1。

表 1-1　各历史时期中医妇科主要著作及其主要内容

著作	内容
《经效产宝》	主张妊娠期以养胎、保胎为主，是第一部产科专著
《妇人大全良方》	首先提出妇人以血为基本的学术观点
《邯郸遗稿》	提出天癸是促进人体生长发育和生殖的物质，命门之火是其主宰。该书重视脾肾，倡命门学说，认为妇科病与气血失调、中气虚弱、肝脾肾三脏功能失调有关
《景岳全书・妇人规》	主张“阳非有余，阴常不足”，强调阴阳互根为用。治疗妇科病强调滋补阴血调经，认为“女子以血为主，血旺则经调”
《叶氏女科证治》	论不孕，谓“世俗专主妇人，此不通之论也”
《女科要旨》	为清・陈修园所著。该书调经重脾胃，胎前善养血健脾、清热舒气
《傅青主女科》	该书学术立论着眼于肝脾肾三脏，治疗侧重于培养气血、调理脾胃

命题趋势　著作学术观点的相关知识点，考试多以 A1 和 B1 型题为主，回答这类题时可以参考常识选出答案。

金题直击

《邯郸遗稿》的学术观点是

A. 重视调理气血，补益脾肾　　B. 强调阴阳相互作用

C. 妊娠期以养胎、保胎为要　　D. 重视脾肾，倡命门学说

E. 胎前善养血治脾、清热舒气

【答案】D

【解题思路】

《邯郸遗稿》作者赵献可，提出天癸是促进人体生长发育和生殖的物质，命门之火是其主宰。该书重视脾肾，倡命门学说。

高频考点速递

1.《景岳全书・妇人规》主张“阳非有余，阴常不足”。

2.《经效产宝》主张妊娠期以养胎、保胎为主，是第一部产科专著。

3.《傅青主女科》作者傅青主，该书学术立论着眼于肝脾肾三脏，治疗侧重于培养气血、调理脾胃。

第二单元 女性生殖器官

◆考情分析

节	级别 \ 年份	2019	2020	2021	2022	2023
外生殖器	执业	1	1	1	1	1
	助理	1	0	1	1	0
内生殖器	执业	2	1	1	0	1
	助理	1	0	0	1	0

第一节 外生殖器

一、阴户的位置

阴户又称四边，是女性外生殖器官的解剖术语，指女性外阴，包括阴蒂、大小阴唇、阴唇系带及前庭部位。

二、阴户的功能

1. 是防御外邪入侵的第一道门户。
2. 是排月经、泌带下、排恶露之出口。
3. 是合阴阳之入口。
4. 是娩出胎儿、胎盘之产门。

命题趋势 外生殖器相关知识点，考试多以 A1 型题为主。

金题直击

下列各项不属于阴户的功能的是

A. 防御外邪入侵的第一道门户　　B. 排月经、泌带下、排恶露之出口

C. 合阴阳之入口　　D. 娩出胎儿、胎盘之产门

E. 排出月经的通道

【答案】E

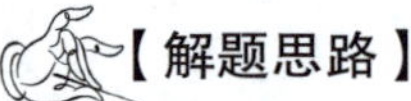
【解题思路】

阴户是一道门户，关键点落在门户、出口。

第二节 内生殖器

一、阴道的位置及功能

1. **位置** 阴道是阴户连接子宫的通道，位于子宫与阴户之间。

2. **功能**

（1）是娩出胎儿的路径。

（2）是排出月经、分泌带下的通道。
（3）是阴阳交合的器官。
（4）是防御外邪入侵的关口。

二、子门的位置及功能

1. 位置 子门又名子户，是指子宫颈口的部位。
2. 功能 是排出月经和娩出胎儿的关口。

命题趋势 内生殖器相关知识点，考试多以 A1 型题为主。

金题直击

1. 子门是指
A. 外阴 B. 阴道口
C. 阴道 D. 子宫颈口
E. 子宫

【答案】D

【解题思路】

子门是指子宫颈口的部位，把它当作是一个小门。

三、子宫的位置形态及功能特性

1. 位置形态 位于带脉之下，小腹正中，居直肠之前，膀胱之后，下口连接阴道。形如合钵，如倒置的梨形。

2. 功能特性
（1）主要功能：产生、排出月经，孕育、分娩胎儿；排出余血浊液，分泌生理性带下。
（2）生理特点：具有明显的周期性、节律性。
（3）子宫特性：定期藏泄。“亦脏亦腑，非脏非腑”，《黄帝内经》中称之为“奇恒之腑”。

命题趋势 内生殖器相关知识点，考试多以 A1 型题为主。

金题直击

2. 胞宫的主要生理功能是
A. 主月经 B. 主带下
C. 主孕育胎儿 D. 主月经和孕育胎儿
E. 主经、带、胎、产

【答案】E

**【解题思路】**

胞宫即子宫，主要功能是产生、排出月经，孕育、分娩胎儿；排出余血浊液，分泌生理性带下。E 的范围包含前四个选项。

高频考点速递

1. 阴户又称四边，是防御外邪入侵的第一道门户。
2. 阴道是防御外邪入侵的关口。
3. 子门，又名子户，是指子宫颈口的部位。
4. 子宫的位置位于直肠之前，膀胱之后，如倒置的梨形。

第三单元　女性生殖生理

考情分析

单元	年份 / 级别	2019	2020	2021	2022	2023
女性生殖生理	执业	1	2	1	2	2
	助理	0	1	0	1	1

第一节　女性一生各期的生理特点（助理不考）

女性各期的生理特点

1. 胎儿期　从受精后及受精卵在子宫内种植、生长、发育、成熟的时期。需 10 个月，即 280 天。胎儿期为人生之始。

2. 新生儿期　婴儿出生后的 4 周内。女婴在母体内受性激素影响，出生时乳房可略隆起或少许泌乳，外阴较丰满，极少数可出现少量阴道出血，属生理范畴，一般很快会自然消失。

3. 儿童期　新生儿期以后至 12 岁左右。7 岁之后、10 岁之前，肾气始盛，齿更发茂，身体持续增长和发育，但生殖器官仍为幼稚型。约 10 岁始，第二性征开始发育。

4. 青春期　从月经初潮至生殖器官逐渐发育成熟的时期。世界卫生组织规定青春期为 10 ～ 19 岁，中医妇科学青春期可参考“二七”至“三七”之年，即 14 ～ 21 岁。全身发育、身高、体形已渐发育为女性特有的体形；内外生殖器官发育渐趋成熟；月经来潮是青春期开始的一个重要标志；具有生育能力。

5. 性成熟期　又称生育期。一般自 18 岁左右开始，即中医从“三七”至“七七”之年（21 ～ 49 岁），历时 30 年。在性成熟期，女性乳房亦发育成熟。中医认为“乳头属肝”“乳房属胃”，足少阴肾经行乳内。

6. 围绝经期　“七七”之年，肾气渐虚，冲任二脉虚衰，天癸渐竭，生殖器官及乳房也逐渐萎缩。

7. 老年期　一般指 60 岁以后的妇女，肾气虚，天癸已衰竭，生殖器官萎缩，全身功能处于衰退期。

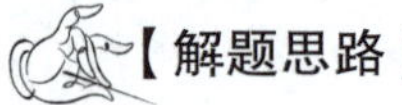
命题趋势　女性生殖生理相关知识点，考试多以 A1 型题为主。

金题直击

青春期开始的重要标志是

A. 具有生育能力　　B. 第二性征发育

C. 月经来潮　　D. 外生殖器官发育渐趋成熟

E. 内生殖器官发育渐趋成熟

【答案】C

【解题思路】

女性第一次月经来潮称初潮，标志着青春期的到来。初潮年龄一般为 13 ～ 15 岁，平均 14 岁，即“二七”之年。

第二节　月经的生理

一、月经的生理现象

1. 月经初潮　女性第一次月经来潮称初潮，标志着青春期的到来。初潮年龄一般为 13 ～ 15 岁，平均 14 岁，即“二七”之年。

2. 月经周期　月经有月节律的周期性，出血的第 1 天为月经周期的开始，两次月经第 1 天之间的间隔时间称为1个月经周期，一般为28～30天。

3. 经期 即月经持续时间，正常经期为3～7天，多数为3～5天。

4. 月经的量、色、质 一般每月月经量20～60mL为适中，经色暗红，经质不稀不稠，不凝固，无血块，无特殊的臭气。

5. 月经期表现 经行前出现胸乳略胀、小腹略坠、腰微酸、情绪易于波动，一般经来自消。

6. 绝经 妇女一生最后1次行经后，停经1年以上，称为绝经。绝经表明即将步入老年期。一般为45～55岁，平均49.5岁。

7. 月经的特殊生理现象 月经的特殊生理现象的定义见表3-1。

表3-1 月经的特殊生理现象的定义

名词	定义
并月	身体无病，但月经定期2个月来潮1次
居经	或称“季经”，身体无病，但月经定期3个月来潮一次
避年	身体无病，但1年行经1次
暗经	终生不潮但却能受孕
激经	又称“盛胎”或“垢胎”，受孕初期仍能按月经周期有少量出血而无损于胎儿

命题趋势 月经生理相关知识点，考试多以A1、B1型题为主。

金题直击

1. 受孕之初，按月行经而无损于胎儿的，称为

A. 激经　　B. 试胎

C. 堕胎　　D. 分娩

E. 弄胎

【答案】A

【解题思路】

激经又称“盛胎”或“垢胎”，受孕初期仍能按月经周期有少量出血而无损于胎儿。

二、月经产生的机理

月经的产生，是女子发育到成熟年龄阶段后，脏腑、天癸、气血、经络协调作用于胞宫的生理现象。

1. 脏腑与月经 在月经产生的机理中，与肾、肝、脾关系尤为密切。脏腑与月经的关系见表3-2。

表3-2 脏腑与月经的关系

脏腑	与月经的关系
肾	肾藏精，主生殖；肾为天癸之源；肾为冲任之本；肾为气血之根；肾与胞宫相系；肾与脑髓相通；肾为五脏阴阳之本
肝	肝血下注冲脉，司血海之定期蓄溢，参与月经周期、经期及经量的调节；肝通过冲、任、督与胞宫相通，而使子宫行使其藏泻有序的功能。肝肾同居下焦，乙癸同源，为子母之脏，精血互生，同为月经提供物质基础；一开一合共同调节子宫，使藏泻有序，经候如常
脾（胃）	脾胃为后天之本，气血生化之源。脾主运化，主中气，其气主升，具有统摄血液，固摄子宫之权；胃中水谷盛，则冲脉之血盛，月事以时下
心	心主血脉，心气有推动血液在经脉内运行的作用。《素问·评热病论》指出：“胞脉者属心而络于胞中”
肺	肺主气，朝百脉而输精微，如雾露之溉，下达精微于胞宫

命题趋势 月经产生的机理的相关知识点，考试多以A1和B1型题为主，回答这类题时临床常识和证型特点，容易得出正确答案。

金题直击

2. 与月经产生关系最密切的脏腑是

A. 心、肝、肾　　B. 脾、肺、肝

C. 肝、心、肺　　D. 肝、脾、肾

E. 肝、肺、肾

【答案】D

【解题思路】

肝藏血，脾生血，肾藏精，精血同源，在月经产生的机理中，与肝、脾、肾关系尤为密切。

2. 天癸与月经　天癸，是肾气充盛到一定程度时体内出现的具有促进人体生长、发育和生殖的一种精微物质。天癸来源于先天肾气，靠后天水谷精气的滋养而逐渐趋于成熟，此后又随肾气的虚衰而竭止。“天癸至”，则“月事以时下，故有子”，“天癸竭，地道不通，故形坏而无子也”，故天癸主宰月经的潮与止。

命题趋势　概念定义的相关知识点，考试多以 A1 和 B1 型题为主，回答这类题时可以参考常识选出答案。

金题直击

3. 人体生殖的阴精是

A. 肾精　　B. 天癸

C. 月水　　D. 水谷之精

E. 五脏六腑之精

【答案】A

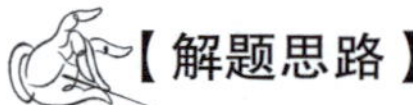
【解题思路】

肾藏精主生殖，肾具有生成、贮藏和施泄精气的功能。

3. 气血与月经　妇人以血为基本，气为血之帅，血为气之母。气能生血，又能行血、摄血。气血和调，经候如常。

4. 经络与月经　与妇女的生理、病理关系最大的经络是冲、任、督、带。

5. 胞宫与月经　胞宫是化生月经和受孕育胎的内生殖器官。胞宫周期性变化主要表现为子宫的周期性出血。

三、月经的周期变化与调节

1. 月经周期节律　月经的周期变化和特点见表 3-3。

表 3-3　月经的周期变化和特点

分期	时间	特点
行经期	行经第 1 ～ 4 天	子宫泻而不藏，排出经血，呈现“重阳转阴”特征
经后期	月经干净后至经间期前，为周期的第 5 ～ 13 天	此期子宫藏而不泻，呈现阴长的动态变化
经间期	周期第 14 ～ 15 天，也称氤氲之时，或称“的候”“真机”时期（即西医所称的“排卵期”）	是重阴转阳、阴盛阳动之际，正是种子的时候
经前期	即经间期之后，为月经周期的第 15 ～ 28 天	此期阴盛阳生渐至重阳。此时阴阳俱盛，以备种子育胎

2. 月经周期的调节机理　月经周期学说及其主要内容见表 3-4。

表 3-4　月经周期学说及其主要内容

学说	主要内容
天人相应说	《素问・八正神明论》认为月经的节律与月亮运动的节律一致
肾阴阳转化说	经后期，血海空虚，肾阴增长，阴中有阳，表现为“藏而不泻”；经间期，是肾之阴精发展到重阴转阳的转化时期；经前期，是肾阳增长，阳中有阴，肾阴阳平衡中阳的功能渐趋充旺时期；行经期，是“重阳则开”阶段，推动经血的排出，表现为“泻而不藏”

续表

学说	主要内容
肾-天癸-冲任-胞宫生殖轴说	现代中医学术界根据《黄帝内经》和历代有关著述，逐渐形成了中医学的女性生殖轴概念，月经周期即由此生殖轴进行调节
脑-肾-天癸-冲任-胞宫轴说	“中医天癸古今论”根据脑为元神之府和肾主髓通脑的理论，提出脑-肾-天癸-冲任-胞宫（女）、睾丸（男）轴为性生殖机能调节系统的新概念

四、绝经机理

中医认为，“七七”之年，肾气虚，任虚冲衰，天癸竭，最终导致自然绝经。

第三节　带下生理

一、带下的生理现象及作用（表3–5）

表3–5　带下的生理现象及作用

生理现象	作用
属津液	津液起着滋润、濡养的作用
有周期性月节律	月经前后、经间期，带下的量稍有增多。经间期带下质清，晶莹而透明，具韧性可拉长
随妊娠期增多	妊娠后阴血下聚，使冲任、胞宫气血旺盛，故带下较未孕时略多
润泽胞宫、阴道	带下伴随女性一生，以滋润胞宫、阴道

二、带下产生的机理

1. 脏腑与带下　带下产生与脏腑的作用见表3-6。

表3–6　带下产生与脏腑的作用

脏腑	作用
肾	生理性的带下由肾精所化，禀肾气藏泻，布露于子宫，润泽于阴道
脾	为气血津液生化之源，主运化，赖脾气之升清，将胃肠吸收的谷气和津液上输于肺
肺	宣发和肃降，使津液输布全身而灌溉脏腑、形体和诸窍，其泌布于胞宫、阴道者，为生理性带下的组成部分

命题趋势　脏腑生理机能的相关知识点，考试多以A1和B1型题为主，回答这类题时可以参考常识选出答案。

金题直击

与带下的生成，关系最密切的脏腑是

A. 肾、脾　　B. 脾、胃

C. 胃、肾　　D. 肝、肾

E. 肺、肾

【答案】A

【解题思路】

生理性的带下由肾精所化，禀肾气藏泻，布露于子宫，润泽于阴道。脾为气血津液生化之源，主运化。所以此两脏与带下的关系最密切。

2. 津液与带下　《灵枢·五癃津液别》说：“津液各走其道……其流而不行者为液”。《灵枢·口问》又说：“液者，所以灌精濡空窍者也”。说明带下源于津液。

3. 经络与带下 带下产生与奇经的作用见表 3-7。

表 3-7 带下产生与奇经的作用

奇经	作用
任脉	为阴脉之海，主一身之阴液，任脉出胞中循阴器，任脉与带下的生理、病理直接相关
带脉	环腰一周，约束诸经，与冲、任、督三脉纵横交错，络胞而过
督脉	任脉所司之阴液，若失去督脉的温化，则化为湿浊之邪，伤于带脉则为带下病

4. 胞宫与带下 《景岳全书》曰："盖白带出自胞宫"。《血证论》又说："带脉下系胞宫"，认为带下由胞宫渗润阴道，并能防御外邪入侵。

第四节 妊娠生理

一、受孕机理

《女科正宗·广嗣总论》说："男精壮而女经调，有子之道也"。

男女之精妙合，结为胚胎，并在子宫内种植，在肾气、天癸、冲任、胞宫各个环节的协调和滋养下，逐渐发育成长。一般 21 ～ 35 岁生育能力旺盛，注意把握受孕佳期，阴阳和合，容易受孕。

二、妊娠的生理现象

妊娠的生理现象及其表现见表 3-8。

表 3-8 妊娠的生理现象及其表现

生理现象	表现
月经停闭	生育期的妇女，月经一贯正常而突然停闭，首先应考虑妊娠
脉滑	妊娠脉滑轻取流利，中取鼓指，重按不绝
妊娠反应	孕后常出现胃纳不香或饱胀不思饮食或恶心欲呕、择食的早孕反应。一般不影响工作，3 个月内逐渐适应或消失
子宫增大	孕后子宫育胎，变化最大。早孕 40 多天，可扪及子宫增大变软，子宫颈紫蓝色质软。非孕时子宫容量为 5mL，至妊娠足月约 5000mL，增加 1000 倍。子宫重量，非孕时 50g，至足月妊娠约 1000g，增加 20 倍
乳房变化	乳房自孕早期开始增大、发胀。乳头增大变黑，易勃起。妊娠 4 ～ 5 个月，挤压乳头可有少量乳汁
下腹膨隆	妊娠 3 个月以后，可于下腹部手测子宫底高度以候胎之长养

三、预产期的计算方法

现代推算的公式是：从末次月经的第 1 天算起，月数加 9（或减 3）日数加 7（阴历则加 14）。妊娠全程 40 周，即 280 天。

命题趋势 预产期的计算方法相关知识点，考试多以 A1 型题为主。

金题直击

李某，女，36 岁，已婚，孕妇。末次月经的时间为 2019 年 7 月 22 日，其预产期时间为

A. 2020 年 3 月 29 日　　B. 2020 年 4 月 26 日

C. 2020 年 4 月 27 日　　D. 2020 年 4 月 28 日

E. 2020 年 4 月 29 日

【答案】E

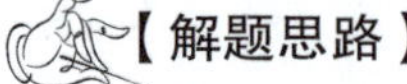
【解题思路】

从末次月经的第 1 天算起，月数加 9（或减 3）日数加 7。

第五节　产褥生理

一、临产先兆和正常现象的表现（表 3-9）

表 3-9　临产先兆和正常现象的表现

时期	现象	表现
临产先兆	释重感	妊娠末期胎头入盆后，孕妇骤然释重，呼吸变得轻松，但可能感到行走不便和尿频
	弄胎（假宫缩）	《医宗金鉴·妇科心法要诀》云："若月数已足，腹痛或作或止，腰不痛者，此名弄胎。"
正产现象	见红	接近分娩发动或分娩已发动时，阴道有少量血性分泌物和黏液
	离经脉	临产时可扪得产妇中指本节有脉搏跳动
	阵痛	从有规律的宫缩开始至产门开全（子宫颈口完全扩张）的腹部阵发性疼痛

二、产褥期生理

1. 分娩结束后，产妇逐渐恢复到孕前状态，需要 6 ～ 8 周，此期称为"产褥期"，又称"产后"。
2. 产褥期的生理特点是"多虚多瘀"。
3. 产后 1 周称"新产后"，产后 1 月称"小满月"，产后百日称"大满月"。
4. 恶露是产后自子宫排出的余血浊液，其生理及表现见表 3-10。

表 3-10　产褥期生理及表现

生理	表现
红恶露	先是暗红色的血性恶露，持续 3 ～ 4 天干净
浆液性恶露	后渐变淡红，量由多渐少，7 ～ 10 天干净
白恶露	之后渐为不含血色，2 ～ 3 周干净

命题趋势　概念定义的相关知识点，考试多以 A1 和 B1 型题为主，回答这类题时可以参考常识选出答案。

金题直击

产后红恶露的持续天数是

A.2 ～ 6 天　　B.3 ～ 4 天

C.3 ～ 8 天　　D.2 ～ 3 天

E.7 ～ 10 天

【答案】B

【解题思路】

暗红色的血性恶露，也称红恶露，持续 3 ～ 4 天干净；后渐变淡红，量由多渐少，称为浆液性恶露，7 ～ 10 天干净；之后渐为不含血色的白恶露，2 ～ 3 周干净。如果血性恶露 10 天以上仍未干净，应考虑子宫复旧不良或感染，当予以诊治。

第六节　哺乳生理

哺乳次数按需供给。顺产者，产后 30 分钟即可在产床上开始哺乳，让婴儿吸吮免疫价值极高的初乳，增强抗病能力，促进胎粪排出。哺乳时间一般以 8 个月为宜。3 个月后婴儿适当增加辅食。在停止哺乳后，务必用药物回乳，以免长期溢乳发生经、乳疾病。

命题趋势　概念定义的相关知识点，考试多以 A1 和 B1 型题为主，回答这类题时可以参考常识选出答案。

哺乳期最佳断乳时间是

A. 6 个月　　B. 8 个月

C. 9 个月　　D. 10 个月

E. 12 个月

【答案】B

【解题思路】

中医妇科学考试大纲中，哺乳时间一般以 8 个月为宜。3 个月后婴儿适当增加辅食。

高频考点速递

1. 月经来潮是青春期开始的一个重要标志。

2. 激经又称“盛胎”或“垢胎”，受孕初期仍能按月经周期有少量出血而无损于胎儿。

3. 预产期的计算方法：从末次月经的第 1 天算起，月数加 9（或减 3），日数加 7（阴历则加 14）。

4. 产褥期指的是分娩结束后，产妇逐渐恢复到孕前状态，需要 6 ～ 8 周。

5. 暗红色的血性恶露，也称红恶露，持续 3 ～ 4 天干净；后渐变淡红，量由多渐少，称为浆液性恶露，7 ～ 10 天干净；之后渐为不含血色的白恶露，2 ～ 3 周干净。如果血性恶露 10 天以上仍未干净，应考虑子宫复旧不良或感染，当予以诊治。

第四单元　妇科疾病的病因病机

考情分析

单元	年份 级别	2019	2020	2021	2022	2023
妇科疾病的病因病机	执业	3	1	2	2	2
	助理	2	0	1	1	1

第一节　病　因

一、寒热湿邪

病邪所致妇科疾病见表 4-1。

表 4-1　病邪所致妇科疾病

病邪	所致妇科疾病
外寒	经行发热、经行身痛、痛经、月经后期、月经过少、闭经、产后身痛、不孕症等
内寒	闭经、多囊卵巢综合征、月经后期、痛经、带下病、子肿、宫寒不孕等
外热	经行发热、经行头痛、月经先期、月经过多、崩漏、妊娠小便淋痛、产后发热等
	热邪结聚冲、任、胞中，使气血壅滞则发为产褥热、盆腔炎或盆腔脓肿、阴疮、孕痈等
内热	月经先期、月经过多、经行吐衄、经行头痛、经行情志异常、恶阻、胎漏、子痫、产后发热、阴疮等
外湿	带下、阴痒或盆腔炎等
内湿	经行浮肿、经行泄泻、闭经、多囊卵巢综合征、带下病、子肿、子满、产后身痛、不孕症等

二、情志因素

情志因素所致妇科疾病见表 4-2。

表 4–2　情志因素所致妇科疾病

情志	所致妇科疾病
怒	月经后期、闭经、痛经、不孕、癥瘕
思	闭经、月经不调、痛经
恐	月经过多、闭经、崩漏、胎动不安、不孕

三、生活因素

生活因素所致妇科疾病见表 4-3。

表 4–3　生活因素所致妇科疾病

生活因素	所致妇科疾病
房劳多产	耗精伤肾，若孕期房劳可致流产、早产或产褥感染
饮食不节	更易发生月经过少、闭经、胎萎不长、妊娠贫血等
劳逸失常	过劳可导致月经过多、经期延长、崩漏；孕期过劳可致流产、早产；产后过劳可导致恶露不绝、缺乳和子宫脱垂。过于安逸容易发生月经不调或难产
跌仆损伤	孕期生活不慎，跌仆损伤，撞伤腰腹部，可致堕胎、小产或胎盘早期剥离；若撞伤头部，可引起经行头痛、闭经或崩漏；若跌仆损伤阴户，可致外阴血肿或撕裂
调摄失宜	过度节食减肥或长期药物减肥，可致月经后期、月经过少，甚至闭经。口服短效避孕药，有时会发生不规则阴道出血，甚则闭经。孕前酗酒可致胎儿酒精综合征，孕后大量吸烟，可致流产、死胎、畸胎、低体重儿及胎儿宫内窒息等
嗜烟酗酒或经常夜生活	影响生物钟的调节，均可致月经失调、闭经、流产、不孕

四、体质因素

体质因素所致疾病见表 4-4。

表 4–4　体质因素所致妇科疾病

体质因素	临床表现所致妇科疾病
先天肾气不足	在青春期常发生子宫发育不良、月经后期、原发性闭经、崩漏、痛经、月经过少等
	在生育期容易发生月经稀发、闭经、崩漏、胎动不安、滑胎、不孕症
	在更年期易出现早发绝经的早衰现象
素性忧郁，性格内向	易发生以肝郁为主的月经先后不定期、经前诸证、痛经、经断前后诸证、子晕、子痫、不孕、阴痛等
素体脾虚气弱	常导致脾虚为主的月经先期、月经过多、崩漏、带下病、子肿等

命题趋势　疾病病因的相关知识点，考试多以 A1 和 B1 型题为主，回答这类题时可以参考临床常识选出答案。

金题直击

下列各项中不属于引起妇科疾病的生活因素的是

A. 忧思过度　　B. 饮食不节
C. 劳逸失常　　D. 房劳多产
E. 跌扑损伤

【答案】A

【解题思路】

生活因素包括房劳多产、饮食不节、劳逸失常、跌扑损伤等，参考生活常识，可以选出答案。

第二节 病 机

一、脏腑功能失常

1. 肾的病机 临床上分为肾气虚、肾阳虚、肾阴虚及阴阳两虚。

（1）肾气虚：肾气虚的病机及所致妇科疾病见表 4-5。

表 4-5 肾气虚的病机及所致妇科疾病

病机	所致妇科疾病
封藏失职，冲任不固	月经先期、月经过多、崩漏、产后恶露不绝
胎失所系，冲任不固	胎漏、胎动不安、滑胎
摄纳或系胞无力	胎动不安、子宫脱垂

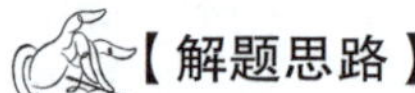

疾病病机的相关知识点，考试多以 A1 和 B1 型题为主，回答这类题时可以参考临床常识选出答案。

金题直击

1. 肾气虚，封藏失职，冲任不固可导致的妇科疾病是

A. 滑胎　　B. 产后恶露不绝

C. 胎漏　　D. 经期延长

E. 经间期出血

【答案】B

【解题思路】

肾气虚，封藏失职，冲任不固，可致月经先期、月经过多、崩漏、产后恶露不绝。

（2）肾阳虚：肾阳虚的病机及所致妇科疾病见表 4-6。

表 4-6 肾阳虚的病机及所致妇科疾病

病机	所致妇科疾病
命门火衰，冲任失于温煦，下不能暖宫，胞宫虚寒	妊娠腹痛、产后腹痛、宫寒不孕
命门火衰，上不能暖土，水湿下注	经行浮肿、经行泄泻、子肿、子满
气化失司，水液代谢失常，湿聚成痰，痰浊阻滞冲任、胞宫	月经后期、闭经、不孕
气化失常，水湿下注任、带，使任脉不固、带脉失约	带下病
兴奋施泻功能减退	性冷淡、闭经、无排卵性不孕症
血失温运而迟滞成瘀，发生肾虚血瘀	子宫内膜异位症、多囊卵巢综合征等

（3）肾阴虚：肾阴虚的病机及所致妇科疾病见表 4-7。

表 4-7 肾阴虚的病机及所致妇科疾病

病机	所致妇科疾病
精血不足，冲任血虚，血海不能按时由满而溢	月经后期、月经过少、闭经
冲任、胞宫胞脉失养	痛经、妊娠腹痛或不孕症
阴虚生内热，热伏冲任，迫血妄行	崩漏、经间期出血、胎漏、胎动不安
孕后阴血下聚冲任以养胎元，致阴虚益甚，肝失所养，肝阳上亢	妊娠眩晕，甚或子痫等

（4）阴阳两虚：阴损可以及阳，阳损可以及阴，若病程日久，往往可导致肾阴阳两虚，上述病证可以夹杂出现。

2. 肝的病机 常见有肝气郁结、肝经湿热、肝阴不足、肝阳上亢。

（1）肝气郁结：肝气郁结的病机及所致妇科疾病见表4-8。

表4-8 肝气郁结的病机及所致妇科疾病

病机	所致妇科疾病
血为气滞，冲任不畅	月经先后无定期、痛经、经行乳房胀痛、闭经、妊娠腹痛、缺乳、不孕症、盆腔炎
肝郁化热化火，火热之邪下扰冲任血海，迫血妄行	月经先期、月经过多、崩漏、胎漏、产后恶露不绝
气火上炎	经行头痛、经行吐衄、经行情志异常、乳汁自出
肝气犯胃，经前、孕期冲脉气盛，挟胃气上逆	经前呕吐、妊娠恶阻

（2）肝经湿热：肝经湿热的病机及所致妇科疾病见表4-9。

表4-9 肝经湿热的病机及所致妇科疾病

病机	所致妇科疾病
肝郁乘脾，脾失健运，湿从内生，湿郁化热，湿热之邪下注任脉、带脉，使任脉不固、带脉失约	带下病、阴痒
湿热蕴结胞中，或湿热瘀结，阻滞冲任，冲任不畅	不孕、盆腔炎、癥瘕

（3）肝阴不足：肝阴不足的病机及所致妇科疾病见表4-10。

表4-10 肝阴不足的病机及所致妇科疾病

病机	所致妇科疾病
肝阴不足，冲任失养，血海不盈	月经过少、闭经、不孕症
肝血不足，经前、经时、孕期阴血下注冲任血海，阴血益虚，血虚生风化燥	经行风疹块、妊娠身痒

（4）肝阳上亢：肝阳上亢的病机及所致妇科疾病见表4-11。

表4-11 肝阳上亢的病机及所致妇科疾病

病机	所致妇科疾病
肝阳偏亢	经前头痛、经行眩晕、子晕
阴虚阳亢，阳化风动，肝火愈炽，风火相扇	子痫

命题趋势 疾病病机的相关知识点，考试多以A1和B1型题为主，回答这类题时可以参考临床常识选出答案。

金题直击

2. 阴虚阳亢，阳化风动，肝火愈炽，风火相扇可致

A. 子晕　　B. 妊娠身痒

C. 闭经　　D. 子痫

E. 盆腔炎

【答案】D

【解题思路】

此题考查病机程度轻重，题干的表述为重症，阴虚阳亢，阳化风动，肝火愈炽，风火相扇，发为子痫。

3. 脾的病机 主要是脾失健运、脾失统摄及脾虚下陷。

（1）脾失健运：脾失健运的病机及所致妇科疾病见表 4-12。

表 4–12　脾失健运的病机及所致妇科疾病

病机	所致妇科疾病
脾虚气弱，健运失常，气血生化不足而脾虚血少，冲任失养，血海不盈	月经后期、月经过少、闭经、胎萎不长、产后缺乳
素体阳虚，或寒凉生冷，膏粱厚味损伤脾阳，脾阳不振，运化失职，水湿流溢下焦，湿聚成痰，痰湿壅滞冲任、胞宫	月经过少、闭经、不孕、癥瘕、多囊卵巢综合征等
脾失健运，湿邪内生，损伤任、带，失于固约	带下病

（2）脾失统摄：脾气虚弱，中气不足，统摄无权，冲任不固，可出现月经过多、经期延长、崩漏、胎漏、产后恶露不绝、乳汁自出。

（3）脾虚下陷：脾虚下陷的病机及所致妇科疾病见表 4-13。

表 4–13　脾虚下陷的病机及所致妇科疾病

病机	所致妇科疾病
脾气虚而下陷	崩漏、子宫脱垂
脾胃虚弱，孕后冲气偏盛，上逆犯胃，胃失和降	恶阻

4. 心的病机　心的病机及所致妇科疾病见表 4-14。

表 4–14　心的病机及所致妇科疾病

病机	所致妇科疾病
忧愁思虑，心气不得下通于肾，胞脉闭阻	闭经、月经不调、不孕
心火偏亢，肾水不足，则水火失济	脏躁、产后抑郁

5. 肺的病机　肺的病机及所致妇科疾病见表 4-15。

表 4–15　肺的病机及所致妇科疾病

病机	所致妇科疾病
阴虚火旺，经行阴血下注冲任，肺阴益虚，虚火灼伤肺络	经行吐衄
肺失宣降，不能通调水道	子嗽或妊娠小便异常、产后小便异常

人是一个有机的整体，与妇科关系最密切的肾、肝、脾之间更是难以分割，常出现肾虚肝郁、肝郁脾虚、肾脾两虚、肾虚血瘀等复杂的病机。

二、气血失调

1. 气分病机　气分病机有气虚、气陷、气滞、气逆的不同。

（1）气虚：气虚的病机及所致妇科疾病见表 4-16。

表 4–16　气虚的病机及所致妇科疾病

病机	所致妇科疾病
肺气虚，卫外不固	经行感冒、产后自汗、产后发热
中气虚或肾气虚，均可致冲任不固	月经先期、月经过多、崩漏、胎漏、乳汁自出

（2）气陷：是指中气虚而下陷，可发生子宫脱垂、崩漏。

（3）气滞：气滞的病机及所致妇科疾病见表 4-17。

（4）气逆：气逆的病机及所致妇科疾病见表 4-18。

表 4-17 气滞的病机及所致妇科疾病

病机	所致妇科疾病
肝气郁结，疏泄失调，则冲任血海阻滞	痛经、闭经、月经先后无定期、不孕
气行不畅，津液停滞，可水湿不化，痰湿内生	经行浮肿、子肿、闭经、不孕症
气郁化火，火热之邪上扰神明，下迫冲任血海	月经先期、月经过多、崩漏、胎漏经行情志异常、产后抑郁、脏躁等

表 4-18 气逆的病机及所致妇科疾病

病机	所致妇科疾病
肺气上逆	子嗽
胃气上逆	经行呕吐、恶阻

疾病病机的相关知识点，考试多以 A1 和 B1 型题为主，回答这类题时可以参考临床常识选出答案。

金题直击

3. 下列病证中，哪项与气虚，卫外不固有关

A. 月经过少

B. 滑胎

C. 经行吐衄

D. 经行感冒

E. 经间期出血

【答案】D

【解题思路】

气虚包括肺气虚，卫外不固和中气虚或肾气虚，冲任不固，其中卫外不固，易出现经行感冒、产后自汗、产后发热。

2. 血分病机 血分病机有血虚、血瘀、血热、血寒之分，其所致妇科疾病见表 4-19。

表 4-19 血分病机及所致妇科疾病

病机	所致妇科疾病
血虚	月经后期、月经过少、闭经、痛经、妊娠腹痛、胎动不安、产后缺乳、产后身痛、产后血劳、不孕等
血瘀	痛经、闭经、崩漏、月经过多、经期延长、异位妊娠、产后腹痛、恶露不绝、产后发热、不孕、癥瘕等
血热	热伏冲任，迫血妄行而出现月经过多、月经先期、崩漏、经行吐衄、胎漏、产后发热
	肝郁化热，热性炎上，可致经行头痛、经行情志异常
	阴虚生内热，热扰冲任，冲任不固，发生月经先期、崩漏、胎动不安、产后恶露不绝
血寒	痛经、月经后期、月经过少、闭经、妊娠腹痛、产后腹痛、产后身痛、宫寒不孕

在病机上往往气病及血，血病及气，血气不和，气血同病，虚实错杂，常见气滞血瘀、气虚血瘀、气血两虚等。

三、冲任督带损伤

冲任督带损伤的病机及所致妇科疾病见表 4-20。

表 4-20 冲任督带损伤的病机及所致妇科疾病

病机	所致妇科疾病
冲任损伤	表现为冲任不固、冲任不足、冲任失调、冲任血热、冲任寒凝和冲任阻滞，必然导致妇产科诸疾
督脉虚损	闭经、崩漏、经断前后诸证、绝经妇女骨质疏松症
带脉失约	带下病、胎动不安、滑胎、子宫脱垂

四、胞宫、胞脉、胞络受损

胞宫、胞脉、胞络受损的病机及所致妇科疾病见表 4-21。

表 4–21 胞宫、胞脉、胞络受损的病机及所致妇科疾病

病机	所致妇科疾病
子宫形质异常	月经不调、痛经、滑胎、癥瘕、不孕等
子宫藏泻失司	藏而不泻：月经后期、闭经、带下过少、胎死不下、滞产、难产、过期妊娠
	泻而不藏：流产、早产、经期延长、带下病、恶露不绝
子宫闭阻	瘀、痰有形之邪使子宫闭阻是妇科常见的病机之一，导致月经过少、闭经、崩漏、不孕等

五、肾 - 天癸 - 冲任 - 胞宫轴失调

容易发生崩漏、闭经、迟发或“早发”绝经、流产、不孕症等妇科病。而调经、种子、安胎的关键就是调整肾 - 天癸 - 冲任 - 胞宫生殖轴的功能及其相互间的平衡协调，其中补肾气、资天癸最为关键。

高频考点速递

1. 素体脾虚气弱常导致脾虚为主的月经先期、月经过多、崩漏、带下病、子肿等。
2. 胎失所系，冲任不固常导致胎漏、胎动不安、滑胎。
3. 阴虚生内热，热伏冲任，迫血妄行常导致崩漏、经间期出血、胎漏、胎动不安。
4. 湿热蕴结胞中，或湿热瘀结，阻滞冲任，冲任不畅常导致不孕、盆腔炎、癥瘕。
5. 忧愁思虑，心气不得下通于肾，胞脉闭阻常导致闭经、月经不调、不孕。
6. 督脉虚损常导致闭经、崩漏、经断前后诸证、绝经妇女骨质疏松症。

第五单元 妇科疾病的诊断与辨证

考情分析

单元	年份 级别	2019	2020	2021	2022	2023
妇科疾病的诊断与辨证	执业	3	1	2	2	2

第一节 四 诊

一、问诊

问诊的项目及内容见表 5-1。

表 5–1 问诊的项目及内容

项目	内容
年龄	初诊时先要询问年龄，妇科疾病与年龄有密切关系
主诉	了解患者最感痛苦的症状、体征及持续时间
现病史	围绕主诉询问发病诱因，疾病发生发展过程，检查、治疗情况和结果，目前自觉症状等
月经史	需询问月经初潮年龄，月经周期、月经持续时间、经量多少、经色、经质稀或稠或有无血块，气味，末次月经日期及伴随月经周期而出现的症状。中老年妇女应了解是否绝经和绝经年龄，以及绝经后有无阴道出血、骨质疏松症状

项目	内容
带下史	了解带下量、色、质、味，以及伴随症状
婚育史	若未婚者，应了解有无性生活史、人工流产史；对已婚者，需了解性生活情况、妊娠胎次、分娩次数，有无堕胎、小产、人工流产
产后史	询问有无难产，产后出血量多少，有无输血等；了解恶露量、色、质、味，产后病史及避孕情况
既往史	如继发性痛经患者，应询问有无人流术、剖宫产术、盆腔炎史，因这些均可能导致继发性痛经。对不孕者需了解有无盆腔炎、人工流产史、腹部手术史

二、望诊

望诊的内容及其临床意义见表 5-2。

表 5-2　望诊的内容及其临床意义

内容	临床意义
望神形	如头晕眼花，神疲乏恶，出汗肢冷，神志淡漠，甚至昏不知人，可见于崩漏、胎堕不全等妇科失血重证。妇科痛证常伴见形体蜷曲、两手捧腹、表情痛苦、辗转不安之态
望面色	见面色淡白无华，多属血虚证或失血证；面色青而紫暗，多属瘀血停滞；若面色萎黄，多属脾虚
望体形	如年逾 14 岁，月经未来潮，第二性征尚未发育，身材矮小，多为先天肾气未充。若形体肥胖，皮肤粗糙，毛发浓密，多为脾虚痰湿阻滞，可见不孕症、闭经、月经不调、癥瘕、多囊卵巢综合征
望舌	舌质淡为气血两虚。舌质暗或有瘀点多有血瘀。苔白主寒，薄白腻而润多为寒湿凝滞，苔白厚腻多属痰湿阻滞
望月经	经量多、色淡红、质稀，多为气虚；经量少、色淡暗、质稀，多为肾阳虚；经量少、色淡红、质稀，多为血虚；经量多、色深红、质稠，多为血热
望带下	若带下量多、色白、质清，多为脾虚、肾虚；带下量少失润，多为津液不足；带下色黄、量多、质黏稠，多为湿热；带下色赤或赤白相兼，或稠黏如脓，多为湿热或热毒
望恶露	若恶露量多、色淡红、质稀，多为气虚；恶露色红、质稠为血热；恶露色紫暗、有血块，多为血瘀；恶露色暗若败酱，应注意是否感染邪毒
望阴户、阴道	若有阴户肿块，伴红、肿、热、痛，黄水淋沥，多属热毒；无红肿热痛，多属寒凝。阴户皮肤发红，甚至红肿，多属肝经湿热或虫蚀。若阴户中有块脱出，常见于子宫脱垂或阴道前后壁膨出

命题趋势　疾病临床表现的相关知识点，考试多以 A1 和 B1 型题为主，回答这类题时可以参考疾病定义和临床常识选出答案。

金题直击

1. 带下色黄、量多、质黏稠，其辨证是

A. 血热证　　B. 脾虚证

C. 肾虚证　　D. 湿热证

E. 热毒证

【答案】D

【解题思路】

观察带下量、色、质是带下病诊断及辨证的主要依据。若带下色黄、量多、质黏稠，多为湿热。

三、闻诊

妇科闻诊包括听声音、听胎心、闻气味三个方面，其临床意义见表 5-3。

表 5-3　闻诊的内容及其临床意义

内容	临床意义
听声音	如语音低微，多为气虚；语音洪亮有力，多属实证；时时叹息，多为肝郁气滞；妇女孕后嗳气频频，甚则恶心呕吐，多为胃气上逆
听胎心	妊娠 20 周后，运用听诊器可在孕妇腹壁相应部位听到胎心音
闻气味	如月经、带下、恶露秽臭，多为湿热或瘀热；若腐臭气秽，多为热毒；若恶臭难闻，需注意子宫颈癌的可能性；妊娠剧吐致酸中毒，患者口腔有烂苹果味，多属气阴两虚

四、切诊

妇科切诊包括切脉、按肌肤和扪腹部三部分。

1. 切脉

（1）月经脉：月经脉的脉象及其临床意义见表 5-4。

表 5-4　月经脉的脉象及其临床意义

脉象	临床意义
脉多显滑象	月经将至或正值月经期，为月经常脉
脉滑数而有力者	多为热伏冲任
脉沉迟而细	多为阳虚内寒、生化不足
脉细数	为虚热伤津、阴亏血少
脉缓弱无力	多为气虚
尺脉微涩	多为血虚
尺脉滑	多为血实
脉虚小缓滑	崩中下血或漏下不止

（2）妊娠脉：妊娠脉的脉象及其临床意义见表 5-5。

表 5-5　妊娠脉的脉象及其临床意义

脉象	临床意义
脉滑有力或滑数，尺脉按之不绝	女子怀孕 6 周左右易见，此为妊娠常脉
若脉细软或欠滑利或沉细无力	常见于胎动不安、堕胎、胎萎不长、胎死腹中等病之虚证
若妊娠晚期，脉弦滑劲急	多为阴虚肝旺、肝风内动之象，当注意发生子晕、子痫等

（3）临产脉：若孕妇双手中指两旁从中节至末节，均可扪及脉之搏动，亦为临产之脉。

（4）产后脉：产后脉的脉象及其临床意义见表 5-6。

表 5-6　产后脉的脉象及其临床意义

脉象	临床意义
脉常滑数而重按无力	因分娩之际，失血耗气伤津，新产血气未复
产后三五日，脉渐平和而呈虚缓之势	此属产后常脉
脉见浮大虚数	应注意是否气虚血脱
脉浮滑而数	可能是阴血未复，阳气外浮或为外感之征

疾病临床表现的相关知识点，考试多以 A1 和 B1 型题为主，回答这类题时可以参考疾病定义和临床常识选出答案。

2. 月经将至或正值经期的脉象是

A. 脉细无力　　B. 脉缓滑

C. 脉细数　　D. 脉沉弱

E. 脉显滑象

【答案】E

【解题思路】

月经将至或正值月经期，脉多显滑象，为月经常脉；若脉滑数而有力者，多为热伏冲任；脉沉迟而细多为阳虚内寒、生化不足；脉细数为虚热伤津、阴亏血少。

2. 按肌肤　按肌肤的表现及其临床意义见表 5-7。

表 5-7　按肌肤的表现及其临床意义

表现	临床意义
肌肤寒冷，特别是四肢欠温	多为阳虚
肢体厥冷、大汗淋漓	多属亡阳危候
手足心热	多为阴虚内热
头面四肢浮肿，按之凹陷不起	为水肿
头面四肢浮肿，按之没指，随按随起	为气肿

3. 扪腹部　扪腹部的表现及其临床意义见表 5-8。

表 5-8　扪腹部的表现及其临床意义

表现	临床意义
腹痛	喜按为虚证，拒按为实证，喜温为寒证
下腹包块质坚、推之不动	多为癥疾
腹部包块时有时不明显、按之不坚、推之可动	多属瘕证
孕妇腹形明显小于孕周，胎儿存活	可能为胎萎不长
孕妇腹形明显大于孕周	胎水肿满、多胎妊娠

第二节　辨证要点

妇科疾病的辨证主要以八纲辨证为纲，以脏腑辨证和气血辨证为法，个别疾病采用卫气营血辨证。根据经、带、恶露等期、量、色、质、味，生殖系统局部表现，结合全身及舌脉征象进行综合分析，辨明疾病的病性、病势、病位、病因和病机，为正确论治、选方用药提供可靠依据。

一、月经病、带下病、妊娠病、产后病的辨证要点

1. 月经病　月经病的表现及其证型见表 5-9。

表 5-9　月经病的表现及其证型

表现	证型
月经提前、量多、色淡、质稀，伴神疲乏力	气虚
月经延后、量少、色淡红、质稀，伴头晕眼花	血虚
月经量多或日久不止、色深红、质稠	血热
月经延后、量少、色暗，喜温畏寒	血寒

续表

表现	证型
月经量多、色紫暗、质稠有血块	血瘀
月经初潮年龄过迟、周期不定、量少、色淡	常为肾气未充，冲任不盛或脾肾亏虚，气血生化不足
月经提前或延后、量或多或少、色紫红有块，伴胸胁作胀	肝郁
月经提前或延后、量少、色淡暗、质稀，伴腰酸	肾虚
月经延后，经行下腹冷痛、拒按，得热则减	实寒
经行或经后下腹冷痛，形寒畏冷，喜按，得热则减	虚寒
经行下腹刺痛，经量多、色紫红有块，块下痛减	血瘀

命题趋势 疾病临床表现的相关知识点，考试多以A1和B1型题为主，回答这类题时可以参考疾病定义和临床常识选出答案。

金题直击

经量多、色深红、质稠，多为

A. 血瘀　　B. 血热

C. 气滞　　D. 气虚

E. 血寒

【答案】B

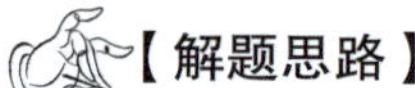

【解题思路】

血得热则行，得寒则凝，月经量多或日久不止、色深红、质稠，多为血热。

2. 带下病　带下病的表现及其证型见表5-10。

表5-10　带下病的表现及其证型

表现	证型
带下量多、色淡、质稀、无臭	虚证
带下量多、色黄、质稠、有秽臭者	实证
带下量多、色白、质清稀如水	阳虚
带下量多或不多、色黄或赤白带下、质稠	阴虚夹湿
若带下量多、色淡黄或白、质稀无气味，伴神疲乏力	脾虚
带下量多、色黄或黄白、质黏腻、有臭味	湿热
赤白带下质稠或带如脓样，有臭味或腐臭难闻	湿毒
带下量明显减少，甚至无带	肾精亏虚，天癸早衰，任带虚损

3. 妊娠病　首先应分清属母病或胎病。因母病而胎不安，孕后经常腰酸胀坠，有堕胎或小产史，大多属肾虚；孕后小腹绵绵作痛，大多属虚证。同时应辨明胎儿情况，以明确胎孕可安，还是当下胎益母。妊娠病的表现及其治法见表5-11。

表5-11　妊娠病的表现及其治法

表现	治法
孕后阴道流血量少，无腹痛，或轻微腹痛、胎儿活者	安胎
阴道流血量多、腹痛阵阵、胚胎或胎儿已死，或异位妊娠	下胎益母

4. 产后病 产后病的表现及其证型见表 5-12。

表 5-12 产后病的表现及其证型

表现	证型
恶露量多或少、色紫红、有块，小腹痛拒按	血瘀
恶露量多、色红、有臭气	血热
恶露量多、色淡、质稀，神疲乏力	气虚
产后大便干涩难下	津血不足
乳汁甚少、质稀薄，食少神疲、面色无华者	气血虚弱

二、辨病与辨证

辨病和辨证是两个密切相关的思维过程，也是中医诊断学的核心。如妊娠恶阻，可见脾胃虚弱、肝胃不和、痰饮停滞等证，但均属于妊娠恶阻病。又如气虚证既可见于月经先期、月经过多，也可见于崩漏、子宫脱垂等疾病。因此妇科临床有同病异治、异病同治等法。辨病与辨证，又可分中医辨病与辨证结合和中医辨证与辨西医病结合。

1. 中医辨病与辨证结合 指先辨中医之病，后辨中医之证。如产后发热病之感染邪毒型，在治疗过程中，可出现温热病的发展过程，针对此变化可运用卫气营血辨证采用相应治法。

2. 中医辨证与辨西医病结合

（1）辨病基础上分型治疗：先西医诊病，然后根据中医辨证方法分型治疗。如不孕症辨证分肾虚、血瘀、肝郁、痰湿阻滞等证治疗；多囊卵巢综合征主要病因为肾虚、血瘀、肝经湿热、痰湿阻滞等，临床可按病因分型辨证治疗。

（2）按中医病因病机本质论治西医疾病：如子宫内膜异位症是由于部分有功能的内膜周期性出血，蓄积于局部，引起周围组织纤维化而粘连。对此中医认为其病机本质是“离经之血”所致。因此，血瘀是子宫内膜异位症之中医学论病析证的主因。由于血瘀成因不同，如寒凝血瘀、气滞血瘀等证型，而分别采用散寒活血、理气活血等法治疗。

（3）中医辨证论治与分阶段论治结合：如妊娠高血压疾病以妊娠 20 周后高血压、蛋白尿、水肿为其主症，并伴有全身多脏器的损害，本病属于中医学的“子肿”“子晕”“子痫”范畴。子肿阶段分脾虚、肾虚、气滞辨证施治；子晕阶段分肝阳上亢、阴虚肝旺、脾虚肝旺辨证论治；子痫阶段分肝风内动、痰火上扰等型辨证治疗。

（4）辨西医病因病理专方论治：如在多囊卵巢综合征、排卵障碍性不孕症的辨证治疗中，因西医病因均为下丘脑 - 垂体 - 卵巢轴功能失调，中医辨证论治时常根据中医学对该轴功能失调的认识，确立治法，设置专方如天癸汤、促排卵汤等，并结合妇女月经周期阴阳消长的变化规律，于月经周期之不同时期在专方的基础上采用周期性给药方式。又如对免疫性不孕的治疗中，有时患者无任何症状可辨，中医学也可以从该病的病因病机理论入手，拟立专方施治。

高频考点速递

1. 听胎心 妊娠 20 周后，运用听诊器可在孕妇腹壁相应部位听到胎心音。
2. 脉滑有力或滑数，尺脉按之不绝 女子怀孕 6 周左右易见，此为妊娠常脉。
3. 月经初潮年龄过迟、周期不定、量少、色淡 常为肾气未充，冲任不盛或脾肾亏虚，气血生化不足。
4. 肝郁 月经提前或延后、经量或多或少、色紫红有块，伴胸胁作胀。
5. 血瘀 经行下腹刺痛，经量多、色紫红有块，块下痛减。
6. 下胎益母 阴道流血量多、腹痛阵阵、胚胎或胎儿已死，或异位妊娠。
7. 气血虚弱 乳汁甚少、质稀薄，食少神疲、面色无华者。

第六单元　妇科疾病的治疗

考情分析

单元	年份 级别	2019	2020	2021	2022	2023
妇科疾病的治疗	执业	3	2	2	2	2
	助理	2	1	1	1	1

第一节　常用内治法

一、调补脏腑

1. 滋肾补肾　滋肾补肾的治法及其代表方剂见表 6-1。

表 6-1　滋肾补肾的治法及其代表方剂

治法	代表方剂
补益肾气	寿胎丸、肾气丸、归肾丸、加减苁蓉菟丝子丸、补肾固冲丸
温补肾阳	右归丸、右归饮、温胞饮
滋肾益阴	左归丸、补肾地黄汤、六味地黄丸

命题趋势　代表方剂的相关知识点，考试多以 A1 和 B1 型题为主，回答这类题时一定按大纲原文选出答案。

金题直击

1. 以加减苁蓉菟丝子丸为代表方剂的治法是

A. 补肾滋肾　　B. 温补肾阳

C. 滋肾益阴　　D. 补益肾气

E. 补肾养肝

【答案】D

【解题思路】

补益肾气常用方如寿胎丸、肾气丸、归肾丸、加减苁蓉菟丝子丸、补肾固冲丸，常用药为黄芪、人参、白术、炙甘草等。

2. 疏肝养肝　疏肝养肝的治法及其代表方剂见表 6-2。

表 6-2　疏肝养肝的治法及其代表方剂

治法	代表方剂
疏肝解郁	柴胡疏肝散、逍遥散、乌药汤
疏肝清热	丹栀逍遥散、宣郁通经汤
养血柔肝	一贯煎、杞菊地黄丸
肝阴不足，肝阳上亢	三甲复脉汤
平肝息风	羚角钩藤汤
疏肝清热利湿	清肝止淋汤、龙胆泻肝汤、四逆四妙散

命题趋势　总论中代表方剂的相关知识点，考试多以 A1 和 B1 型题为主，回答这类题时一定按大纲原文选出答案。

金题直击

2. 四逆四妙散是何种治法的代表方剂

A. 疏肝解郁　　　　B. 疏肝清热

C. 养血柔肝　　　　D. 育阴潜阳

E. 疏肝清热利湿

【答案】E

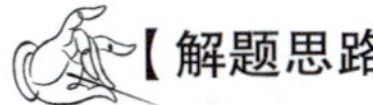【解题思路】

疏肝清热利湿代表方剂如龙胆泻肝汤、清肝止淋汤、四逆四妙散，常用龙胆草、车前子、柴胡、黄芩、黄柏、栀子、泽泻、茵陈等药。

3. 健脾和胃

（1）健脾法：健脾法的治法及其代表方剂见表 6-3。

表 6-3　健脾法的治法及其代表方剂

治法	代表方剂
健脾养血	八珍汤、人参养营丸、圣愈汤
健脾除湿	白术散、完带汤、参苓白术散
补气摄血	固本止崩汤、安冲汤
健脾升阳	补中益气汤、举元煎

（2）和胃法：和胃法的治法及其代表方剂见表 6-4。

表 6-4　和胃法的治法及其代表方剂

治法		代表方剂
和胃降逆		虚而逆以致妊娠恶阻，用香砂六君子汤
		偏寒而逆，用干姜人参半夏丸主之
		因热而逆，用橘皮竹茹汤
		肝胃失和而气逆作呕，用苏叶黄连汤或芩连橘茹汤
清胃泄热	清胃泄热、养阴润燥	瓜石汤
	清热降逆、引血下行	玉女煎

二、调理气血

1. 理气法　理气法的治法及其代表方剂见表 6-5。

表 6-5　理气法的治法及其代表方剂

治法	代表方剂
理气行滞	常与疏肝解郁法同用，药用橘核、荔枝核、乌药、木香、香附、枳壳、陈皮等药
调气降逆	表现为肝气（阳）上亢、胃失和降、冲气上逆，前两者已于肝、胃治法中论及，至于平降上逆之冲气，习惯上多遵循“冲脉属于阳明”“降胃气以平冲气”之经验，主以和胃降逆之品
补气升提	气虚不足诸证，以脾、肾两脏为主；中气不足甚而气虚下陷者，又当佐以升提之品

2. 调血法　调血法的治法及其代表方剂见表 6-6。

表 6-6　调血法的治法及其代表方剂

治法	代表方剂
补血养血	四物汤、人参养营汤、滋血汤
清热凉血	实热者治以清经散、保阴煎；阴虚血热者治以知柏地黄汤
清热解毒	五味消毒饮、银甲丸、银翘红酱解毒汤
活血化瘀	桃红四物汤、少腹逐瘀汤、生化汤、大黄䗪虫丸

三、温经散寒

如温经汤、少腹逐瘀汤、艾附暖宫丸等。

四、利湿祛痰

1. 湿热伤于外，如带下病、阴痒的湿热证，用止带方、萆薢渗湿汤。
2. 湿热因于内，如肝经湿热下注，用龙胆泻肝汤、四逆四妙散、三妙红藤汤。
3. 聚湿成痰，下注胞中，影响胞宫、胞脉、脉络，损及冲脉、任脉、带脉诸经，可致闭经、不孕等，治宜燥湿化痰，利湿与化痰药同用。常用方如苍附导痰丸、启宫丸。

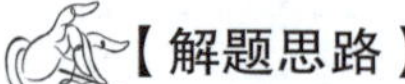

总论中代表方剂的相关知识点，考试多以 A1 和 B1 型题为主，回答这类题时一定按大纲原文选出答案。

金题直击

3. 利湿祛痰法的代表方剂是
A. 二陈汤　　B. 龙胆泻肝汤
C. 四妙散　　D. 苍附导痰丸
E. 半夏白术天麻汤

【答案】D

【解题思路】

利湿祛痰法代表方剂如苍附导痰丸、启宫丸。化痰药如南星、半夏、生姜、竹茹、橘皮、白芥子、莱菔子等。

五、调理冲任督带

调理冲任督带治法、病证及其代表方剂见表 6-7。

表 6-7　调理冲任督带治法、病证及其代表方剂

治法	病证	代表方剂
调补冲任	由冲任虚衰或冲任不固所致的月经过多、崩漏、闭经、胎漏、胎动不安、滑胎、产后恶露不绝、不孕症	固冲汤、补肾固冲丸、鹿角菟丝子丸、大补元煎
温化冲任	冲任虚寒或寒湿客于冲任，以致月经过少、痛经、带下病、不孕症	温冲汤、温经汤、艾附暖宫丸
清泄冲任	热扰冲任，迫血妄行可致月经过多、崩漏、胎漏、产后恶露不绝；热邪煎灼，冲任子宫枯涸能引发闭经、不孕	清经散、保阴煎、清热固经汤、清海丸、解毒活血汤
疏通冲任	冲任阻滞，可诱发月经后期、痛经、闭经、难产、产后恶露不绝、癥瘕	少腹逐瘀汤、四逆四妙散、苍附导痰丸、桃红四物汤、柴胡疏肝散
和胃降冲	冲气上逆，胃失和降，也可与血热相引为乱，引起倒经	小半夏加茯苓汤、紫苏饮
扶阳温督	督脉虚寒，胞脉失煦，可引起月经后期、闭经、绝经前后诸证、不孕症	二仙汤、右归丸
健脾束带	带脉失约或纵弛，不能约束诸经，引起带下病、子宫脱垂	完带汤、健固汤、补中益气汤

六、调治胞宫

调治胞宫的治法及其代表方剂见表 6-8。

七、调节肾 - 天癸 - 冲任 - 胞宫生殖轴

1. 中药人工周期疗法　中药人工周期分期及其治法见表 6-9。

表 6-8　调治胞宫的治法及其代表方剂

治法	代表方剂
温肾暖宫	艾附暖宫丸、温胞饮
补肾育宫	加减苁蓉菟丝子丸、滋肾育胎丸、五子衍宗丸、育宫片
补血益宫	四二五合方
补肾固胞	大补元煎、寿胎丸
益气举胞	补中益气汤、益气升提汤、升麻汤
逐瘀荡胞	桂枝茯苓丸、生化汤、桃红四物汤、脱花煎、逐瘀止崩汤、大黄䗪虫丸
泄热清胞	清经散、清热调血汤、清热固经汤、银翘红酱解毒汤
散寒温胞	温经汤、少腹逐瘀汤、艾附暖宫丸

表 6-9　中药人工周期分期及其治法

分期	治法
经后期	血海空虚，治法上以滋肾益阴养血为主
经间期	为重阴转化期，主以活血化瘀以疏通冲任血气，并配合激发兴奋肾阳，使之施泻而促排卵
经前期	又为阳长期，治宜阴中求阳，温肾暖宫辅以滋肾益阴之药
行经期	为重阳转化期，血海满盈而溢下，治宜活血调经，推动气血运行，子宫排经得以通畅

2. 针刺调治促进排卵　是通过针刺、电针或激光针等方法刺激某些穴位，引起排卵的一种方法。如针刺关元、中极、子宫、三阴交、血海、大赫各穴以促排卵。

第二节　常用外治法

常用外治法的适应证及其注意事项见表 6-10。

表 6-10　常用外治法的适应证及其注意事项

治法	适应证	注意事项
坐浴	适用于阴疮、阴痒、阴痛、外阴白色病变、带下量多、小便淋痛、子宫脱垂合并感染	凡阴道出血、患处溃烂出血、月经期禁用，妊娠期慎用。浴具分开，以防交叉感染
外阴、阴道冲洗	常用于外阴炎、阴道炎、宫颈炎、盆腔炎等引起带下病、阴痒的治疗，以及阴道手术前的准备	治疗期间应避免性生活，注意内裤、浴具的清洁消毒。月经期停用，妊娠期慎用
阴道纳药	常用于带下病、阴痒、阴道炎、宫颈糜烂或肥大、宫颈原位癌、子宫脱垂	—
贴敷法	可用于外阴血肿、溃疡、脓肿切开，也可用于乳痈或回乳，还应用于痛经、产后腹痛、妇产科术后腹痛、不孕症、癥瘕	贴敷时间、疗程则据组成药物、所疗病证、治疗目的综合考虑决定
宫腔注入	了解输卵管畅通情况，或治疗宫腔及输卵管粘连、阻塞造成的月经不调、痛经、不孕症	本法应在月经干净后 3 ～ 7 天内进行，可隔 2 ～ 3 天 1 次，经后至术前禁止性生活
直肠导入	有利于盆腔、胞中癥积、慢性盆腔炎、盆腔淤血综合征，以及产后发热、大便秘结等病证的治疗	月经期、阴道出血时及妊娠期需慎用
中药离子导入	治疗慢性盆腔炎、输卵管阻塞、妇科术后盆腔粘连、子宫内膜异位症、陈旧性宫外孕、外阴炎	—
介入治疗	经阴道、子宫、输卵管注射药物，经阴道后穹隆穿刺术、经皮穿刺局部灌注或注射药物	—

命题趋势 总论中代表外治法的相关知识点，考试多以 A1 和 B1 型题为主，回答这类题时一定按大纲原文选出答案。

金题直击

宫颈糜烂常用的外治法是

A. 外阴冲洗　　B. 坐浴

C. 阴道纳药　　D. 中药离子导入

E. 宫腔注入

【答案】C

【解题思路】

阴道纳药法的作用是清热解毒、杀虫止痒、除湿止带、祛腐生肌等，常用于带下病、阴痒、阴道炎、宫颈糜烂或肥大、宫颈原位癌、子宫脱垂等。

第三节　中医妇科急症治疗（助理不考）

一、血崩证

妇科血崩证以阴道急剧而大量出血为主症。治以止血为首务，同时注意采取相应措施，积极预防厥脱。

1. 辨证用药　血崩证的证型及其代表药物见表 6-11。

表 6-11　血崩证的证型及其代表药物

证型	代表药物
血热而崩者	牛膝注射液、贯众注射液、断血流片
血瘀而崩者	三七注射液
脾虚气弱或肾阳不足者	生脉注射液静脉注射或静脉滴注，或参附注射液静脉滴注
肾阴虚者	生脉或参麦注射液

2. 辨病施治　血崩证的病证及其治法见表 6-12。

表 6-12　血崩证的病证及其治法

病证	治法
如堕胎、小产胞胎殒堕不全	应急以下胎益母，必要时当刮宫
产后血崩者，若由胎盘、胎膜部分残留，或软产道损伤所引起	应及时手术止血
若绒癌或恶性葡萄胎转移瘤或子宫颈癌引起血崩	可采取压迫止血救急
外伤失血	当查清部位、伤势、伤情而处理

3. 西药治疗　血崩证的病证及其西医用药见表 6-13。

表 6-13　血崩证的病证及其西医用药

病证	西医用药
一般出血者	止血环酸、止血芳酸、止血敏等，静脉缓注或肌内注射
对功能失调性子宫出血者	可采用激素止血
对子宫收缩乏力性产后出血者	可应用催产素、麦角新碱类宫缩剂减少出血

二、痛证

1. 辨证用药　痛证的证型及其用药见表 6-14。

2. 针灸治疗　痛证的证型及其针灸治法见表 6-15。

表 6-14　痛证的证型及其用药

证型	用药
血瘀而痛	可选用田七痛经胶囊、血竭胶囊口服，或丹参注射液、川芎嗪注射液静脉滴注，延胡索注射液肌内或穴位注射
寒凝致痛	可用当归注射液肌内或足三里、三阴交穴位注射，或参附注射液静脉滴注
湿热壅滞	可用野木瓜注射液肌内注射或清开灵注射液静脉滴注

表 6-15　痛证的证型及其针灸治法

证型	治法
气滞者	针气海、太冲、血海、三阴交
寒凝者	于中极、地机、关元、水道，针灸并施
湿热者	针阳陵泉、行间、次髎

三、高热证

首先应明确诊断，辨证求因或尽快查出病原体或作出病原学诊断，但“退热”是当务之急，其治疗措施见表 6-16。

表 6-16　高热证治疗方法及其具体措施

治疗方法	具体措施
中药治疗	感冒清热冲剂、重感灵等中成药口服，柴胡注射液青蒿素注射液、鱼腥草注射液、板蓝根注射液等肌内注射，清开灵注射液、穿琥宁注射液静脉滴注
物理降温	用冷湿毛巾或冷袋冷敷，25% ～ 50% 乙醇擦浴
西药治疗	氯丙嗪，地西泮（安定），地塞米松
手术疗法	乳腺炎已成乳腺脓肿者、确诊盆腔脓肿者，及时切开引流
	感染性流产者，择时手术清除残留组织

四、厥脱证

严密观察患者的神、色、脉象、血压、体温和尿量等变化，及时采取有效措施，预防厥脱的发生。

1. 中药治疗　厥脱证的病因及中药治法见表 6-17。

表 6-17　厥脱证的病因及中药治法

病因	治法
因血崩而厥脱	急用参附注射液、参附丹参注射液、丽参注射液、生脉注射液、枳实注射液
因高热证而致厥脱	可用清开灵注射液、升压灵注射液、醒脑净注射液，也可用安宫牛黄丸鼻饲给药

2. 西医药处理

（1）失血性休克：患者保持平卧位，或头胸部和下肢均抬高体位，保持呼吸道通畅，常规给氧。尽快针对出血原因，采取有效止血措施；快速补充血容量；注意纠正酸中毒和预防肾衰竭，保护肾功能。

（2）感染性休克：积极有效地控制感染；适当地补液扩容；纠正酸中毒；严重的感染性休克，在有效抗感染药物已经输入后，应用大剂量皮质激素；同时注意预防肾衰竭，保护肾功能。

命题趋势　总论中急症处理的相关知识点，考试多以 A1 和 B1 型题为主，回答这类题时一定按大纲原文选出答案。

金题直击

下列哪项不属于急症治疗的范围

A. 血崩证　　　　B. 痛证

C. 高热证　　　　D. 便秘证
E. 厥脱证　　　　【答案】D

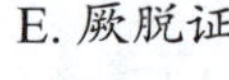

【解题思路】

急症包括血崩证、痛证、高热证、厥脱证。

高频考点速递

1. 聚湿成痰，下注胞中，影响胞宫、胞脉、脉络，损及冲、任、带诸经，可致闭经、不孕等，治宜燥湿化痰，利湿与化痰药同用。常用方如苍附导痰丸、启宫丸。

2. 补肾育宫的代表方剂为加减苁蓉菟丝子丸、滋肾育胎丸、五子衍宗丸、育宫片。

3. 宫腔注入的注意事项为本法应在月经干净后3～7天内进行，可隔2～3天1次，经后至术前禁止性生活。

4. 产后血崩者，若由胎盘、胎膜部分残留，或软产道损伤所引起，应及时手术止血。

第七单元　月经病

考情分析

单元	年份/级别	2019	2020	2021	2022	2023
月经病	执业	6	9	10	8	10
	助理	3	6	5	5	5

第一节　概　述

一、月经病的定义

月经病分两类。一类是以月经的周期、经期、经量异常为主症的疾病；另一类是以伴随月经周期，或于经断前后出现明显症状为特征的疾病。

二、月经病的病因病机

1. **病因**　寒热湿邪侵袭、内伤七情、房劳多产、饮食不节、劳倦过度和体质因素。
2. **病机**　脏腑功能失常，血气不和，冲任二脉损伤以及肾-天癸-冲任-胞宫轴失调。

三、月经病的诊断

月经病的诊断多以四诊收集的临床表现为依据，以主要症状而命名。但应注意结合相关检查与有关疾病的鉴别，如月经后期、闭经等与生理性停经（如妊娠）相鉴别。

四、月经病的辨证

着重注意月经的期、量、色、质的异常及伴随月经周期或经断前后出现明显不适的症状，同时结合全身证候，运用四诊八纲辨其脏腑、气血、经络的寒热虚实。

五、月经病的治疗原则

1. **重在治本调经**　“经水出诸肾”，月经的产生和调节以肾为主导，故补肾为第一大法。

2. 分清先病和后病的论治原则 如因经不调而后生他病者，当先调经，经调则他病自除；若因他病而致经不调者，当先治他病，病去则经自调。

3. 本着“急则治其标，缓则治其本”的原则 如痛经剧烈，应以止痛为主；若经血暴下，当以止血为先。症状缓解后，则审证求因治其本，使经病得以彻底治疗。

命题趋势 疾病治疗原则的相关知识点，考试多以 A1 和 B1 型题为主，回答这类题时可以参考临床常识选出答案。

金题直击

1. 下列月经病的治疗，错误的是

A. 重在治本调经　　B. 分清先病和后病

C. 急则治标，缓则治本　　D. 顺应不同年龄阶段论治

E. 多用辛温暖宫之品

【答案】E

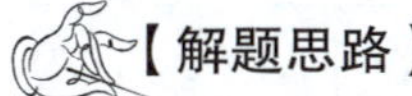

【解题思路】

根据《内经》“谨守病机”“谨察阴阳所在而调之，以平为期”的宗旨，采用补肾、扶脾、疏肝、调理气血、调理冲任等法以调治。用药不宜过用辛温或滋腻之品，以免耗伤脾阴或困阻脾阳。

六、治疗中应注意的问题

1. 顺应月经周期中阴阳气血的变化规律。如经后血海空虚，宜予调补，即经后勿滥攻；经前血海充盈，宜予疏导，即经前勿滥补。

2. 顺应不同年龄阶段论治的规律。古代医家强调青春期少年重治肾，生育期中年重治肝，更年期或老年重治脾。

3. 掌握虚实补泻规律。治疗虚证月经病多以补肾扶脾养血为主，治疗实证月经病多以疏肝理气活血为主。

命题趋势 疾病治疗注意事项的相关知识点，考试多以 A1 和 B1 型题为主，回答这类题时可以参考临床常识选出答案。

金题直击

2. 中年妇女调经重在

A. 治肝　　B. 益气

C. 养血　　D. 治肾

E. 治脾

【答案】A

【解题思路】

大纲根据金元四大家之一的刘完素《素问病机气宜保命集·妇人胎产论》：“妇人童幼天癸未行之间，皆属少阴；天癸既行，皆从厥阴论之；天癸已绝，乃属太阴经也。”强调青春期少年重治肾，生育期中年重治肝，更年期或老年重治脾。

第二节　月经先期

一、定义

月经周期提前 7 天以上，甚至十余日一行，连续两个周期以上者称为“月经先期”，又称为“经期超前”“经行先期”“经早”“经水不及期”等。

命题趋势 疾病定义的相关知识点，考试多以 A1 型题为主，诊断疾病是重中之重。

金题直击

1. 下列哪项属于月经先期

A. 月经周期提前 3 天　　B. 月经周期提前 4 天

C. 月经周期提前 7 天以上　　D. 偶见月经超前 1 次

E. 月经周期提前 6 天

【答案】C

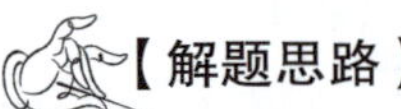
【解题思路】

月经先期的主症是月经周期提前 7 天以上，甚至十余日一行，连续两个周期以上。

二、病因病机

1. 病因　气虚和血热。
2. 病机　冲任不固，经血失于约制。

三、鉴别诊断

月经先期需与经间期出血相鉴别（表 7-1）。

表 7-1　月经先期与经间期出血的鉴别诊断

疾病	出血时间	血量	持续时间
经间期出血	在月经周期第 12 ～ 16 天	较月经期出血量少	出血常持续数小时以至 2 ～ 7 天自行停止
月经先期	不在排卵期内	每次出血量大致相同	与正常月经基本相同

四、辨证论治

月经先期的辨证论治见表 7-2。

表 7-2　月经先期的辨证论治

证型		证候	治法	方剂
气虚证	脾气虚证	月经周期提前，神疲肢倦，气短懒言，小腹空坠，纳少便溏，舌质淡红，苔薄白，脉细弱	补脾益气，摄血调经	补中益气汤
	肾气虚证	月经周期提前，腰膝酸软，头晕耳鸣，小便频数，舌质淡暗，苔白润，脉沉细	补益肾气，固冲调经	固阴煎或归肾丸
血热证	阴虚血热证	经期提前，经色红、质稠，两颧潮红，手足心热，舌质红，苔少，脉细数	养阴清热调经	两地汤
	阳盛血热证	经期提前，经量多，或伴心烦，大便燥结，小便短黄，舌质红，苔黄，脉数或滑数	清热凉血调经	清经散
	肝郁血热证	经期提前，经质稠有块，经行不畅，经前乳房、胸胁、少腹胀痛，烦躁易怒，舌质红，苔薄黄，脉弦数	疏肝清热，凉血调经	丹栀逍遥散

命题趋势　辨证论治相关知识点，考试多以 A2 型题为主，这类题是最重要的知识，必须掌握。

金题直击

2. 患者，女，45 岁，已婚。月经提前、量多、色淡、质稀，纳少便溏，气短懒言，舌质淡苔白，脉缓弱，其治法是

A. 健脾和胃　　B. 补气摄血调经

C. 养血调经　　D. 益气活血

E. 补血止血

【答案】B

【解题思路】

根据主诉月经提前，诊断为月经先期，根据纳少便溏、气短懒言，确定是脾气虚证，治法为补脾益气，摄血调经，方剂为补中益气汤。

第三节　月经后期

一、定义

月经周期延后 7 天以上，甚至 3 ～ 5 个月一行，连续出现两个周期以上者，称为“月经后期”，又称“经行后期”“月经延后”“月经落后”“经迟”等。

命题趋势　疾病定义的相关知识点，考试多以 A1 型题为主，诊断疾病是重中之重。

金题直击

1. 下列哪项属于月经后期

A. 月经周期延后 3 天　　B. 月经周期延后 6 天

C. 月经周期延后 5 天　　D. 偶见月经延后 1 次

E. 月经周期延后 8 天

【答案】E

【解题思路】

月经先期的主症是月经周期延后 7 天以上，甚至 3 ～ 5 个月一行，连续 2 个周期以上。

二、病因病机

1. 虚者多因肾虚、血虚、虚寒导致精血不足，冲任不充，血海不能按时满溢而经迟。
2. 实者多因血寒、气滞、痰湿等导致血行不畅，冲任受阻，血海不能如期满盈，致使月经后期而来。

三、鉴别诊断

月经后期需与早孕相鉴别（表 7-3）。

表 7-3　早孕与月经后期的鉴别诊断

疾病	早孕反应	妇科检查	B 超	妊娠试验
早孕	有	宫颈着色，子宫体增大、变软	子宫腔内有孕囊	阳性
月经后期	无	无异常	无孕囊	阴性

四、辨证论治

月经后期的辨证论治见表 7-4。

表 7-4　月经后期的辨证论治

<table>
<tr><th colspan="2">证型</th><th>证候</th><th>治法</th><th>方剂</th></tr>
<tr><td colspan="2">肾虚证</td><td>月经周期延后，腰膝酸软，头晕耳鸣，面色晦暗，舌质淡，苔薄白，脉沉细</td><td>补肾养血调经</td><td>当归地黄饮</td></tr>
<tr><td colspan="2">血虚证</td><td>月经周期延后，小腹绵绵作痛，或头晕眼花，心悸少寐，面色苍白或萎黄，舌质淡红，脉细弱</td><td>补血益气调经</td><td>大补元煎</td></tr>
<tr><td rowspan="2">血寒证</td><td>实寒证</td><td>经期延后，经量少、色暗有块，小腹冷痛拒按，得热痛减，畏寒肢冷，舌质淡暗，苔白，脉沉紧</td><td>温经散寒调经</td><td>温经汤（《妇人大全良方》）</td></tr>
<tr><td>虚寒证</td><td>月经周期延后，小腹隐痛、喜暖喜按，腰酸无力，小便清长，大便稀溏，舌质淡，苔白，脉沉迟或细弱</td><td>扶阳祛寒调经</td><td>温经汤（《金匮要略》）</td></tr>
</table>

证型	证候	治法	方剂
气滞证	经期延后，有血块，小腹胀痛，或精神抑郁，胸胁乳房胀痛，苔薄白或微黄，脉弦或弦数	理气行滞调经	乌药汤
痰湿证	经期错后，头晕体胖，心悸气短，脘闷恶心，带下量多，舌质淡胖，苔白腻，脉滑	燥湿化痰，活血调经	苍附导痰丸

命题趋势 辨证论治相关知识点，考试多以 A2 型题为主，这类题是最重要的知识，必须掌握。

金题直击

2. 患者，女，22 岁，未婚。月经 2～3 个月一行、量少色淡、质清稀，时有小腹冷痛、喜热喜按，伴有面色少华，小便清长，便溏，腰酸乏力，四肢欠温，舌质淡，苔白，脉沉迟，治疗应首选的方剂

A. 八珍益母丸　　B. 十全大补丸

C. 艾附暖宫丸　　D. 大补元煎

E. 肾气丸

【答案】C

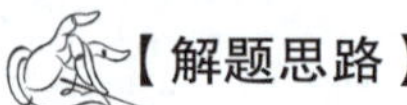
【解题思路】

根据主诉月经 2～3 个月 1 行，诊断为月经后期；根据小腹冷痛、喜热喜按，确定是虚寒证。方剂是艾附暖宫丸。

第四节　月经先后无定期

一、定义

月经周期或提前时或延后 7 天以上，连续 3 个周期以上者，称为“月经先后无定期”，又称“经水先后无定期”“月经愆期”“经乱”等。本病以月经周期紊乱为特征。

二、病因病机

1. 病因　肝郁、肾虚、脾虚。

2. 病机　肝、肾、脾功能失调，冲任功能紊乱，血海蓄溢失常。

命题趋势 疾病病机的相关知识点，考试多以 A1 和 B1 型题为主，回答这类题时可以参考临床常识选出答案。

金题直击

1. 月经先后无定期的主要发病机制是

A. 肝郁气滞，疏泄失调　　B. 肾气不足，封藏失职

C. 脾气虚弱，统摄无权　　D. 湿热下注，任带不固

E. 气血失调，血海蓄溢失常

【答案】E

【解题思路】

此题考查疾病病机，月经先后无定期以月经周期紊乱为特征，其病机主要是肝、肾、脾功能失调，冲任功能紊乱，血海蓄溢失常。

三、鉴别诊断

月经先后无定期需与崩漏相鉴别（表 7-5）。

表 7-5　月经先后无定期与崩漏的鉴别诊断

疾病	周期	经期	经量	其他表现
月经先后无定期	紊乱	正常	不多	—
崩漏	严重紊乱	严重紊乱	严重紊乱	阴道出血或量多如注或淋沥不断

四、辨证论治

月经先后无定期的辨证论治见表 7-6。

表 7-6　月经先后无定期的辨证论治

证型	证候	治法	方剂
肾虚证	经行或先或后，头晕耳鸣，腰骶酸痛，脉细弱	补肾调经	固阴煎
肝郁证	经行或先或后，胸胁、乳房、少腹胀痛，脉弦	疏肝理气调经	逍遥散

命题趋势　辨证论治相关知识点，考试多以 A2 型题为主，这类题是最重要的知识，必须掌握。

金题直击

2. 患者月经先后无定期，经量或多或少，色紫红，有块，经行不畅，脘闷不舒，嗳气食少，苔薄脉弦，治宜

A. 疏肝理气调经　　B. 补肾调经

C. 肝肾同治　　D. 补气摄血调经

E. 活血化瘀调经

【答案】A

【解题思路】

根据主诉月经先后无定期，即可确诊；根据脘闷不舒、嗳气食少、脉弦，确定是肝郁证。治法是疏肝理气调经。

第五节　月经过多

一、定义

月经量较正常明显增多，而周期基本正常者，称为“月经过多”，又称“经水过多”。月经量一般为 20 ～ 60mL，超过 80mL 为月经过多。西医学排卵性功能失调性子宫出血、子宫肌瘤、子宫肥大症、盆腔炎、子宫内膜异位症等疾病及宫内节育器引起的月经过多，亦可参考本病治疗。

二、病因病机

1. 病因　气虚、血热、血瘀。

2. 病机　气虚则血失统摄；血热则热扰冲任；血瘀则瘀阻冲任，血不归经，冲任不固，经血失于制约。

命题趋势　疾病病因的相关知识点，考试多以 A1 和 B1 型题为主，回答这类题时结合证型的选项，容易得出正确答案。

金题直击

1. 月经过多常见的病因是

A. 气虚、血热、肾虚　　B. 气虚、血热、血瘀

C. 血热、血瘀、血虚　　D. 血热、肝郁、气虚

E. 气虚、血瘀、气滞

【答案】B

【解题思路】

月经过多常见的病因有气虚、血热、血瘀。

三、辨证论治

月经过多的辨证论治见表 7-7。

表 7-7　月经过多的辨证论治

证型	证候	治法	方剂
气虚证	经行量多，经色淡红、质清稀，神疲体倦，气短懒言，小腹空坠，面色㿠白，脉细弱	补气摄血固冲	举元煎
血热证	经行量多，经色鲜红或深红、质黏稠，或有血块，口渴心烦，尿黄便结，舌质红，苔黄，脉滑数	清热凉血，固冲止血	保阴煎
血瘀证	经行量多，经色紫暗、质稠有血块，经行腹痛，舌紫暗或有瘀点，脉涩	活血化瘀止血	失笑散

命题趋势　辨证论治相关知识点，考试多以 A2 型题为主，这类题是最重要的知识，必须掌握。

金题直击

2. 患者，女，30 岁，已婚。月经 25 天一行，经来量多，经色深红、质稠、有血块，口渴心烦，舌质红，苔黄，脉滑数。治疗应首选的方剂是

A. 安冲汤　　B. 保阴煎

C. 两地汤　　D. 加味四物汤

E. 清热固经汤

【答案】B

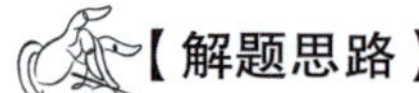

【解题思路】

根据主诉月经 25 天一行，周期正常，而经来量多，即可确诊为月经过多；根据经色深红、质稠，口渴，证型是血热证。方剂是保阴煎。

第六节　月经过少

一、定义

月经周期正常，月经量明显减少，或行经时间不足 2 天，甚或点滴即净者，称为“月经过少”，又称“经水涩少”“经水少”“经量过少”。一般月经量少于 20mL 为月经过少。西医学中子宫发育不良、性腺功能低下等疾病及计划生育手术后导致的月经过少可参照本病治疗。

二、病因病机

1. 病因　肾虚、血虚、血瘀、痰湿。

2. 病机　虚者多因精亏血少，冲任血海亏虚，经血乏源；实者多由瘀血内停，或痰湿阻滞，冲任壅塞，血行不畅而月经过少。本病伴见月经后期者，常可发展为闭经。

命题趋势　疾病病因的相关知识点，考试多以 A1 和 B1 型题为主，回答这类题时结合证型的选项，容易得出正确答案。

金题直击

1. 下列各项不属于月经过少常见病因的是

A. 血瘀　　B. 肾虚

C. 气滞　　D. 血虚

E. 痰湿

【答案】C

【解题思路】

月经过少临床以虚证或虚中夹实者为多，如肾阳虚，肾气不足均可致血瘀，即为肾虚血瘀；血虚气弱，亦可致瘀；肾阳不足，不能温煦脾阳，脾失健运，常可发为肾虚痰湿。

三、鉴别诊断

月经过少需与激经相鉴别（表 7-8）。

表 7-8 月经过少与激经的鉴别诊断

疾病	月经情况	早孕反应	B 超	妊娠试验
激经	按月来潮，血量少	有	子宫腔内有孕囊	阳性
月经过少	月经量明显减少或点滴即净	无	无孕囊	阴性

四、辨证论治

月经过少的辨证论治见表 7-9。

表 7-9 月经过少的辨证论治

证型	证候	治法	方剂
肾虚证	经量素少或渐少、色暗淡、质稀，腰膝酸软，头晕耳鸣，足跟痛，或小腹冷，或夜尿多，脉沉弱或沉迟	补肾益精，养血调经	归肾丸
血虚证	经来血量渐少，不日即净，或点滴即净，小腹空坠，头晕眼花，面色萎黄，心悸怔忡，舌质淡红，脉细	养血益气调经	滋血汤
血瘀证	经行涩少，经色紫暗有块，小腹胀痛，血块下后痛减，舌质紫暗或有瘀斑瘀点，脉沉弦或沉涩	活血化瘀调经	桃红四物汤
痰湿证	月经量少、色淡红、质黏稠如痰，形体肥胖，胸闷呕恶，或带下量多黏腻，舌质淡，苔白腻，脉滑	化痰燥湿调经	苍附导痰丸

命题趋势 证型治法的相关知识点，考试多以 A1 和 B1 型题为主，对照题干给出的症状，即可选出选项。

金题直击

2. 治疗月经过少之肾虚证，应首选的方剂是

A. 当归地黄饮　　B. 大补元煎

C. 滋血汤　　D. 小营煎

E. 肾气丸

【答案】A

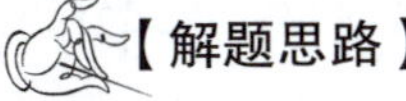

【解题思路】

题干中给出病证，问使用方剂，月经过少的肾虚证，选方为归肾丸或者当归地黄饮。

第七节 经期延长

一、定义

月经周期基本正常，行经时间超过 7 天以上，甚或淋漓半月方净者，称为“经期延长”，又称“月水不断”“经事延长”等。西医学之排卵性功能失调性子宫出血病的黄体萎缩不全、盆腔炎等疾病及计划生育手术后引起的经期延长可参照本病治疗。

命题趋势 疾病定义的相关知识点，考试多以 A1 型题为主，诊断疾病是重中之重。

金题直击

1. 下列哪项属于经期延长

A. 行经时间超过 3 天　　B. 行经时间超过 4 天

C. 行经时间超过 7 天以上　　D. 行经时间超过 5 天

E. 行经时间超过 6 天

【答案】C

【解题思路】

经期延长的主症为月经周期基本正常，行经时间超过 7 天以上，甚或淋沥半月方净。

二、病因病机

1. **病因**　气虚、血热、血瘀。

2. **病机**　气虚冲任失约；或热扰冲任，血海不宁；或瘀阻冲任，血不循经所致。

三、辨证论治

经期延长的辨证论治见表 7-10。

表 7–10　经期延长的辨证论治

证型	证候	治法	方剂
气虚证	经血过期不净，肢倦神疲，气短懒言，小腹空坠，面色㿠白舌质淡，苔薄，脉缓弱	补气摄血，固冲调经	举元煎
虚热证	经行时间延长，咽干口燥，或见潮热颧红，或手足心热，舌质红，苔少，脉细数	养阴清热止血	两地汤合二至丸
血瘀证	经行时间延长，经色紫黯有块，经行小腹疼痛、拒按，舌质紫暗或有瘀点，脉弦涩	活血祛瘀止血	桃红四物汤合失笑散加味

命题趋势　疾病临床表现的相关知识点，考试多以 A1 和 B1 型题为主，回答这类题时可以参考疾病定义和临床常识选出答案。

金题直击

2. 下列哪项不是经期延长之虚热证的主症

A. 月经持续 8、9 日，量少、色红、质稠　　B. 小腹疼痛拒按

C. 咽干口燥　　D. 手足心热

E. 舌质红少苔，脉细数

【答案】B

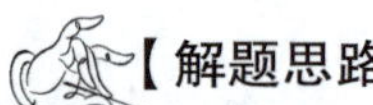【解题思路】

经行时间延长中虚热证的主症是月经量少、色鲜红、质稠；咽干口燥，或见潮热颧红，或手足心热，舌质红，少苔，脉细数。B 选项为血瘀证的表现。

第八节　经间期出血

一、定义

两次月经中间，出现周期性的少量阴道出血者，称为经间期出血。西医学排卵期出血可参照本病治疗。

二、病因病机

1. **病因**　肾阴不足，脾气虚弱，湿热内蕴，瘀阻胞络。

2. **病机**　经间期是继经后期由阴转阳、由虚至盛之时期，当阳气内动之时，阴阳转化不协调，阴络易伤，损及冲任，血海固藏失职，血溢于外，酿成经间期出血。

三、鉴别诊断

1. 经间期出血同月经先期鉴别（表 7-11）。

表 7-11　经间期出血与月经先期的鉴别诊断

疾病	出血时间	经量	与基础体温关系
月经先期	非经间期	正常或时多时少	高温下降呈低温开始时出血
经间期出血	两次月经中间	较月经量少	出血发生于基础体温低高温交替时

疾病临床表现的相关知识点，考试多以 A1 和 B1 型题为主，回答这类题时可以参考疾病定义和临床常识选出答案。

金题直击

1. 经间期出血的发生时间是

A. 基础体温平稳时　　B. 基础体温高低温交替时

C. 每次性生活后　　D. 基础体温低高温交替时

E. 基础体温波动时

【答案】D

此题考查的是鉴别诊断知识点，经间期出血同月经先期的鉴别，月经先期的出血时间是基础体温由高温下降呈低温开始时出血，而经间期出血时间规律地发生于基础体温低高温交替时。

2. 经间期出血同月经过少鉴别（表 7-12）。

表 7-12　经间期出血与月经过少的鉴别诊断

疾病	经量	出血时间
月经过少	量少或点滴而下	月经期
经间期出血	较月经量少	两次月经的中间时期

3. 经间期出血同赤带鉴别（表 7-13）。

表 7-13　经间期出血与赤带的鉴别诊断

疾病	周期性	持续时间	妇科检查
赤带	无	时间较长，或反复发作	见宫颈糜烂、赘生物或子宫、附件区压痛明显
经间期出血	有	般 2～3 天可自行停止	无异常

四、辨证论治

经间期出血的辨证论治见表 7-14。

表 7-14　经间期出血的辨证论治

证型	证候	治法	方剂
肾阴虚证	经间期出血，头晕腰酸，五心烦热，夜寐不宁，便艰尿黄，舌体偏小质红，脉细数	滋肾益阴，固冲止血	两地汤合二至丸或加减一阴煎
脾气虚证	经间期出血，神疲体倦，气短懒言，食少腹胀，舌质淡，苔薄，脉缓弱	健脾益气，固冲摄血	归脾汤
湿热证	经间期出血，血色深红、无血块，平时带下量多色黄，小腹时痛，神疲乏力，骨节酸痛，纳呆腹胀，口苦咽干，溲赤，舌质红，苔黄腻，脉细弦或滑数	清利湿热，固冲止血	清肝止淋汤
血瘀证	经间期出血，血色紫黑、夹有血块，少腹两侧或一侧胀痛或刺痛，情志抑郁，胸闷烦躁，舌质紫暗或有瘀点，脉细弦	化瘀止血	逐瘀止血汤

命题趋势 辨证论治相关知识点，考试多以 A2 型题为主，这类题是最重要的知识，必须掌握。

金题直击

2. 患者，女，36 岁，已婚。两次月经中间，阴道少量出血，经色紫黑、有小血块，少腹胀痛，治疗应首选的方剂是

A. 知柏地黄汤　　B. 清肝止淋汤

C. 血府逐瘀汤　　D. 解毒活血汤

E. 逐瘀止血汤

【答案】E

【解题思路】

根据主诉两次月经中间，阴道少量出血，可确诊为经间期出血；根据经色紫黑、有小血块，少腹胀痛，确定是血瘀证。方剂是逐瘀止血汤。

第九节　崩　漏

一、定义

崩漏是指经血非时暴下不止或淋漓不尽，前者谓之崩中，后者谓之漏下。崩漏是因肾 - 天癸 - 冲任 - 胞宫生殖轴严重紊乱，引起月经的周期、经期、经量严重失调，可导致不孕症。

二、病因病机

1. 病因　脾虚、肾虚、血热和血瘀。

2. 病机　冲任不固，不能制约经血，使子宫藏泻失常。

命题趋势 疾病病机的相关知识点，考试多以 A1 和 B1 型题为主，回答这类题时可以参考临床常识选出答案。

金题直击

1. 崩漏的主要病机是

A. 肾虚封藏失职　　B. 脾虚气不统血

C. 血热迫血妄行　　D. 血瘀瘀阻冲任

E. 冲任损伤，不能制约经血

【答案】E

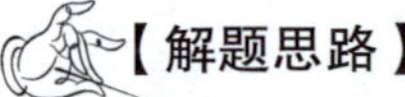
【解题思路】

此题考查疾病病机，崩漏的发病是肾 - 天癸 - 冲任 - 胞宫生殖轴的严重失调。其主要病机是冲任不固，不能制约经血，使子宫藏泻失常。

三、诊断与鉴别诊断

（一）诊断

崩漏的诊断要点及其内容见表 7-15。

表 7–15　崩漏的诊断要点及其内容

要点	内容
病史	注意患者的年龄及月经史，尤需询问以往月经的周期、经期、经量有无异常，有无崩漏史，有无口服避孕药或其他激素，有无宫内节育器及输卵管结扎术史等。此外，还要询问有无内科出血病史
临床表现	月经周期紊乱，行经时间超过半月以上，甚或数月断续不休；亦有停闭数月又突然暴下不止或淋沥不尽；常有不同程度的贫血

续表

要点	内容
妇科检查	应无明显的器质性病变，如发现子宫颈息肉、子宫肌瘤应按该病论治；检查有无妊娠因素
辅助检查	主要是排除生殖器肿瘤、炎症或全身性疾病（如再生障碍性贫血等）引起的阴道出血，可根据需要选做B超、MRI、宫腔镜检查，或诊断性刮宫、基础体温测定等

（二）鉴别诊断

1. 崩漏同月经先期、月经过多、经期延长鉴别（表 7-16）。

表 7–16　崩漏与月经先期、月经过多、经期延长的鉴别诊断

疾病	周期	经期	经量
月经先期	周期缩短	正常	正常
月经过多	正常	正常	经量过多如崩
经期延长	正常	行经时间长似漏	正常
崩漏	严重失调	严重失调	严重失调

2. 崩漏同月经先后无定期鉴别（表 7-17）。

表 7–17　崩漏与月经先后无定期的鉴别诊断

疾病	周期	经期	经量
月经先后无定期	或先或后，但多在 1 ～ 2 周内波动	基本正常	基本正常
崩漏	严重失调	严重失调	严重失调

3. 崩漏同经间期出血鉴别（表 7-18）。

表 7–18　崩漏与经间期出血的鉴别诊断

疾病	相同点	出血时间	持续时间	出血停止
经间期出血	经血非时而下	两次月经中间	2 ～ 3 天，不超过 7 天	自然停止
崩漏		严重失调	严重失调	不能自止

4. 崩漏同赤带鉴别（表 7-19）。

表 7–19　崩漏与赤带的鉴别诊断

疾病	月经	带下
赤带	正常	白带中有血丝
漏下	严重失调	基本正常

5. 崩漏同其他疾病鉴别（表 7-20）。

表 7–20　崩漏与其他疾病的鉴别诊断

疾病	相关检查
崩漏	询问病史和 B 超检查
胎漏、胎动不安、异位妊娠	询问病史、做妊娠试验和 B 超检查
产后病恶露不绝	发生在产后，可询问病史
生殖器肿瘤出血	妇科检查或结合 B 超、MRI 检查或诊断性刮宫
生殖系统炎症	妇科检查或诊断性刮宫或宫腔镜检查
外阴外伤出血	跌仆损伤、暴力性交等病史和妇科检查
内科出血性疾病	血液分析、凝血因子检查或骨髓细胞分析

四、治疗原则及塞流、澄源、复旧的含义

1. 治疗原则 "急则治其标，缓则治其本"。

2. 塞流、澄源、复旧的含义

（1）塞流：即是止血，用于暴崩之际，急当塞流止血防脱。

（2）澄源：即正本清源，亦是求因治本，是治疗崩漏的重要阶段。一般用于出血减缓后的辨证论治。

（3）复旧：即固本善后，是巩固崩漏治疗的重要阶段，用于止血后恢复健康，调整月经周期，或促排卵。

治崩三法，塞流须澄源，澄源当固本，复旧要求因，临证中必须灵活运用。

命题趋势 疾病治疗方法的相关知识点，考试多以A1和B1型题为主，回答这类题时可以参考临床常识选出答案。

金题直击

2. "治崩三法"是指

A. 止血、固脱、调经

B. 调经、固本、善后

C. 补肾、扶脾、调肝

D. 塞流、澄源、复旧

E. 以上都不是

【答案】D

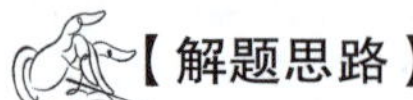
【解题思路】

明·方广《丹溪心法附余》："治法初用止血，以塞其流；中用清热凉血，以澄其源；末用补血，以复其旧。若止塞其流，不澄其源，则滔天之势不能遏；若止澄其源，而不复其旧，则孤阳之浮无以止，不可不审也。"

五、急症处理和辨证论治

（一）急症处理

崩漏急症处理的方法及方药见表7-21。

表7-21 崩漏急症处理的方法及方药

方法	方药
补气摄血止崩	独参汤或丽参注射液
温阳止崩	急投参附汤，亦可选六味回阳汤
滋阴固气止崩	急用生脉注射液或参麦注射液，煎剂方选生脉二至止血汤
祛瘀止崩	三七末，云南白药，宫血宁胶囊
针灸止血	艾灸百会穴、大敦穴（双）、隐白穴（双）
西药或手术止血	输液、输血补充血容量以抗休克或激素止血

对于顽固性崩漏，不论中年或更年期妇女，务必诊刮送病理检查，及早排除子宫内膜腺癌，以免贻误病情。

命题趋势 急症处理的相关知识点，考试多以A1和B1型题为主，回答这类题时一定按大纲原文选出答案。

金题直击

3. 下列各项，不属于崩漏急症处理的是

A. 清热凉血止崩

B. 补气摄血止崩

C. 温阳止崩

D. 滋阴固气止崩

E. 祛瘀止崩

【答案】A

【解题思路】

崩漏急症处理包括补气摄血止崩，温阳止崩，滋阴固气止崩，祛瘀止崩，针灸止血，西药或手术止血等，清热凉血属于一般处理方法。

（二）辨证论治

崩漏的辨证论治见表 7-22。

表 7-22　崩漏的辨证论治

证型		证候	治法	方剂
脾虚证		经血非时暴下不止，或淋漓不断，神疲体倦，气短懒言，或面浮肢肿，小腹空坠，四肢欠温，纳呆便溏，舌质淡胖、边有齿痕，苔薄白，脉沉弱	补气摄血，固冲止崩	固本止崩汤
肾虚证	肾气虚证	青春期少女或经断前后妇女出现经乱无期，出血量多、势急如崩，或淋沥日久不净，或由崩而漏，由漏而崩反复发作，面色晦暗，眼眶暗，小腹空坠，腰脊酸软，舌质淡暗，苔白润，脉沉弱	补肾益气，固冲止血	加减苁蓉菟丝子丸
	肾阴虚证	经乱无期，出血量少，淋漓不断，或停闭数月后又突然暴崩下血，头晕耳鸣，腰酸膝软，五心烦热，舌质红，苔少或有裂纹，脉细数	滋肾益阴，固冲止血	左归丸合二至丸
	肾阳虚证	经乱无期，出血量多，淋漓不尽，或停经数月后又暴下不止，畏寒肢冷，腰膝酸软，小便清长，夜尿多，眼眶暗，舌质淡暗，苔白润，脉沉细无力	温肾益气，固冲止血	右归丸
血热证	实热证	经血非时而下，量多如崩，或淋漓不断，口渴烦热，便秘溺黄，舌质红，苔黄，脉滑数	清热凉血，固冲止血	清热固经汤
	虚热证	经来无期，量少淋漓不尽或量多势急，伴有面颊潮红，烦热少寐，咽干口燥，便结，舌质红少苔，脉细数	养阴清热，固冲止血	上下相资汤
血瘀证		经血非时而下，量时多时少，时出时止，或淋漓不断，或停闭数月又突然崩中，继之漏下，经色紫暗、有块，小腹疼痛或胀痛，舌质紫暗或舌边有瘀点，脉弦细或涩	活血化瘀，固冲止血	逐瘀止血汤

命题趋势 辨证论治相关知识点，考试多以 A2 型题为主，这类题是最重要的知识，必须掌握。

金题直击

4. 患者，女，45 岁，工人。月经不规律 8 个月，现阴道出血 40 天，量时多时少，近 3 天量极多、色淡、质稀，伴气短神疲，面浮肢肿，舌质淡苔薄白，脉缓弱，治疗应首选的方剂是

A. 举元煎　　B. 补中益气汤

C. 固本止崩汤　　D. 清热固经汤

E. 保阴煎

【答案】C

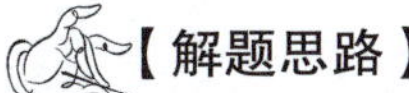

【解题思路】

根据主诉月经不规律 8 个月，现阴道出血 40 天，量时多时少，即周期、经期、经量同时紊乱，可确诊为崩漏；根据气短神疲、面浮肢肿、脉缓弱，确定是脾虚证。方剂是固本止崩汤或固冲汤。

六、崩漏血止后的治疗

1. 崩漏血止后的治疗是治愈崩漏的关键，但临证中个体化治疗要求较高。崩漏血止后的治疗按年龄段分类及其治疗目标见表 7-23。

表 7-23　崩漏血止后的治疗按年龄段分类及其治疗目标

年龄段	治疗目标
青春期患者	一是调整月经周期，并建立排卵功能；二是调整月经周期，不强调有排卵功能，可让机体在自然状态下逐渐去健全排卵功能
生育期患者	因崩漏而导致不孕，故治疗要解决调经种子的问题
更年期患者	解决因崩漏导致的体虚贫血、防止复发及预防恶性病变

2. 崩漏血止后的治疗的临床常用方法及其具体措施见表 7-24。

表 7-24　崩漏血止后的治疗的临床常用方法及其具体措施

方法	具体措施
辨证论治	针对病因病机进行辨证论治以复旧
中药人工周期疗法	分别按卵泡期、排卵期、黄体期、行经期设计，以补肾为主的促卵泡汤、促排卵汤、促黄体汤、调经活血汤进行序贯治疗，一般连用 3 个月经周期以上
先补后攻法	以补肾为主，多从止血后开始以滋肾填精、养血调经为主、常选左归丸或归肾丸、定经汤等先补 3 周左右，第 4 周在子宫蓄经渐盈的基础上改用攻法，即活血化瘀通经，多选桃红四物汤加香附、枳壳、益母草、川牛膝
健脾补血法	主要运用于更年期崩漏患者，尽快消除由崩漏造成的贫血和虚弱症状，可选大补元煎或人参养荣汤
手术治疗	对于生育期和更年期久治不愈的顽固性崩漏，或已经诊刮子宫内膜送病理检查，提示有恶变倾向者，宜手术治疗，手术方法分别选择诊刮术、宫内膜切除术或全子宫切除术
促绝经法	超过 55 周岁仍未绝经，崩漏反复发作又无须手术者，可选用中药或西药促其绝经

第十节　闭　经

一、定义

女子年逾 16 周岁，月经尚未来潮，或月经周期已建立后又中断 6 个月以上者，称闭经。前者称原发性闭经，后者称继发性闭经。对先天性生殖器官缺如，或后天器质性损伤而无月经者，因非药物所能奏效，不属闭经讨论范畴。

二、病因病机

1. 病因　气血虚弱、肾气亏虚、阴虚血燥、气滞血瘀、痰湿阻滞、寒凝血瘀。

2. 病机　虚者，多为肾气不足，冲任虚弱，或肝肾亏损，精血不足，或脾胃虚弱，气血乏源，或阴虚血燥等，导致精亏血少，冲任血海空虚，源断其流，无血可下，而致闭经；实者，多为气血阻滞或痰湿流注下焦，使血流不通，冲任受阻，血海阻隔，经血不得下行而成闭经。

命题趋势　疾病病机的相关知识点，考试多以 A1 和 B1 型题为主，回答这类题时可以参考临床常识选出答案。

金题直击

1. 下列除哪项外，均属于虚性闭经的病因病机

A. 肝肾不足　　B. 痰湿阻滞

C. 气血虚弱　　D. 阴虚血燥

E. 脾虚血少

【答案】B

【解题思路】

此题考查闭经病机，虚者，多为肾气不足，冲任虚弱，或肝肾亏损，精血不足，或脾胃虚弱，气血乏源，或阴虚血燥等，导致精亏血少，冲任血海空虚，源断其流，无血可下，而致闭经。而选项

B 痰湿阻滞属于实证病机，痰湿流注下焦，使血流不通，冲任受阻，血海阻隔，经血不得下行而成闭经。

三、诊断

闭经的诊断要点及其内容见表 7-25。

表 7-25　闭经的诊断要点及其内容

要点	内容
病史	了解停经前月经情况，停经前有无诱因，经闭时间，经闭后出现的症状
临床表现	女子已逾 16 周岁未有月经初潮，或月经初潮 1 年余，或已建立月经周期后，现停经已达 6 个月以上。同时应注意，有无周期性下腹胀痛、头痛及视觉障碍，有无溢乳、厌食、恶心等，有无体重变化、畏寒或潮红或阴道干涩等症状
全身检查	观察患者体质、发育、营养状况，全身毛发分布，第二性征发育情况
妇科检查	了解外阴、子宫、卵巢发育情况，有无缺失、畸形和肿块。对原发性闭经者尤需注意外阴发育情况，处女膜有无闭锁，有无阴道、子宫、卵巢缺如

闭经的辅助检查及其作用见表 7-26。

表 7-26　闭经的辅助检查及其作用

辅助检查	项目
基础体温（BBT）、阴道脱落细胞检查、宫颈黏液结晶检查	BBT 变化可显示卵巢有无排卵。闭经者 BBT 单相，阴道脱落细胞检查及宫颈黏液结晶检查无周期变化
血清性激素测定	包括 FSH（卵泡刺激素）、LH（黄体生成素）、E_2（雌二醇）、P（孕酮）、T（睾酮）、PRL（催乳素）等。通过以上性激素测定可协助判断闭经内分泌原因
B 超检查	可排除先天性无子宫、子宫发育不良或无卵巢所致闭经
头颅蝶鞍摄片或 CT、MRI 检查	以排除垂体肿瘤所致闭经
内窥镜检查、宫腔镜检查	可直接观察子宫内膜及宫腔情况，以排除宫腔粘连所致闭经。腹腔镜检查加病理活检可提示多囊卵巢综合征、卵巢不敏感综合征
诊断性刮宫	可了解性激素分泌情况、子宫颈与宫腔有无粘连、子宫内膜有无结核

四、鉴别诊断

对于青春期前、妊娠期、哺乳期、绝经前后的月经停闭不行，或月经初潮后 1 年内月经不行，又无其他不适者，均属于生理性闭经，需要注意鉴别（表 7-27）。

表 7-27　各种月经停闭现象及其诊断要点

各种月经停闭现象	诊断要点
闭经	月经周期已建立而出现的月经停闭 6 个月以上，停经前大部分有月经紊乱，继而闭经，无妊娠反应和其他妊娠变化
少女停经	少女青春期前第二性征未发育出现闭经，或者月经初潮后，有一段时间月经停闭，这是正常现象
妊娠期停经	B 超检查提示子宫增大，宫腔内见胚芽，甚至胚胎或胎儿，伴有厌食、择食、恶心呕吐等早孕反应，乳头着色、乳房增大等妊娠体征
哺乳期停经	产妇分娩后进行哺乳，月经持续停闭不行，属于正常的生理性闭经，停止哺乳后月经一般可以恢复正常
围绝经前停经	年龄已进入围绝经期，可伴有面部烘热汗出等围绝经期症状。血清性激素可出现围绝经期变化
避年	月经一年一行无不适，不影响生育，属于月经特殊生理现象
暗经	终身不行经，但能生育也无不适，属于月经特殊生理现象

五、治疗原则

虚者补而通之，实者泻而通之。若因病而致经闭，又当先治原发疾病，待病愈则经可复行。

六、辨证论治

特别需指出闭经治疗目的不是单纯月经来潮，见经行即停药，而是恢复或建立规律的月经周期，或正常连续自主有排卵月经。一般应以3个正常月经周期为准。闭经的辨证论治见表7-28。

表7-28 闭经的辨证论治

证型	证候	治法	方剂
气血虚弱证	经期后延，经量少，继而停闭不行，面色萎黄，头晕眼花，神疲肢倦，心悸气短，舌质淡，苔薄，脉沉缓或细弱	益气养血调经	人参养荣汤
肾气亏损证	年过16周岁未行经，或月经初潮稍迟，时有月经停闭，或月经周期建立后，由经期延后、经量减少渐至闭经；或体质虚弱，全身发育欠佳，第二性征发育不良；或腰酸腿软，头晕耳鸣，倦怠乏力，夜尿频多；舌质淡暗，苔薄白脉沉细	补肾益气，调理冲任	加减苁蓉菟丝子丸
阴虚血燥证	经期延后，经量少，渐至月经停闭不行，五心烦热，颧红唇干，盗汗甚至骨蒸潮热，干咳或咳嗽咯血，舌质红，苔少，脉细数	养阴清热调经	加减一阴煎
气滞血瘀证	经闭不行，胸胁、乳房胀痛，精神抑郁，少腹胀痛拒按，烦躁易怒，舌质紫暗、有瘀点，脉沉弦而涩	理气活血，祛瘀通经	血府逐瘀汤
痰湿阻滞证	经期延后，色淡质黏腻，渐至月经停闭，伴形体肥胖，胸闷泛恶，神疲倦怠，纳少痰多，或带下量多、色白，苔腻，脉滑	健脾燥湿化痰，活血调经	四君子汤合苍附导痰丸
寒凝血瘀证	经闭数月，小腹冷痛拒按，得热则痛缓，形寒肢冷，面色青白，舌质紫暗，苔白，脉沉紧	温经散寒，活血调经	温经汤（《妇人大全良方》）

命题趋势 辨证论治相关知识点，考试多以A2型题为主，这类题是最重要的知识，必须掌握。

金题直击

2. 患者，女，33岁，已婚。2年来月经量逐渐减少，现闭经半年，带下量少，五心烦热，盗汗失眠，口干欲饮，舌质红少苔，脉细数，其证候是

A. 肝肾不足
B. 气血虚弱
C. 肾阳虚弱
D. 脾虚
E. 阴虚血燥

【答案】E

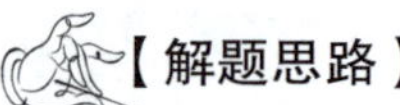【解题思路】

根据主诉现闭经半年，可确诊为闭经；根据舌质红少苔，脉细数，确定是阴虚血燥证。

第十一节 痛 经

一、定义

痛经指妇女正值经期或经行前后出现周期性小腹疼痛或痛引腰骶，甚至剧痛晕厥者，又称“经行腹痛”。原发性痛经以青少年女性多见，又称功能性痛经，是指生殖器官无器质性病变者；继发性痛经常见于育龄期妇女，多由盆腔器质性疾病如子宫内膜异位症、子宫腺肌病、盆腔炎或宫颈狭窄等引起。

二、病因病机

1. 病位 子宫、冲任。

2. 病机 “不通则痛”或“不荣则痛”。

（1）未行经期间，由于冲任气血平和，致病因素尚不足以引起冲任、子宫气血瘀滞或不足，故平时不发生疼痛。

（2）经期前后，子宫、冲任气血变化较平时急剧，易受致病因素干扰，加之体质因素的影响，导致子宫、冲任气血运行不畅或失于濡养，不通或不荣而痛。

（3）经净后子宫、冲任气血渐复则疼痛自止。

命题趋势 疾病病机的相关知识点，考试多以A1和B1型题为主，回答这类题时可以参考临床常识选出答案。

金题直击

1. 痛经之所以随月经周期而发作，与下列哪项有关

A. 寒凝胞中

B. 经期胞中血虚邪盛

C. 经期冲任气血变化急骤

D. 冲任血虚、胞宫失养

E. 湿热蕴结胞中

【答案】C

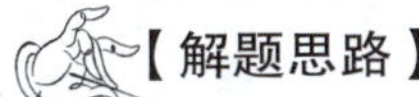
【解题思路】

此题考查疾病病机，痛经之所以伴随月经周期而发，又与经期及经期前后特殊生理状态有关。经期前后，血海由满盈而泻溢，气血由盛实而骤虚，子宫、冲任气血变化较平时急剧，易受致病因素干扰，加之体质因素的影响，导致子宫、冲任气血运行不畅或失于濡养，不通或不荣而痛。

三、辨证要点

根据疼痛发生的时间、部位、性质以及疼痛的程度辨虚实寒热（表 7-29）。

表 7-29 痛经的辨证要点

要点	辨证
疼痛的时间	痛发于经前或经行之初，多属实；月经将净或经后始作痛者，多属虚
疼痛的部位	痛在少腹一侧或双侧多属气滞，病在肝；小腹是子宫所居之地，其痛在小腹正中常与子宫瘀滞有关；若痛及腰脊，多属病在肾
疼痛的性质、程度	隐痛、坠痛、喜揉喜按属虚；掣痛、绞痛、灼痛、刺痛、拒按属实，痛甚于胀，持续作痛属血瘀；胀甚于痛，时痛时止属气滞

四、痛经发作时的急症处理

1. 针灸 对原发性痛经有较好疗效。

（1）实证：毫针泻法，寒邪甚者可用艾灸。主穴取三阴交、中极。配穴，寒凝者，加归来、地机；气滞者加太冲；腹胀者，加天枢、气海；胁痛者加阳陵泉、光明；胸闷者加内关。

（2）虚证：毫针补法，可加用灸法。主穴取三阴交、足三里、气海。配穴，气血亏虚加脾俞、胃俞；肝肾不足加太溪、肝俞、肾俞；头晕耳鸣加悬钟。

2. 田七痛经胶囊 日服 3 次，每次服 2g。

五、辨证论治

痛经的辨证论治见表 7-30。

表 7-30 痛经的辨证论治

证型	证候	治法	方剂
气滞血瘀证	经前或经期小腹胀痛拒按，经量少、行而不畅，经色紫暗有块，块下痛减，胸闷不舒、乳房胀痛，舌质紫暗，或有瘀点，脉弦	理气行滞，化瘀止痛	膈下逐瘀汤

续表

证型	证候	治法	方剂
寒凝血瘀证	经前或经期小腹冷痛拒按，得热痛减，月经或见推后，经量少、色暗有块，畏寒肢冷，面色青白，舌质暗，苔白，脉沉紧	温经散寒，化瘀止痛	少腹逐瘀汤
湿热瘀阻证	经前或经期小腹疼痛或胀痛不舒，有灼热感，或平时小腹痛，至经前疼痛加剧，经血量多或经期长，经色暗红、质稠或夹有较多黏液，平素带下量多、黄稠臭秽，或伴低热，小便黄赤，舌质红，苔黄腻，脉滑数或弦数	清热除湿，化瘀止痛	清热调血汤或银甲丸
气血虚弱证	经期或经后小腹隐痛喜按，或小腹及阴部空坠不适，月经量少、色淡、质清稀，神疲乏力，头晕心悸，色面无华，舌质淡，脉细无力	益气养血，调经止痛	圣愈汤
肾气亏损证	经期或经后 1～2 天内小腹隐隐作痛，腰骶酸痛，经色暗淡、量少、质稀薄，头晕耳鸣，失眠健忘，面色晦暗，舌质淡红，苔薄，脉沉细	补肾益精，养血止痛	益肾调经汤或调肝汤

命题趋势 辨证论治相关知识点，考试多以 A2 型题为主，这类题是最重要的知识，必须掌握。

金题直击

2. 患者，女，28 岁，已婚。经前小腹疼痛拒按，有灼热感，平素少腹时隐痛，经来时疼痛加剧，低热，经色暗红，质黏，带下黄稠，溲黄，舌红苔黄腻，脉弦数，其首选的方剂是

A. 血府逐瘀汤　　B. 龙胆泻肝汤

C. 知柏地黄汤　　D. 清热调血汤

E. 加味逍遥散

【答案】D

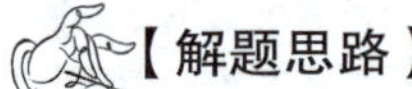

【解题思路】

根据主诉经前小腹疼痛拒按，可确诊为痛经，根据灼热感，舌红苔黄腻，脉弦数，确定是湿热瘀阻证，方剂是清热调血汤或银甲丸。

第十二节　经行乳房胀痛

一、定义

每于行经前后，或正值经期，出现乳房作胀，或乳头胀痒疼痛，甚至不能触衣者，称“经行乳房胀痛”。

二、病因病机

1. 病位　肝、胃、肾。

2. 病机　经前或经期，此时气血下注冲任血海，易使肝血不足，气偏有余，肝失条达或肝肾失养所致疼痛，或脾胃虚弱，湿聚成痰，冲气夹痰湿阻络，乳络不畅，遂致乳房胀痛或乳头痒痛。

命题趋势 疾病病位的相关知识点，考试多以 A1 和 B1 型题为主，回答这类题时可以参考临床常识和证型特点，容易得出正确答案。

金题直击

1. 与经行乳房胀痛关系最密切的脏腑是

A. 心、肝、肾　　B. 脾、肺、肝

C. 肝、心、肺　　D. 肾、肝、胃

E. 肝、肺、肾

【答案】D

【解题思路】

因肝经循胁肋，过乳头，乳头乃足厥阴肝经支络所属，乳房为足阳明胃经经络循行之所，足少阴肾经入乳内。故有乳头属肝、乳房属胃亦属肾所主之说。

三、辨证论治

经行乳房胀痛的辨证论治见表 7-31。

表 7-31　经行乳房胀痛的辨证论治

证型	证候	治法	方剂
肝气郁结证	经前或经行乳房胀满疼痛，经行不畅，血色暗红，小腹胀痛；胸闷胁胀，精神抑郁，时叹息，苔薄白，脉弦	疏肝理气，和胃通络	柴胡疏肝散
肝肾亏虚证	经行或经后两乳作胀作痛，月经量少、色淡，两目干涩，咽干口燥，五心烦热，舌质红，少苔，脉细数	滋肾养肝，和胃通络	一贯煎
胃虚痰滞证	经前或经期乳房胀痛或乳头痒痛，胸闷痰多，食少纳呆，平素带下量多、色白稠黏，月经量少、色淡，舌质淡胖，苔白腻，脉缓滑	健胃祛痰，活血止痛	四物汤合二陈汤

命题趋势　证型治法的相关知识点，考试多以 A1 和 B1 型题为主。

金题直击

2. 经行乳房胀痛之肝气郁结证的治法

A. 疏肝理气，和胃通络
B. 滋肾养肝，和胃通络
C. 健胃祛痰，活血止痛
D. 疏肝解郁，行气止痛
E. 疏肝理气，柔肝通乳

【答案】A

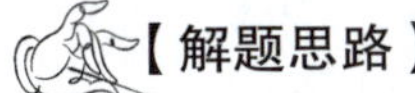

【解题思路】

题干中给出病证，问治法，经行乳房胀痛之肝气郁结证，治法为疏肝理气，和胃通络。

第十三节　经行头痛

一、定义

每遇经期或行经前后，出现以头痛为主要症状，经后辄止者，称为“经行头痛”。

二、病因病机

1. 病因　肝郁化火，瘀血内阻，痰湿上扰，素体血虚。

2. 病机　经行时气血下注冲任而为月经，阴血相对不足，故凡外感、内伤均可在此时引起脏腑气血失调而为患。

命题趋势　疾病病因的相关知识点，考试多以 A1 和 B1 型题为主，回答这类题时结合证型的选项，容易得出正确答案。

金题直击

1. 下列各项不属于经行头痛病因的是

A. 血瘀内阻
B. 素体血虚
C. 肝郁化火
D. 外感风寒
E. 痰湿上扰

【答案】D

【解题思路】

本病属于内伤性头痛范畴，其发作与月经密切相关。常见的病因病机有情志内伤，肝郁化火，上扰清窍；或瘀血内阻，络脉不通；或痰湿上扰，阻滞脑络；或素体血虚，经行时阴血益感不足，脑失所养。

三、辨证论治

经行头痛的辨证论治见表 7-32。

表 7-32　经行头痛的辨证论治

证型	证候	治法	方剂
肝火证	经行头痛，甚或巅顶掣痛，头晕目眩，月经量稍多、色鲜红，烦躁易怒，口苦咽干，舌质红，苔薄黄，脉弦细数	清热平肝息风	羚角钩藤汤
血瘀证	每逢经前、经期头痛剧烈，痛如针刺，经色紫暗有块，伴小腹疼痛拒按，胸闷不舒，舌质暗或尖边有瘀点，脉细涩或弦涩	化瘀通络	通窍活血汤
痰湿中阻证	经前或经期头痛，头晕目眩，形体肥胖，胸闷泛恶，平日带多稠黏，月经量少、色淡，舌质淡胖，苔白腻，脉滑	燥湿化痰，通络止痛	半夏白术天麻汤
血虚证	经期或经后头晕，头部绵绵作痛，月经量少、色淡、质稀，心悸少寐，神疲乏力，舌质淡苔薄，脉虚细	养血益气	八珍汤

命题趋势　证型治法的相关知识点，考试多以 A1 和 B1 型题为主，对照题干给出的症状，即可选出选项。

金题直击

2. 治疗经行头痛之血虚证，应首选的方剂是

A. 八珍汤　　B. 十全大补汤

C. 人参养荣汤　　D. 归脾汤

E. 补中益气汤

【答案】A

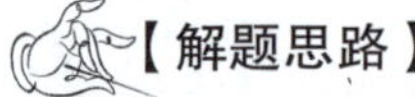
【解题思路】

题干中给出病证，问治法，经行头痛之血虚证，方剂用八珍汤。

第十四节　经行感冒

一、定义

每值经行前后或正值经期，出现感冒症状，经后逐渐缓解者，称“经行感冒”。

二、病因病机

1. **病因**　风寒、风热、邪入少阳。

2. **病机**　经行阴血下注于胞宫，体虚益甚，此时血室正开，腠理疏松，卫气不固，风邪乘虚侵袭，或素有伏邪，随月经周期反复乘虚而发。

命题趋势　疾病病因的相关知识点，考试多以 A1 和 B1 型题为主，回答这类题时结合证型的选项，容易得出正确答案。

金题直击

1. 导致经行感冒的常见病因有

A. 风寒、风热、血瘀　　B. 邪入少阳、太阳、阳明

C. 风寒、风热、邪入少阳　　D. 气虚、气阴两虚、气血不足

E. 血瘀、血寒、血虚

【答案】C

【解题思路】

本病以感受风邪为主，夹寒则为风寒，夹热则为风热，常见病因有风寒、风热、邪入少阳。

三、辨证论治

经行感冒的辨证论治见表 7-33。

表 7-33　经行感冒的辨证论治

证型	证候	治法	方剂
风寒证	经行期间，发热，恶寒，无汗，鼻塞流涕，咽喉痒痛，舌质淡红，苔薄白，脉浮紧。经血净后，诸证渐愈	解表散寒，和血调经	荆穗四物汤
风热证	经行期间，发热身痛，微恶风，头痛汗出，鼻塞咳嗽，舌质红，苔黄，脉浮数	疏风清热，和血调经	桑菊饮
邪入少阳证	经期出现寒热往来，胸胁苦满，口苦咽干，心烦欲呕，头晕目眩，默默不欲饮食，舌质红，苔薄白或薄黄，脉弦或弦数	和解表里	小柴胡汤

命题趋势　辨证论治相关知识点，考试多以 A2 型题为主，这类题是最重要的知识，必须掌握。

金题直击

2. 患者每于经期即出现寒热往来，胸胁苦满，口苦咽干，心烦欲呕，头晕目眩，默默不欲饮食，舌质红，苔薄白，脉弦，治疗应首选的方剂是

A. 一贯煎　　B. 小柴胡汤

C. 丹栀逍遥散　　D. 柴胡疏肝散

E. 四逆散

【答案】B

【解题思路】

根据主诉每于经期即出现寒热往来，可确诊为经行感冒，根据胸胁苦满、默默不欲饮食、舌质红、苔薄白、脉弦，证型是邪入少阳证，方剂是小柴胡汤。

第十五节　经行身痛

一、定义

每遇经行前后或正值经期，出现以身体疼痛为主症者，称“经行身痛”。

二、病因病机

素体正气不足，营卫失调，筋脉失养，不荣而痛，或因宿有寒湿留滞，经行时气血下注冲任，因寒凝血瘀，经脉阻滞，以致气血不通而痛。

命题趋势　疾病病因的相关知识点，考试多以 A1 和 B1 型题为主，回答这类题时结合证型的选项，容易得出正确答案。

金题直击

1. 下列月经病中，除哪项外，均可由肝气郁结所致

A. 经行身痛　　B. 经行吐衄

C. 经行水肿　　D. 经行乳房胀痛

E. 经行头痛

【答案】A

【解题思路】

经行身痛的病机是素体正气不足，营卫失调，筋脉失养，不荣而痛，或因宿有寒湿留滞，经行时气血下注冲任，因寒凝血瘀，经脉阻滞，以致气血不通而身痛，没有肝气郁结证型，其他四个疾病，均有肝郁证型。

三、辨证论治

经行身痛的辨证论治见于表 7-34。

表 7-34 经行身痛的辨证论治

证型	证候	治法	方剂
血虚证	经行时肢体疼痛麻木，肢软无力，月经量少、色淡、质薄，颜面无华，舌质淡红，苔白，脉沉细	养血益气，柔筋止痛	当归补血汤
血瘀证	经行时腰膝、肢体、关节疼痛，得热痛减，遇寒痛甚，月经推迟、量少、色暗或有血块，舌质紫暗或瘀斑，苔薄白，脉沉紧	活血通络，益气散寒止痛	趁痛散

命题趋势 疾病临床表现的相关知识点，考试多以 A1 和 B1 型题为主，回答这类题时可以参考疾病定义和临床常识选出答案。

金题直击

2. 哪一项不是血瘀型经行身痛的症状

A. 经行腰膝关节疼痛

B. 得热痛减，遇寒痛甚

C. 腰膝酸软，夜尿频多

D. 经量少、色暗红、有血块

E. 苔薄白，脉沉紧

【答案】C

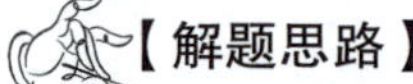【解题思路】

此题考查的是证候表现的考点，C 选项为肾虚表现，腰为肾之府，肾主水。

第十六节 经行泄泻

一、定义

每值行经前后或经期，大便溏薄，甚或水泻，日解数次，经净自止者，称为“经行泄泻”。本病以泄泻伴随月经周期而出现为主要特点，临床也有平素有慢性腹泻，遇经行而发作尤甚者，亦属本病范畴。若经期偶因饮食不节，或伤于风寒而致泄泻者，则不属本病范围。

二、病因病机

1. **病因** 脾肾虚弱。
2. **病位** 脾、肾。
3. **病机** 经行之际，气血下注冲任，脾肾益虚而致经行泄泻。

命题趋势 疾病病机的相关知识点，考试多以 A1 和 B1 型题为主，回答这类题时可以参考临床常识选出答案。

金题直击

1. 经行泄泻主要责之于

A. 肝脾虚弱

B. 脾胃虚弱

C. 脾肾虚弱

D. 肝胃虚弱

E. 肝肾虚弱

【答案】C

【解题思路】

此题考查疾病病机，脾主运化，肾主温煦，为胃之关，主司二便。若二脏功能失于协调，脾气虚弱或肾阳不足，则运化失司，水谷精微不化，水湿内停。经行之际，气血下注冲任，脾肾益虚而致经行泄泻。

三、辨证论治

经行泄泻的辨证论治见表 7-35。

表 7-35　经行泄泻的辨证论治

证型	证候	治法	方剂
脾虚证	经期或行经前后，大便溏泻，经行量多、色淡、质薄，脘腹胀满，神疲肢倦，面浮肢肿，舌质淡红，苔白，脉濡缓	健脾渗湿，理气调经	参苓白术散
肾虚证	经行或经后，大便溏泻，或五更泄泻，经色淡、质清稀，腰酸腿软，畏寒肢冷，舌质淡，苔白，脉沉迟	温阳补肾，健脾止泻	健固汤合四神丸

证型治法的相关知识点，考试多以 A1 和 B1 型题为主，对照题干给出的症状，即可选出选项。

金题直击

2. 治疗经行泄泻之肾虚证，应首选的方剂是

A. 补中益气汤　　B. 香砂六君子汤

C. 人参养营汤　　D. 参苓白术散

E. 健固汤合四神丸

【答案】E

【解题思路】

题干中给出病证，问治法，经行泄泻之肾虚证，方剂用健固汤合四神丸。

第十七节　经行浮肿

一、定义

每逢经行前后，或正值经期，头面四肢浮肿者，称为经行浮肿。

二、病因病机

经前、经行时气血下注于胞宫，若素体脾肾虚损，值经行则脾肾更虚，气化运行失司，水湿生成，因而出现经行浮肿。也有因肝郁气滞，血行不畅，滞而作胀者。

命题趋势　疾病病因的相关知识点，考试多以 A1 和 B1 型题为主，回答这类题时结合证型的选项，容易得出正确答案。

金题直击

1. 经行浮肿常见的病因是

A. 气滞血瘀　　B. 肺脾气虚

C. 痰湿阻滞　　D. 脾肾阳虚

E. 风水相搏

【答案】D

【解题思路】

脾为水之制，肾为水之本，一主运化，一司开阖。脾主运化，脾虚则运化功能失职，水湿为患，泛

溢肌肤则为肿，肾主水，为水脏，体内水液有赖肾阳的蒸腾气化，才能正常运行输布排泄。所以经行浮肿主要责之于脾肾。也有因肝郁气滞，血行不畅，滞而作胀者，不属于常见病因。

三、辨证论治

经行浮肿的辨证论治见表 7-36。

表 7-36 经行浮肿的辨证论治

证型	证候	治法	方剂
脾肾阳虚证	经行面浮肢肿，按之没指，晨起头面肿甚，月经推迟，经量多、色淡、质薄；腹胀纳减，腰膝酸软，大便溏薄，舌质淡，苔白腻，脉沉缓或濡细	温肾化气，健脾利水	肾气丸合苓桂术甘汤
气滞血瘀证	经行肢体肿胀，按之随手而起，经血色暗有块，脘闷胁胀，善叹息，舌质紫暗，苔薄白，脉弦涩	理气行滞，养血调经	八物汤

命题趋势 辨证论治相关知识点，考试多以 A2 型题为主，这类题是最重要的知识，必须掌握。

金题直击

2. 患者经行肢体肿胀，按之随手而起，经血色暗有块，脘闷胁胀，善叹息，舌质紫暗，苔薄白，脉弦涩，治疗应首选的方剂是

A. 四物汤　　B. 八物汤

C. 八珍汤　　D. 失笑散

E. 五苓散

【答案】B

【解题思路】

根据主诉经行肢体肿胀，可确诊为经行肢体浮肿；根据按之随手而起，证型是气滞血瘀证，方剂是八物汤。

第十八节 经行吐衄

一、定义

每逢经行前后，或正值经期，出现周期性的吐血或衄血者，称“经行吐衄”。常伴经量减少，好像是月经倒行逆上，亦有“倒经”“逆经”之称。相当于西医学的“代偿性月经”。

二、病因病机

本病之因，由血热而致冲气上逆，迫血妄行所致。临床以鼻衄为多见。常见肝经郁火、肺肾阴虚。

三、辨证论治

经行吐衄的辨证论治见表 7-37。

表 7-37 经行吐衄的辨证论治

证型	证候	治法	方剂
肝经郁火证	经前或经期吐血、衄血，量较多，色鲜红，心烦易怒，两胁胀痛，口苦咽干，舌质红苔黄，脉弦数	清肝调经	清肝引经汤
肺肾阴虚证	经前或经期吐血、衄血，量少，色暗红，平素可有头晕耳鸣，手足心热，两颧潮红，潮热咳嗽，咽干口渴，舌质红或绛，苔滑剥或无苔，脉细数	滋阴养肺	顺经汤

命题趋势 辨证论治相关知识点，考试多以 A2 型题为主，这类题是最重要的知识，必须掌握。

金题直击

患者，女，35 岁，白领。月经周期正常，月经量少、色红、质稠，经期鼻衄，量不多，色暗红，伴手足心热，潮热颧红，舌质红少苔，脉细数，其证候是

A. 肝经郁火　　B. 阴虚内热
C. 心肝火旺　　D. 阴虚阳亢
E. 肺肾阴虚

【答案】E

【解题思路】

根据主诉经期鼻衄，可确诊为经行吐衄；根据手足心热，潮热颧红，舌质红少苔，脉细数，确定是肺肾阴虚证。

第十九节　经行口糜（助理不考）

一、定义

每值经前或经行时，口舌糜烂，如期反复发作，经后渐愈者，称“经行口糜”。病灶随经净而能自愈或基本自愈。

二、病因病机

1. 病因　阴虚火旺，胃热炽盛。
2. 病机　心、胃之火上炎所致。病变部位主要表现在口、舌。

命题趋势　疾病病机的相关知识点，考试多以 A1 和 B1 型题为主，回答这类题时可以参考临床常识选出答案。

金题直击

1. 经行口糜的病机是

A. 肝火上炎　　B. 心胃火盛上炎
C. 肝肾亏虚　　D. 热毒侵袭
E. 肝阳上亢

【答案】B

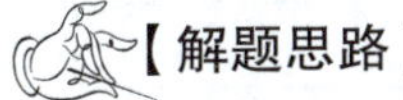【解题思路】

此题考查疾病病机，口糜以口舌、牙龈等处的糜烂和疮疡为主要表现，舌为心之苗，口为胃之门户，故其病机多由心、胃之火上炎所致。

三、辨证论治

经行口糜的辨证论治见表 7-38。

表 7-38　经行口糜的辨证论治

证型	证候	治法	方剂
阴虚火旺证	经期口舌糜烂，口燥咽干，月经量少、色红；五心烦热，尿少色黄；舌质红苔少，脉细数	滋阴降火	知柏地黄汤
胃热熏蒸证	经行口舌生疮，口臭，月经量多、色深红；口干喜饮，尿黄便结；舌苔黄厚，脉滑数	清胃泄热	凉膈散

命题趋势　证型治法的相关知识点，考试多以 A1 和 B1 型题为主，对照题干给出的症状，即可选出选项。

金题直击

2. 经行口糜之阴虚火旺证的治疗方剂是

A. 凉膈散　　B. 当归六黄汤

C. 沙参麦冬汤　　D. 导赤散

E. 上下相资汤　　【答案】E

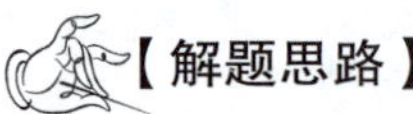【解题思路】

题干中给出病证，问用方，经行口糜之阴虚火旺证，方剂用知柏地黄汤或上下相资汤。

第二十节　经行风疹块（助理不考）

一、定义

每值临经时或行经期间，周身皮肤突起红疹，或起风团，瘙痒异常，经净渐退者，称“经行风疹块”，或称“经行瘾疹”。

二、病因病机

1. **病因**　血虚、风热。

2. **病机**　多因风邪为患，内风者，由血虚生风所致，外风者，由风邪乘经期、产后、体虚之时，袭于肌腠所致。

三、辨证论治

经行风疹块的辨证论治见表 7-39。

表 7-39　经行风疹块的辨证论治

证型	证候	治法	方剂
血虚证	经行风疹频发，瘙痒难忍，入夜尤甚，月经多推迟、量少、色淡；面色不华，肌肤枯燥；舌质淡红，苔薄，脉虚数	养血祛风	当归饮子
风热证	经行身发红色风团、疹块，瘙痒不堪，感风遇热，其痒尤甚，月经多提前、量多、色红；口干喜饮，尿黄便结；舌质红，苔黄，脉浮数	疏风清热	消风散

命题趋势　证型治法的相关知识点，考试多以 A1 和 B1 型题为主，对照题干给出的症状，即可选出选项。

金题直击

治疗经行风疹块之血虚证，应首选的方剂是

A. 八珍汤　　B. 当归饮子

C. 大补元煎　　D. 人参养荣汤

E. 补中益气汤　　【答案】B

【解题思路】

题干中给出病证，经行风疹块之血虚证，方剂用当归饮子。

第二十一节　经行发热（助理不考）

一、定义

每值经期或行经前后，出现以发热为主症者，称“经行发热”。若经行偶有一次发热者，不属此病。

二、病因病机

1. 病因 肝肾阴虚、血气虚弱、瘀热壅阻。

2. 病机 气血营卫失调。妇人值经行或行经前后，阴血下注于冲任，易使机体阴阳失衡，若素体气血阴阳不足，或经期稍有感触，即诱发本病。

命题趋势 疾病病机的相关知识点，考试多以 A1 和 B1 型题为主，回答这类题时可以参考临床常识选出答案。

金题直击

1. 经行发热的病机是

A. 肝火上炎

B. 热毒侵袭

C. 肝肾亏虚

D. 气血营卫失调

E. 肝阳上亢

【答案】D

【解题思路】

此题考查疾病病机，本病属内伤发热范畴，主要责之于气血营卫失调。妇人以血为本，月经乃血所化，值经期或行经前后，阴血下注于冲任，易使机体阴阳失衡。

三、辨证论治

经行发热的辨证论治见表 7-40。

表 7-40 经行发热的辨证论治

证型	证候	治法	方剂
肝肾阴虚证	经期或经后，午后潮热，月经量少、色红；两颧红赤，五心烦热，烦躁少寐；舌质红而干，脉细数	滋养肝肾，育阴清热	蒿芩地丹四物汤
血气虚弱证	经行或经后发热，热势不扬，动则自汗出，经量多、色淡、质薄；神疲肢软，少气懒言；舌质淡，苔白润，脉虚缓	补益血气，甘温除热	补中益气汤
瘀热壅阻证	经前或经期发热，腹痛，经色紫暗，夹有血块；舌质紫暗或舌边有瘀点，脉沉弦数	化瘀清热	血府逐瘀汤

命题趋势 辨证论治相关知识点，考试多以 A2 型题为主，这类题是最重要的知识，必须掌握。

金题直击

2. 张某，女，34 岁，已婚，教师。经期或经后，午后潮热，月经量少、色红，两颧红赤，五心烦热，烦躁少寐，舌质红而干，脉细数，其辨证分型是

A. 血气虚弱证

B. 瘀热壅阻证

C. 血瘀型

D. 脾虚型

E. 肝肾阴虚证

【答案】E

【解题思路】

根据主诉经期或经后、午后潮热，可确诊为经行发热；根据两颧红赤、五心烦热、舌质红而干、脉细数，确定是肝肾阴虚证。

第二十二节 经行情志异常

一、定义

每值行经前后，或正值经期，出现烦躁易怒，悲伤啼哭，或情志抑郁，喃喃自语，或彻夜不眠，甚或狂躁

不安，经后复如常人者，称为“经行情志异常”。

本病以经前情绪易于失控，无端悲伤、易怒，而月经周期的其他时间精神、情绪又完全正常为特点。

二、病因病机

1. **病因** 心血不足、肝经郁热、痰火上扰。
2. **病机** 情志内伤，肝气郁结，痰火内扰，遇经行气血骤变，扰动心神而致。

三、辨证论治

经行情志异常的辨证论治见表7-41。

表7-41 经行情志异常的辨证论治

证型	证候	治法	方剂
心血不足证	经前或经期，精神恍惚，心神不宁，无故悲伤，心悸失眠，月经量少、色淡；舌质淡苔薄白，脉细	补血养心，安神定志	甘麦大枣汤合养心汤
肝经郁热证	经前或经期，烦躁易怒，或抑郁不乐，头晕目眩，口苦咽干，胸胁胀满，不思饮食，月经量多、色深红；舌质红，苔黄，脉弦数	清肝泄热，解郁安神	丹栀逍遥散
痰火上扰证	经前或经期精神狂躁，烦乱不安，或语无伦次，头痛失眠，或面红目赤、溲黄便结，或心胸烦闷，不思饮食，月经量或偏少、色红或深红、质稀黏或夹小血块；舌质红，苔黄腻，脉滑数有力	清热化痰，宁心安神	生铁落饮

命题趋势 证型治法的相关知识点，考试多以A1和B1型题为主，对照题干给出的症状，即可选出选项。

金题直击

治疗经行情志异常之痰火上扰证，应首选的方剂是

A. 生铁落饮加味　　B. 丹栀逍遥散加味

C. 甘麦大枣汤加味　　D. 血府逐瘀汤

E. 补中益气汤

【答案】A

【解题思路】

经行情志异常之痰火上扰证，方剂用生铁落饮加郁金、川连。

第二十三节 绝经前后诸证

一、定义

妇女在绝经期前后，围绕月经紊乱或绝经出现明显不适证候，如烘热汗出、烦躁易怒、潮热面红、眩晕耳鸣、心悸失眠、腰背酸楚、面浮肢肿、情志不宁等症状，称为绝经前后诸证，亦称“经断前后诸证”。

二、病因病机

《素问·上古天真论》曰：“……七七任脉虚，太冲脉衰少，天癸竭，地道不通，故形坏而无子也。”这是女性生长发育、生殖与衰老的自然规律。部分妇女则由于体质、产育、疾病、营养、劳逸、社会环境、精神因素等方面的原因，使肾阴阳平衡失调而导致本病。肾阴阳失调，也常涉及心、肝、脾。

命题趋势 疾病病机的相关知识点，考试多以A1和B1型题为主，回答这类题时可以参考临床常识选出答案。

金题直击

1. 绝经前后诸证的产生机制主要是

A. 肝血不足，冲任亏虚
B. 脾气虚弱，冲任失养
C. 肾气虚衰，天癸渐竭
D. 心肾不交，冲任失调
E. 心脾血虚，冲任俱虚

【答案】C

【解题思路】

此题考查疾病病机，绝经前后诸证是女性生长发育、生殖与衰老的自然规律，“七七任脉虚，太冲脉衰少，天癸竭”。

三、辨证论治

绝经前后诸证的辨证论治见表 7-42。

表 7-42　绝经前后诸证的辨证论治

证型	证候	治法	方剂
肾阴虚证	经断前后，月经紊乱，月经提前、量多或少，或崩或漏，经色鲜红；头晕耳鸣，头部面颊阵发性烘热，汗出，五心烦热，足跟疼痛，腰酸腿软，失眠多梦，口燥咽干，或皮肤干燥、瘙痒；舌质红，苔少，脉细数	滋养肾阴，佐以潜阳	左归饮
肾阳虚证	经断前后，经行量多、色淡暗，或崩中漏下；精神萎靡，面色晦暗，腰背冷痛，小便清长，夜尿频数，或面浮肢肿；舌质淡或胖嫩边有齿印，苔薄白，脉沉细弱	温肾扶阳	右归丸加减
肾阴阳俱虚证	经断前后，月经紊乱、量多或少；乍寒乍热，烘热汗出，头晕耳鸣，健忘，腰背冷痛；舌质淡，苔薄，脉沉细	阴阳双补	二仙汤
心肾不交证	绝经前后，心烦失眠，心悸易惊，甚至情志失常，月经周期紊乱，经量少或多，经色鲜红，头晕健忘，腰酸乏力；舌质红，苔少，脉细数	滋阴补血，养心安神	天王补心丹

命题趋势　辨证论治相关知识点，考试多以 A2 型题为主，这类题是最重要的知识，必须掌握。

金题直击

2. 田某，女，49 岁，退休。月经或前或后，烘热出汗，五心烦热，头晕耳鸣，腰酸乏力，舌质红苔薄，脉细数，治疗应首选的方剂是

A. 左归丸合二至丸
B. 内补丸
C. 肾气丸
D. 两地汤合二至丸
E. 二仙汤合二至丸

【答案】A

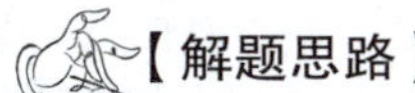【解题思路】

根据主诉 49 岁、月经或前或后、烘热出汗、可确诊为绝经前后诸证；根据五心烦热、脉细数，确定证型是肾阴虚证，方剂是左归丸合二至丸。

第二十四节　经断复来（助理不考）

一、定义

绝经期妇女月经停止 1 年及 1 年以上，又再次出现子宫出血，称为经断复来，亦称为“年老经水复行”，或称为“妇人经断复来”。

二、病因病机

老年妇女，其一生经历了经、孕、产、乳等数伤阴血的阶段，肾阴虚逐渐影响他脏，或脾虚肝郁、冲任失固，或湿热下注，或血热，或湿毒瘀结损伤冲任以致经断复行。

三、鉴别诊断

经断复来需与宫颈癌、宫颈炎、宫颈结核、子宫肉瘤或子宫内膜癌相鉴别（表 7-43）。

表 7–43　经断复来与宫颈癌、宫颈炎、宫颈结核、子宫肉瘤或子宫内膜癌的鉴别诊断

疾病	表现	检查
宫颈癌	阴道不规则出血，常为接触性出血，或见血性带下，量时多时少，也可大量出血；严重者可见下腹胀痛，腰痛，一侧或两侧下腹痉挛性疼痛	妇科检查见宫颈糜烂严重或呈菜花样改变；需行宫颈 TCT 检查，阴道镜检查及活检以确诊
宫颈炎	表现为宫颈糜烂或息肉时均可见接触性出血	宫颈刮片细胞学检查示巴氏Ⅰ～Ⅱ级。TCT 呈良性反应
宫颈结核	表现为阴道不规则出血，伴白带增多，局部见多个溃疡，甚至呈菜花样赘生物	可局部活检以确诊
子宫肉瘤或子宫内膜癌	子宫出血反复量多，子宫增大等	需作诊刮以确诊

四、辨证论治

注意参考各种检查结果，辨明属良性或恶性。良性者当以固摄冲任为大法，或补虚或攻邪，或扶正祛邪；恶性病变者应采用多种方法（包括手术、放疗、化疗）综合治疗。经断复来的辨证论治见表 7-44。

表 7–44　经断复来的辨证论治

证型	证候	治法	方剂
脾虚肝郁证	经断后阴道出血，血量少、色淡、质稀气短懒言，神疲肢倦，食少腹胀，胁肋胀满；舌苔薄白，脉弦无力	健脾调肝，安冲止血	安老汤
肾阴虚证	经断后阴道出血，血量少、色鲜红、质稠；腰膝酸软，潮热盗汗，口咽干燥；舌质偏红，苔少，脉细数	滋阴清热，安冲止血	知柏地黄丸
湿热下注证	绝经后阴道出血，血色红或紫红、量较多，平时带下色黄有臭味，外阴及阴道瘙痒，口苦咽干，大便不爽，溲赤；舌质偏红，苔黄腻，脉弦细数	清热利湿，止血凉血	易黄汤
湿毒瘀结证	绝经后复见阴道出血，血量少，淋沥不断，夹有杂色带下，恶臭，小腹疼痛，低热起伏，神疲，形体消瘦；舌质暗，或有瘀斑，苔白腻，脉细弱	利湿解毒，化瘀散结	萆薢渗湿汤合桂枝茯苓丸
血热证	自然绝经 2 年以上经水复来，血色深红、质稠，带下增多、色黄、有臭味，口苦口干，溲赤，大便秘结；舌质红，苔黄，脉弦滑	清热凉血，固冲止血	益阴煎

命题趋势 辨证论治相关知识点，考试多以 A2 型题为主，这类题是最重要的知识，必须掌握。

金题直击

患者，女，52 岁，退休。经断后 2 年，阴道出血，血量少、色淡、质稀，气短懒言，神疲肢倦，食少腹胀，胸胁胀满，舌苔薄白，脉弦无力，其证型是

A. 湿毒瘀结证　　B. 血热证

C. 湿热下注证　　D. 肾阴虚证

E. 脾虚肝郁证

【答案】E

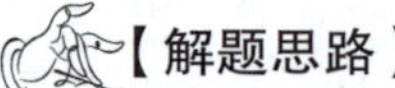
【解题思路】

根据主诉经断后 2 年、阴道出血，可确诊为经断复来；根据气短懒言、食少腹胀、胸胁胀满、脉弦无力，确定是脾虚肝郁证。

高频考点速递

1. 月经先期病机　冲任不固，经血失于约制。

2. 月经后期病机　实者多因血寒、气滞、痰湿等导致血行不畅，冲任受阻，血海不能如期满盈，致使月经后期而来。虚者多因肾虚、血虚、虚寒等，导致精血不足，冲任不充，血海不能按时满溢而经迟。

3. 月经先后不定期病机　肝、肾、脾功能失调，冲任功能紊乱，血海蓄溢失常。

4. 月经过多病机　气虚则血失统摄；血热则热扰冲任；血瘀则瘀阻冲任，血不归经，冲任不固，经血失于制约。

5. 闭经的治疗原则　虚者补而通之；实者泻而通之。

6. 崩漏的病机　冲任不固，不能制约经血，使子宫藏泻失常。

7. 崩漏治崩三法　塞流、澄源、复旧。

8. 经行身痛的病因病机　素体正气不足，营卫失调，筋脉失养，不荣而痛，或因宿有寒湿留滞，经行时气血下注冲任，因寒凝血瘀，经脉阻滞，以致气血不通而痛。

9. 经行情志异常的病机　情志内伤，肝气郁结，痰火内扰，遇经行气血骤变，扰动心神而致。

第八单元　带下病

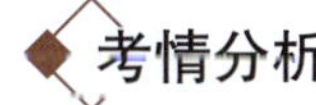

考情分析

单元	年份 级别	2019	2020	2021	2022	2023
带下病	执业	7	6	5	6	6
	助理	3	3	3	3	3

第一节　概　述

一、带下病的定义

带下病是指带下量明显增多或减少，色、质、气味发生异常，或伴有全身或局部症状者。妇女在月经期前后、排卵期、妊娠期其带下量增多而无其他不适者，或绝经前后白带减少而无明显不适者，均不作病论，为生理现象。

命题趋势　疾病临床表现的相关知识点，考试多以A1和B1型题为主，回答这类题时可以参考疾病定义和临床常识选出答案。

金题直击

1. 下列各项，不属于生理性带下的是

A. 月经期前后带下量多　　B. 排卵期带下量多

C. 妊娠期带下量多　　D. 绝经前后白带减少

E. 带下黄绿色

【答案】E

【解题思路】

此题考查的是疾病表现的考点，带下即白带，黄绿色为病理状态。

二、带下病的治疗原则

1. 带下过多，治疗以除湿为主。治脾宜运、宜升、宜燥；治肾宜补、宜固、宜涩。

2. 带下过少，根本是阴血不足，治疗重在滋补肝肾之阴精，佐以养血、化瘀等。用药不可肆意攻伐，过用辛燥苦寒之品，以免耗津伤阴。

治法的相关知识点，考试多以 A1 和 B1 型题为主，对照题干给出的症状，即可选出选项。

金题直击

2. 带下过多的治疗原则重在

A. 除湿为主
B. 益气养血
C. 滋补肝肾之阴精
D. 疏肝养肝
E. 调理冲任

【答案】A

【解题思路】

带下过多的主要病机是湿邪伤及任带二脉，使任脉不固，带脉失约。湿邪是导致本病的主要原因，所以治法以除湿为主。

第二节　带下过多

一、定义

带下过多指带下量明显增多，色、质、气味异常，或伴有局部及全身症状者。古代有“白沃”“赤白沥”“下白物”等名称。

二、病因病机

1. 病因　脾虚、肾阳虚、阴虚夹湿、湿热下注、热毒蕴结。

2. 病机　湿邪伤及任带二脉，使任脉不固，带脉失约。湿邪是主要原因，但有内外之别。脾肾肝功能失调是产生内湿之因；外湿多因久居湿地，或涉水淋雨，或摄生不洁，或不洁性交等，以致感受湿热毒虫邪。

三、辨证要点

根据带下的量、色、质、气味的异常以辨寒热虚实。

四、辨证论治

带下过多的辨证论治见表 8-1。

表 8-1　带下过多的辨证论治

证型	证候	治法	方剂
脾虚证	带下量多、色白或淡黄、质稀，或如涕如唾，绵绵不断，无臭；面色㿠白或萎黄，四肢倦怠，纳少便溏，或四肢浮肿；舌质淡胖，苔白或腻，脉细缓	健脾益气升阳除湿	完带汤
肾阳虚证	带下量多、绵绵不断、质清稀如水；腰酸如折，畏寒肢冷，小腹冷感，小便清长，或夜尿多，大便溏薄；舌质淡，苔白润，脉沉迟	温肾培元，固涩止带	内补丸
阴虚夹湿证	带下量多、色黄或赤白相兼、质稠、有气味，阴部灼热感，或阴部瘙痒；腰酸腿软，头晕耳鸣，五心烦热，咽干口燥，或烘热汗出，失眠多梦；舌质红，苔少或黄腻，脉细数	滋肾益阴，清热利湿	知柏地黄汤
湿热下注证	带下量多、色黄或呈脓性、质黏稠、有臭气，或带下色白质黏、呈豆渣样，外阴瘙痒；小腹作痛，口苦口腻，胸闷纳呆，溲赤；舌质红，苔黄腻，脉滑数	清利湿热，佐以解毒杀虫	止带方
热毒蕴结证	带下量多、黄绿如脓，或赤白相兼，或五色杂下，质黏腻，臭秽难闻；小腹疼痛，腰骶酸痛，烦热头晕，口苦咽干，小便短赤，大便干结；舌质红，苔黄或黄腻，脉滑数	清热解毒	五味消毒饮

命题趋势 辨证论治相关知识点，考试多以 A2 型题为主，这类题是最重要的知识，必须掌握。

金题直击

钱某，女，40 岁。带下量多、色黄或白、质黏稠、有臭气，小腹作痛，或阴痒，便秘溲赤，舌质红苔黄厚腻，脉滑数，治疗应首选的方剂是

A. 五味消毒饮　　B. 龙胆泻肝汤

C. 萆薢渗湿汤　　D. 止带方

E. 易黄汤

【答案】D

【解题思路】

根据主诉带下量多，可确诊为带下过多；根据便秘溲赤、舌质红苔黄厚腻、脉滑数，确定证型是湿热下注证，方剂是止带方。

五、外治法

实证带下病多结合白带检查结果配合外治法治疗。实证带下过多病的外治法、药剂及其适应证见表 8-2。

表 8-2　实证带下过多病的外治法、药剂及其适应证

治法	药剂	适应证
外洗法	洁尔阴、肤阴洁、皮肤康等洗剂	各类阴道炎
阴道纳药法	洁尔阴泡腾片、保妇康栓	各类阴道炎
	双料喉风散、珍珠层粉	宫颈糜烂及老年性阴道炎
热熨法	火熨、电灼、激光	因宫颈炎而致带下过多者

第三节　带下过少

一、定义

带下过少指带下量明显减少，导致阴中干涩痒痛，甚至阴部萎缩者。

二、病因病机

1. 病因　肝肾亏损、血枯瘀阻。
2. 病机　阴液不足，不能渗润阴道。

三、辨证论治

带下过少的辨证论治见表 8-3。

表 8-3　带下过少的辨证论治

证型	证候	治法	方剂
肝肾亏损证	带下过少，甚至全无，头晕耳鸣，腰膝酸软，烘热汗出，烦热胸闷，夜寐不安，小便黄，大便干结；舌质红，少苔，脉细数或沉弦细	滋补肝肾，养精益血	左归丸
血枯瘀阻证	带下过少，甚至全无，阴中干涩，阴痒；或面色无华，头晕眼花，心悸失眠，神疲乏力，或经行腹痛，经色紫暗、有血块，肌肤甲错，或下腹有包块；舌质暗、边有瘀点瘀斑，脉细涩	补血益精，活血化瘀	小营煎

命题趋势 辨证论治相关知识点，考试多以 A2 型题为主，这类题是最重要的知识，必须掌握。

金题直击

患者，女，31岁，已婚，医生。带下过少，阴中干涩，头晕，心悸失眠，神疲乏力，经行腹痛，舌质暗淡，边有瘀斑，脉细涩，治疗应首选的方剂是

A. 血府逐瘀汤
B. 左归丸
C. 少府逐瘀汤
D. 小营煎
E. 左归饮

【答案】D

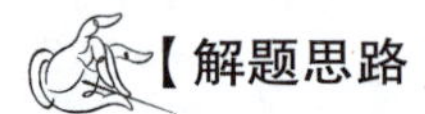
【解题思路】

根据主诉带下过少、阴中干涩，可确诊为带下过少；根据舌质暗淡、边有瘀斑，脉细涩，确定证型是血枯瘀阻证，方剂是小营煎。

高频考点速递

1. 带下过多，治疗以除湿为主。治脾宜运、宜升、宜燥；治肾宜补、宜固、宜涩。
2. 带下过少，根本是阴血不足，治疗重在滋补肝肾之阴精，佐以养血、化瘀等。
3. 带下过多病机是湿邪伤及任带二脉，使任脉不固，带脉失约。
4. 带下过少病机是阴液不足，不能渗润阴道。

第九单元　妊娠病

考情分析

单元	年份 / 级别	2019	2020	2021	2022	2023
妊娠病	执业	6	7	5	6	6
	助理	3	3	2	3	3

第一节　概　述

一、妊娠病的定义

妊娠期间，发生与妊娠有关的疾病，称“妊娠病”。

二、妊娠病的范围

包括妊娠恶阻、妊娠腹痛、异位妊娠、胎漏、胎动不安、堕胎、小产、滑胎、胎萎不长、胎死不下、子满、子肿、子晕、子痫、子嗽、妊娠小便淋痛、妊娠小便不通、妊娠瘙痒症、妊娠贫血、难产等疾病。

三、妊娠病的诊断

首先要明确妊娠诊断。自始至终要注意胎元未殒与已殒的鉴别，注意胎儿的发育情况以及母体的健康状况，必要时要注意排除畸胎等。并注意与激经、闭经、癥瘕等鉴别。

四、妊娠病的发病机理

妊娠病的病因及其病机见表9-1。

表 9-1 妊娠病的病因及其病机

病因	病机
阴血虚	孕后阴血下聚以养胎元，阴血益虚，可致阴虚阳亢而发病
脾肾虚	脾虚：气血生化乏源，胎失所养，若脾虚湿聚，则泛溢肌肤或水停胞中为病
	肾虚：肾精匮乏，胎失所养；或肾气虚弱，胎失所系，胎元不固
冲气上逆	孕后经血不泻，聚于冲任、子宫以养胎，冲脉气盛。冲脉隶于阳明，若胃气素虚，冲气上逆犯胃，胃失和降则呕恶
气滞	素多忧郁，气机不畅，腹中胎体渐大，易致气机升降失常，气滞则血瘀水停而致病

五、妊娠病的治疗原则

以胎元的正常与否为前提。若胎元不正，胎堕难留，或胎死不下，或孕妇有病不宜继续妊娠者，则宜从速下胎以益母。胎元正常者，宜治病与安胎并举。安胎之法，以补肾健脾、调理气血为主。

六、妊娠期间用药的注意事项

凡峻下、滑利、祛瘀、破血、耗气、散气以及一切有毒药品，都应慎用或禁用。如果病情确实有需要，需严格掌握剂量和用药时间，“衰其大半而止”，以免动胎伤胎。

命题趋势 用药注意事项的相关知识点，考试多以 A1 和 B1 型题为主，这类题，按照中医临床常识，即可选出选项。

金题直击

下列除哪项外，均是妊娠禁用药

A. 峻下剂　　B. 破血剂

C. 逐瘀剂　　D. 和血剂

E. 有毒剂

【答案】D

【解题思路】

凡峻下、滑利、祛瘀、破血、耗气、散气以及一切有毒药品，都应慎用或禁用。

第二节 妊娠恶阻

一、定义

妊娠早期出现恶心呕吐、头晕倦怠，甚至食入即吐者，称为“恶阻”。

二、病因病机

1. 病因　脾胃虚弱、肝胃不和。
2. 病机　冲脉之气上逆，胃失和降。

命题趋势 疾病病机的相关知识点，考试多以 A1 和 B1 型题为主，回答这类题时可以参考临床常识选出答案。

金题直击

1. 妊娠恶阻的主要发病机制是

A. 脾胃虚弱，化源不足　　B. 肝郁气滞，失于条达

C. 痰湿内停，中焦受阻　　D. 重伤津液，胃阴不足

E. 冲气上逆，胃失和降

【答案】E

【解题思路】

此题考查疾病病机，妊娠恶阻常见的病因为脾胃虚弱、肝胃不和，并可继发气阴两虚的恶阻重症，病机是冲脉之气上逆，胃失和降。

三、鉴别诊断

本病应与葡萄胎、妊娠合并急性胃肠炎、孕痈相鉴别。

四、辨证论治

妊娠恶阻的辨证论治见表 9-2。

表 9–2　妊娠恶阻的辨证论治

证型	证候	治法	方剂
脾胃虚弱证	妊娠早期，恶心呕吐不食，甚则食入即吐，口淡，呕吐清涎；头晕体倦，脘痞腹胀；舌质淡，苔白，脉缓滑无力	健脾和胃，降逆止呕	香砂六君子汤
肝胃不和证	妊娠早期，恶心，呕吐酸水苦水，恶闻油腻；烦渴，口苦口干，头胀头晕，胸满胁痛，嗳气叹息；舌质淡红，苔微黄，脉弦滑	清肝和胃，降逆止呕	橘皮竹茹汤或苏叶黄连汤
痰滞证	妊娠早期，呕吐痰涎；胸膈满闷，不思饮食，口中淡腻，头晕目眩，心悸气短；舌质淡胖，苔白腻，脉滑	化痰除湿，降逆止呕	青竹茹汤

命题趋势　辨证论治相关知识点，考试多以 A2 型题为主，这类题是最重要的知识，必须掌握。

金题直击

2. 患者，女，26 岁，已婚，职工。停经 2 个月，尿妊娠试验阳性，恶心呕吐 10 天加重 3 天，食入即吐，口淡无味，时时呕吐清涎，倦怠嗜睡，舌质淡苔白润，脉缓滑无力，其证型是

A. 脾胃虚弱　　B. 痰湿中阻

C. 肝胃不和　　D. 肝脾不和

E. 气阴两伤

【答案】A

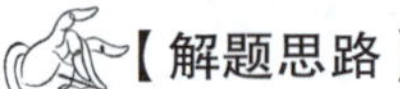【解题思路】

根据主诉尿妊娠试验阳性、恶心呕吐 10 天加重 3 天、食入即吐，可确诊为妊娠恶阻；根据呕吐清涎、倦怠嗜卧，确定证型是脾胃虚弱证。

第三节　异位妊娠

一、定义

凡孕卵在子宫体腔以外着床发育，称为“异位妊娠”，以输卵管妊娠为最常见，占 90% ～ 95%，可造成急性腹腔内出血，是妇产科常见急腹症之一，俗称“宫外孕”。中医学文献中并未有该病名的记载，但在“妊娠腹痛”“经漏”“癥瘕”等病证中有类似症状的描述。

异位妊娠包括输卵管妊娠、卵巢妊娠、腹腔妊娠、阔韧带妊娠、宫颈妊娠及子宫残角妊娠；宫外孕则仅指子宫以外的妊娠，不包括宫颈妊娠和子宫残角妊娠。

二、病因病机

少腹宿有瘀滞，冲任胞脉、胞络不畅，运送孕卵受阻，不能移行至子宫，而在输卵管内发育；或脾肾气虚，不能把孕卵及时运送至子宫。

病情发展，孕卵胀破脉络，血溢于少腹，可迅速发展为阴血暴亡、气随血脱的厥脱证，危及生命。病机本质在于少腹血瘀实证。

命题趋势 疾病病机的相关知识点，考试多以A1和B1型题为主，回答这类题时可以参考临床常识选出答案。

金题直击

1. 异位妊娠的病机本质是

A. 气虚血瘀
B. 血亡阳脱
C. 气滞血瘀
D. 阴血暴亡
E. 少腹血瘀

【答案】E

【解题思路】

此题考查疾病病机，异位妊娠的病机本质是少腹血瘀实证。

三、临床表现

多有停经史及早孕反应，未破损型多无明显腹痛，或仅有下腹一侧隐痛，已破损型可有腹痛、阴道不规则出血、晕厥与休克等表现，当输卵管破裂时患者突感下腹一侧撕裂样剧痛，可波及下腹或全腹，有的还引起肩胛部放射性疼痛。

四、鉴别诊断

本病应与妊娠腹痛、胎动不安、黄体破裂、急性阑尾炎、急性盆腔炎、卵巢囊肿蒂扭转等相鉴别。

五、急症处理及手术适应证

1. 急症处理

（1）患者平卧，立即监测生命体征，观察患者神志。
（2）急查血常规、血型及交叉配血，备血，必要时输血。
（3）立即给予输氧、补液。
（4）有条件者可同时服用参附汤，或生脉散合宫外孕Ⅰ号方。
（5）若腹腔出血过多，应立即手术治疗。

2. 手术适应证

（1）停经时间长，疑为输卵管间质部或残角子宫妊娠者。
（2）休克严重，内出血量多或持续出血，虽经抢救而不易控制者。
（3）妊娠试验持续阳性，包块继续长大，杀胚药无效者。
（4）愿意同时施行绝育术者。

命题趋势 手术适应证的相关知识点，考试多以A1和B1型题为主，回答这类题时一定按大纲原文选出答案。

金题直击

2. 下列各项，不属于宫外孕手术适应证的是

A. 输卵管间质部妊娠
B. 残角子宫妊娠
C. 妊娠试验持续阳性，包块继续长大
D. 输卵管破损时间较长，形成血肿包块
E. 愿意同时施行绝育术者

【答案】D

【解题思路】

宫外孕手术适应证有：停经时间长，疑为输卵管间质部或残角子宫妊娠者；休克严重，内出血量多或持续出血，虽经抢救而不易控制者；妊娠试验持续阳性，包块继续长大，杀胚药无效者；愿意同时施行绝育术者。D选项输卵管破损时间较长，形成血肿包块，可以采取保守治疗。

六、辨证论治

本病辨证治疗的重点是随着病情的发展，动态观察治疗，并在有输血、输液及手术准备的条件下进行服药。异位妊娠的辨证论治见表9-3。

表 9-3 异位妊娠的辨证论治

证型	证候	治法	方剂
未破损期	停经后可有早孕反应，或下腹一侧有隐痛，双合诊可触及一侧附件有软性包块，有压痛，尿妊娠实验阳性，脉弦滑	活血化瘀，消癥杀胚	宫外孕Ⅱ号方加蜈蚣、全蝎、紫草
已破损期—休克型	突发下腹剧痛，面色苍白，四肢厥逆，或冷汗淋漓，恶心呕吐，血压下降或不稳定，有时烦躁不安，脉微欲绝，或细数无力，并有腹部及妇科检查的体征	益气固脱，活血祛瘀	生脉散合宫外孕Ⅰ号方
已破损期—不稳定型	腹痛拒按，腹部有压痛及反跳痛，但逐渐减轻，可触及界限不清的包块，时有少量阴道出血，血压平稳，脉细缓	活血化瘀，佐以益气	宫外孕Ⅰ号方
已破损期—包块型	腹腔血肿包块形成，腹痛逐渐减轻，可有下腹坠胀或便意感，阴道出血逐渐停止，脉细涩	活血祛瘀消癥	宫外孕Ⅱ号方

命题趋势 辨证论治相关知识点，考试多以 A2 型题为主，这类题是最重要的知识，必须掌握。

金题直击

3. 患者已婚，月经过期半个月，尿妊娠试验（+），左下腹隐痛，双合诊触及左侧附件有软性包块，压痛（+），B 超提示：宫腔未见妊娠囊，左宫旁见一混合性包块，舌质淡苔薄白，脉弦滑，现阶段处理首选的方法是

A. 活血祛瘀消癥
B. 立即手术治疗
C. 活血化瘀，消癥杀胚
D. 活血化瘀，促胎排出
E. 止痛，养血安胎

【答案】C

【解题思路】

根据主诉尿妊娠试验（+）、宫腔未见妊娠囊、左宫旁见一混合性包块，可确诊为异位妊娠；根据舌质淡苔薄白、脉弦滑，确定证型是未破损期，治法是活血化瘀，消癥杀胚。

第四节 胎漏、胎动不安

一、定义

妊娠期间阴道少量出血，时出时止，或淋漓不断，而无腰酸、腹痛、小腹下坠者，称为“胎漏”，亦称“胞漏”或“漏胎”。妊娠期间出现腰酸、腹痛、小腹下坠，或伴有少量阴道出血者，称为“胎动不安”。本病发生在妊娠早期，类似于西医学的先兆流产，若发生在妊娠中、晚期，则类似于西医学的前置胎盘。

二、病因病机

1. 病因 肾虚、血热、气血虚弱、跌扑伤胎、癥瘕伤胎。

2. 病机 冲任损伤、胎元不固。

命题趋势 疾病病机的相关知识点，考试多以 A1 和 B1 型题为主，回答这类题时可以参考临床常识选出答案。

金题直击

1. 以下哪一项不是胎漏、胎动不安的常见病因病机

A. 肾虚
B. 肝郁
C. 血热
D. 血瘀
E. 气血虚弱

【答案】B

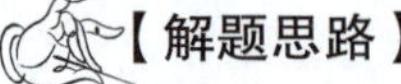
【解题思路】

此题考查疾病病因，常见的有肾虚、血热、气血虚弱、血瘀。

三、鉴别诊断

胎漏、胎动不安是以胚胎、胎儿存活为前提，首辨胚胎存活与否，并要与妊娠期间有阴道出血或腹痛的疾病相鉴别。此外还要与宫颈出血相鉴别，如宫颈息肉出血。

四、辨证论治

1. 首辨胎元未殒或已殒　胎元未殒宜保；胎元已殒则应去胎，按堕胎、小产处理。

2. 治疗原则　补肾安胎。

胎漏、胎动不安的辨证论治见表 9-4。

表 9-4　胎漏、胎动不安的辨证论治

证型	证候	治法	方剂
肾虚证	妊娠期阴道少量出血、色淡暗，腰酸，腹痛下坠，或曾屡孕屡堕，头晕耳鸣，夜尿多，眼眶暗黑或有面部暗斑；舌淡苔白，脉沉细滑，尺脉弱	补肾健脾，益气安胎	寿胎丸加减
血热证	妊娠期阴道少量出血、色鲜红或深红、质稠，或腰酸，口苦咽干，心烦少寐，便结溲黄；舌红苔黄，脉滑数	清热凉血，养血安胎	保阴煎加减
气血虚弱证	妊娠期少量阴道出血、色淡、质稀、或小腹空坠而痛，腰酸，面色㿠白，心悸气短，神疲肢倦；舌质淡，苔薄白，脉细弱略滑	补气养血，固肾安胎	胎元饮加减
血瘀证	宿有癥积，孕后常有腰酸、腹痛下坠，阴道不时出血、色暗红，或妊娠期跌仆闪挫，继之腹痛或少量阴道出血；舌质暗红或有瘀斑，脉弦滑或沉弦	活血化瘀，补肾安胎	桂枝茯苓丸合寿胎丸
跌仆伤胎证	妊娠外伤，腰酸，腹胀坠，或阴道下血，舌象正常，脉滑无力	补气和血，安胎	圣愈汤合寿胎丸 若下血较多者，去当归、川芎，加艾叶炭、阿胶
癥瘕伤胎证	宿有癥瘕，孕后阴道不时少量下血，色红或暗红，胸腹胀满，少腹拘急，甚则腰酸下坠，皮肤粗糙，口干不欲饮，舌暗红或边尖有瘀斑，苔白，脉沉弦或沉涩	祛瘀消癥，固冲安胎	桂枝茯苓丸合寿胎丸 久崩不止，症见头昏、乏力、心悸、失眠者，酌加制首乌、桑寄生、五味子；脘腹胀闷者，加黑荆芥、煨木香、炒枳壳；崩中量多者，加山茱萸、仙鹤草、血余炭

命题趋势　辨证论治相关知识点，考试多以 A2 型题为主，这类题是最重要的知识，必须掌握。

金题直击

2. 患者，女，32 岁，已婚，销售员。孕后腰酸腹痛，胎动下坠，伴阴道少量出血，头晕耳鸣，小便频数，舌质淡苔白，脉沉细滑，治疗应首选的方剂是

A. 加味圣愈汤　　B. 胎元饮

C. 举元煎　　D. 补肾安胎饮

E. 寿胎丸

【答案】E

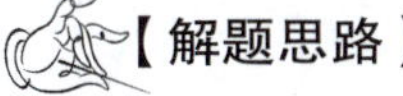

【解题思路】

根据主诉孕后腰酸腹痛、胎动下坠、伴阴道少量出血，可确诊为胎漏、胎动不安；根据小便频数、舌质淡苔白、脉沉细滑，辨证为肾虚证，代表方剂是寿胎丸或滋肾育胎丸。

第五节　堕胎、小产（助理不考）

一、定义

1. 妊娠12周内胚胎自然殒堕者称“堕胎”。
2. 妊娠12～28周内胎儿已成形而自然殒堕者称“小产”或“半产”。

命题趋势 疾病定义的相关知识点，考试多以A1型题为主，诊断疾病是重中之重。

金题直击

1. 凡妊娠12周内，胚胎自然殒堕者，称为

A. 滑胎　　B. 堕胎

C. 小产　　D. 胎动不安

E. 胎漏

【答案】B

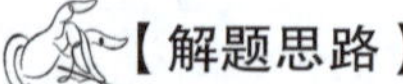

【解题思路】

凡妊娠12周内胚胎自然殒堕者称“堕胎”，妊娠12～28周内胎儿已成形而自然殒堕者称“小产”或“半产”。妊娠期间阴道少量出血，时出时止，或淋漓不断，而无腰酸、腹痛、小腹下坠者，称为“胎漏”，亦称“胞漏”或“漏胎”。妊娠期间出现腰酸、腹痛、小腹下坠，或伴有少量阴道出血者，称为“胎动不安”。堕胎、小产连续发生3次或3次以上者，称为滑胎。

二、病因病机

1. 病因　肾气虚弱、气血不足、热病伤胎和跌仆伤胎。

2. 病机　冲任损伤，胎结不实，胎元不固，而致胚胎、胎儿自然殒堕，离宫而下，多由胎漏、胎动不安发展而来。

三、鉴别诊断

本病需与异位妊娠、葡萄胎相鉴别。本病诊断的关键是妊娠物是否完全堕出或产出。

四、辨证论治

本病的治疗原则以下胎益母为主。若胎堕完全者，按产后处理，宜调养气血为主。

命题趋势 疾病治疗原则的相关知识点，考试多以A1和B1型题为主，回答这类题时可参考临床常识特点，容易得出正确答案。

金题直击

2. 堕胎、小产的治疗原则是

A. 下胎益母　　B. 调养气血

C. 治病也安胎并举　　D. 祛瘀下胎

E. 活血祛瘀

【答案】A

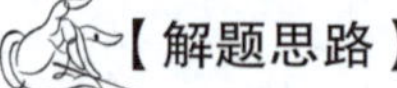

【解题思路】

堕胎、小产的发病机理主要是冲任损伤，胎结不实，胎元不固，而致胚胎、胎儿自然殒堕离宫而下，胎元不保。

堕胎、小产的辨证论治见表9-5。

表 9-5 堕胎、小产的辨证论治

证型	证候	治法	方剂
胎堕难留证	妊娠早期，阴道流血渐多，血色红有块，小腹坠胀疼痛，或妊娠中晚期，小腹疼痛，阵阵紧逼，会阴逼胀下坠，或有羊水溢出，继而阴道下血量多，或伴心悸气短，面色苍白，头晕目眩；舌质正常或紫暗，舌边尖有瘀点，脉滑或涩	祛瘀下胎	脱花煎或生化汤加益母草
胎堕不全证	胎殒之后，尚有部分组织残留于子宫，阴道流血不止，甚至经血如崩，腹痛阵阵紧逼；舌质淡，苔薄白，脉沉细无力	活血化瘀，佐以益气	脱花煎加人参、益母草、炒蒲黄

命题趋势 辨证论治相关知识点，考试多以 A2 型题为主，这类题是最重要的知识，必须掌握。

金题直击

3. 治疗堕胎、小产中胎堕不全证，应首选的方剂是

A. 胎元饮　　B. 保阴煎

C. 脱花煎　　D. 滋肾育胎丸

E. 少腹逐瘀汤

【答案】C

【解题思路】

题干中给出疾病和证候，堕胎、小产中胎堕不全证，选方为脱花煎。

第六节　滑　胎

一、定义

凡堕胎或小产连续发生 3 次或 3 次以上者，称为“滑胎”，亦称“数堕胎”“屡孕屡堕”。

命题趋势 疾病定义的相关知识点，考试多以 A1 型题为主，诊断疾病是重中之重。

金题直击

1. 堕胎、小产连续发生 3 次以上者，称为

A. 胎动不安　　B. 暗产

C. 滑胎　　D. 胎漏

E. 先兆流产

【答案】C

【解题思路】

凡堕胎或小产连续发生 3 次或 3 次以上者，称为“滑胎”，亦称“数堕胎”“屡孕屡堕”。

二、病因病机

1. **病因**　肾虚、脾肾虚弱、气血两虚、血热和血瘀。

2. **病机**　母体冲任损伤和胎元不健。

三、诊断

1. **病史**　诊断时注意其连续性和自然陨堕的特点。堕胎、小产连续发生 3 次或 3 次以上者，称为滑胎。多数患者，往往发生在妊娠后的相同月份。

2. **检查**　滑胎的检查方式及其具体项目见表 9-6。

表 9-6 滑胎的检查方式及其具体项目

检查方式	项目
妇科检查	了解子宫发育，有无子宫肌瘤、子宫畸形及盆腔肿物等
实验室检查	查男女双方染色体。男子因诸多因素所导致的精子数目、活动力、畸形率的异常。女方查黄体功能、胎盘内分泌功能、ABO 抗原、血清抗体效价、抗心磷脂抗体等
辅助检查	通过 B 超或子宫 - 输卵管造影观察子宫形态、大小，有无畸形、宫腔粘连、子宫肌瘤、盆腔肿物，宫颈内口情况，若宫颈内口达 1.9cm 以上者可诊断为宫颈内口松弛

四、辨证论治

1. 辨证依据 以滑胎者伴随的全身脉证作为辨证依据。

2. 治疗原则 预防为主，防治结合的阶段性原则。孕前宜以补肾健脾，益气养血，调理冲任为主；孕后即应积极进行保胎治疗，万不可等到发生流产先兆以后再进行诊治。

滑胎的辨证论治见表 9-7。

表 9-7 滑胎的辨证论治

证型		证候	治法	方剂
肾虚证	肾气不足证	屡孕屡堕，或应期而堕；孕后腰酸膝软，头晕耳鸣，夜尿频多，面色晦暗；舌质淡，苔薄白，脉细滑尺脉沉弱	补肾健脾，固冲安胎	补肾固冲丸
	肾阳亏虚证	屡孕屡堕；腰酸膝软，甚至腰痛如折，头晕耳鸣，畏寒肢冷，小便清长，夜尿频多，大便溏薄；舌质淡，苔薄而润，脉沉迟或沉弱	温补肾阳，固冲安胎	肾气丸
	肾精亏虚证	屡孕屡堕；腰酸膝软，或足跟痛，头晕耳鸣，手足心热，两颧潮红，大便秘结；舌质红，少苔，脉细数	补肾填精，固冲安胎	育阴汤
脾肾虚弱证		屡孕屡堕；腰酸膝软，小腹隐痛下坠，纳呆便溏，头晕耳鸣，尿频，夜尿多，眼眶暗黑，面色晦黄，面颊部暗斑；舌质淡胖色暗，脉沉细滑，尺脉弱	补肾健脾，养血安胎	安奠二天汤
气血虚弱证		屡孕屡堕；头晕目眩，神疲乏力，面色㿠白心悸气短；舌质淡，苔薄白，脉细弱	益气养血，固冲安胎	泰山磐石散
血热证		屡孕屡堕；孕后阴道出血，血色深红、质稠，腰酸腹痛，面赤唇红，口干咽燥，便结尿黄；舌质红苔黄，脉弦滑数	清热养血，滋肾安胎	保阴煎合二至丸
血瘀证		素有癥瘕之疾，孕后屡孕屡堕；肌肤无华；舌质紫暗或有瘀斑，脉弦滑或涩	祛瘀消癥，固冲安胎	桂枝茯苓丸合寿胎丸

命题趋势 辨证论治相关知识点，考试多以 A2 型题为主，这类题是最重要的知识，必须掌握。

金题直击

2. 患者，女，32 岁，已婚。曾孕 4 次均自然流产，平日头晕眼花，心悸气短，现又妊娠 32 天，面色苍白，舌质淡苔白，脉细弱，治疗应首选的方剂是

A. 补肾固冲丸
B. 补肾安胎饮
C. 泰山磐石散
D. 加味阿胶汤
E. 加减苁蓉菟丝子丸

【答案】C

【解题思路】

根据主诉曾孕 4 次均自然流产，可确诊为滑胎；根据头晕眼花、心悸气短，确定是气血虚弱证，方剂选泰山磐石散。

第七节　胎萎不长（助理不考）

一、定义

妊娠 4 ～ 5 个月后，孕妇腹形与宫体增大明显小于正常妊娠月份，胎儿存活而生长迟缓者，称为“胎萎不长”，亦可称为“妊娠胎萎燥”“妊娠胎不长”。

二、病因病机

1. 病因　气血虚弱、脾肾不足、血寒宫冷。
2. 病机　气血不足以荣养其胎，而致胎儿生长迟缓。

三、辨证论治

本病的治疗原则当求因治本，去其所病，重在补脾肾、益气血。胎萎不长的辨证论治见表 9-8。

表 9–8　胎萎不长的辨证论治

证型	证候	治法	方剂
气血虚弱证	妊娠 4 ～ 5 月份后，腹形和宫体增大明显小于妊娠月份，胎儿存活，孕妇面色萎黄或㿠白，身体羸弱，头晕心悸，少气懒言；舌质淡嫩，苔少，脉细滑弱无力	益气补血养胎	胎元饮
脾肾不足证	妊娠腹形明显小于妊娠月份，胎儿存活，孕妇腰酸膝冷，纳少便溏，或形寒畏冷，手足不温；舌质淡，苔白，脉沉迟	补养脾肾，养胎长胎	寿胎丸合四君子汤
血寒宫冷证	妊娠腹形明显小于妊娠月份，胎儿存活，孕妇形寒怕冷，腰腹冷痛，四肢欠温；舌质淡苔白，脉沉迟滑	温肾扶阳，养血育胎	长胎白术散

命题趋势　疾病证型选方的相关知识点，考试多以 A1 和 B1 型题为主。

金题直击

气血虚弱胎萎不长的治疗首选方剂是

A. 归脾汤　　B. 举元煎
C. 胎元饮　　D. 寿胎丸
E. 长胎白术散

【答案】C

【解题思路】

题干中给出疾病和证候，问选方，胎萎不长的气血虚弱证，方剂为胎元饮。

第八节　子满（助理不考）

一、定义

妊娠 5 ～ 6 月后出现腹大异常，胸膈满闷，甚则遍身俱肿，喘息不得卧者，称“子满”，又称“胎水肿满”。

二、病因病机

子满多由脾胃虚弱，土不制水，水渍胞中所致，或因胎元缺陷，发展为畸胎。

三、辨证论治

1. 治疗原则　治病与安胎并举的治则，健脾消水而不伤胎。
2. 证候　妊娠中期后，腹部增大异常，胸膈满闷，呼吸短促，神疲体倦，四肢欠温，小便短少，甚则喘不得卧，舌质淡胖，苔白，脉沉滑无力。

3. **治法** 健脾利水，养血安胎。

4. **方药** 鲤鱼汤加黄芪、桑白皮或当归芍药散。

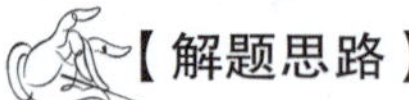

疾病治疗原则的相关知识点，考试多以 A1 和 B1 型题为主，回答这类题时，结合临床常识特点，容易得出正确答案。

金题直击

子满的治法是

A. 健脾利水，养血安胎　　B. 滋肾健脾，利水消肿

C. 逐水消肿，养血安胎　　D. 温阳逐水，补益脾肾

E. 疏肝理气，健脾利水

【答案】A

【解题思路】

本病为本虚标实证，治宜标本兼顾，本着治病与安胎并举的治则，健脾利水，养血安胎。

第九节　子　肿

一、定义

妊娠中晚期，孕妇出现肢体面目肿胀者，称“子肿”，又称“妊娠肿胀”。

二、临床表现

子气、皱脚、脆脚的含义见表 9-9。

表 9-9　子气、皱脚、脆脚的含义

中医名称	含义
子气	自膝至足肿，小水长者
皱脚	两脚肿而肤厚者
脆脚	两脚肿而皮薄者

三、病因病机

孕妇脏器本虚，妊娠 5 ～ 6 月以后，胎体逐步长大，胎碍脏腑，因孕重虚，发为妊娠肿胀。

四、辨证论治

本病的治疗原则为治病与安胎并举，以运化水湿为主，适当加入养血安胎之品，慎用温燥寒凉、峻下、滑利之品，择用皮类利水药，以免伤胎。其辨证论治见表 9-10。

表 9-10　子肿的辨证论治

证型	证候	治法	方剂
脾虚证	妊娠数月，四肢面目浮肿或遍及全身，皮薄光亮，按之凹陷不起，神疲气短懒言，口淡而腻，脘腹胀满，食欲不佳，小便短少，大便溏薄；舌质淡体胖、边有齿印，苔白润或腻，脉缓滑	健脾利水	白术散加砂仁或健脾利水汤
肾虚证	妊娠数月，面浮肢肿，下肢尤甚，按之如泥，腰酸乏力，下肢逆冷，小便不利；舌质淡，苔白润，脉沉迟	补肾温阳，化气行水	真武汤或肾气丸
气滞证	妊娠 3 ～ 4 月后，肢体肿胀，始于两足，渐延于腿，皮色不变，随按随起，胸闷胁胀，头晕胀痛；苔薄腻，脉弦滑	理气行滞，除湿消肿	天仙藤散或正气天香散

命题趋势 辨证论治相关知识点，考试多以 A2 型题为主，这类题是最重要的知识，必须掌握。

金题直击

患者，女，29 岁，已婚。妊娠 8 个半月，面目、肢体肿胀，但皮色不变，随按随起，舌苔薄腻，脉弦滑，治疗应首选的方剂是

A. 白术散
B. 健脾利水汤
C. 天仙藤散
D. 肾气丸
E. 半夏白术天麻汤

【答案】C

【解题思路】

根据主诉妊娠 8 个半月，面目、肢体肿胀，可确诊为子肿；根据皮色不变、随按随起，确定证型是气滞证，方剂选天仙藤散或正气天香散。

第十节　子晕（助理不考）

一、定义

妊娠期出现以头晕目眩，状若眩冒为主症，甚或眩晕欲厥，称“子晕”，又称“妊娠眩晕”。若发生在妊娠中后期，多属重证，往往伴有视物模糊、恶心欲吐头痛等，多为子痫先兆。

二、病因病机

脏气本虚，孕后精血下注养胎，阴分必亏，阴不潜阳，肝阳化火生风；或妊娠中期后，胎体渐大，影响气机升降，气郁犯脾，脾虚湿聚，化为痰浊，肝阳夹痰浊上扰清窍。

三、辨证论治

子晕的辨证论治见表 9-11。

表 9-11　子晕的辨证论治

证型	证候	治法	方剂
阴虚肝旺证	妊娠的中后期，头晕目眩，视物模糊，耳鸣失眠，心中烦闷颜面潮红，口干咽燥，手足心热；舌质红或绛，少苔，脉弦数	育阴潜阳	杞菊地黄丸
脾虚肝旺证	妊娠的中晚期，头晕头重目眩，胸闷心烦，呕逆泛恶，面浮肢肿，倦怠嗜睡；苔白腻，脉弦滑	健脾化湿，平肝潜阳	半夏白术天麻汤
气血虚弱证	妊娠的后期，出现头晕目眩，眼前发黑，心悸健忘，少寐多梦，神疲乏力，气短懒言，面色苍白或萎黄；舌质淡，脉细弱	调补气血	八珍汤

命题趋势　辨证论治相关知识点，考试多以 A2 型题为主，这类题是最重要的知识，必须掌握。

金题直击

患者，女，29 岁，已婚。妊娠 7 个半月，头晕头重目眩，胸闷心烦，呕逆泛恶，面浮肢肿，倦怠嗜睡，苔白腻，脉弦滑。治疗应首选的方剂是

A. 镇肝息风汤
B. 杞菊地黄丸
C. 天仙藤散
D. 羚角钩藤汤
E. 半夏白术天麻汤

【答案】E

【解题思路】

根据主诉妊娠 7 个半月、头晕头重目眩，可确诊为子晕；根据呕逆泛恶、倦怠嗜睡、苔白腻、脉弦滑，确定证型是脾虚肝旺证，方剂是半夏白术天麻汤。

第十一节　子痫（助理不考）

一、定义

妊娠晚期或临产前及新产后，突然发生眩晕倒仆，昏不知人，两目上视，牙关紧闭，四肢抽搐，全身强直，须臾醒，醒复发，甚至昏迷不醒者，称为“子痫”，又称“子冒”“妊娠痫证”。

二、诊断

子痫的诊断要点及具体内容见表 9-12。

表 9-12　子痫的诊断要点及具体内容

要点	具体内容
病史	孕前可有或无高血压史、肾病史、糖尿病史、家族高血压病史；双胎、多胎妊娠，羊水过多，葡萄胎病史；子痫病史等
临床表现	妊娠后期或正值分娩时或分娩后，忽然眩晕倒仆，昏不知人，两目上视，牙关紧闭，四肢抽搐，角弓反张，须臾醒，醒复发，甚或昏迷不醒；或在先兆子痫的基础上出现抽搐昏迷症状为子痫
检查	妊娠前或妊娠 20 周前可有或无高血压史，妊娠 20 周后血压升高到 140/90mmHg，或较基础血压升高 30/15mmHg，伴蛋白尿、水肿即可诊断为子痫前期

三、急症处理原则

一经确诊，立即住院治疗，积极处理。治疗原则为解痉、降压、镇静、合理扩容，必要时利尿、适时终止妊娠，中西医配合抢救。

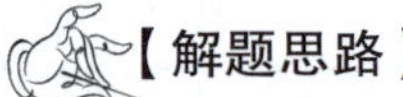

急症处理原则的相关知识点，考试多以 A1 和 B1 型题为主，回答这类题时一定按大纲原文选出答案。

金题直击

下列各项不属于子痫急症处理原则的是

A. 解痉　　B. 合理扩容

C. 镇静　　D. 适时终止妊娠

E. 吸氧

【答案】E

【解题思路】

治疗原则为解痉、降压、镇静、合理扩容，必要时利尿、适时终止妊娠，中西医配合抢救。

第十二节　妊娠小便淋痛

一、定义

妊娠期间出现尿频、尿急、淋沥涩痛等症，称“妊娠小便淋痛”，或“妊娠小便难”，俗称“子淋”，类似于西医的妊娠合并尿路感染。

二、病因病机

1. 病因　有虚热实热之分，虚者阴虚内热；实者心火亢盛，湿热下注。
2. 病机　热灼膀胱，气化失司，水道不利。

三、辨证论治

本病治疗上均以清润为主，不宜过于苦寒通利，以免重耗阴液，损伤胎元。其辨证论治见表 9-13。

表 9-13　妊娠小便淋痛的辨证论治

证型	证候	治法	方剂
阴虚津亏证	妊娠期间，小便频数，淋沥涩痛，尿量少、色淡黄，午后潮热，手足心热，颧赤唇红；舌质红少苔，脉细滑数	滋阴清热，润燥通淋	知柏地黄丸
心火偏亢证	妊娠期间，小便频数、短赤，艰涩刺痛，面赤心烦，渴喜冷饮，甚者口舌生疮；舌质红欠润，少苔或无苔，脉细数	清心泻火，润燥通淋	导赤散
湿热下注证	妊娠期间，突然尿频、尿急、尿痛，尿意不尽，欲解不能，小便短赤，小腹坠胀，胸闷食少，带下黄稠量多；舌质红，苔黄腻，脉弦滑数	清热利湿，润燥通淋	加味五苓散

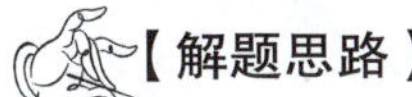
命题趋势 辨证论治相关知识点，考试多以 A2 型题为主，这类题是最重要的知识，必须掌握。

金题直击

患者，女，26 岁，已婚，工人。孕期突然小便频数而急，艰涩不利，灼热刺痛，口干不欲饮，舌质红苔黄腻，脉滑数，治疗应首选的方剂是

A. 导赤散　　B. 知柏地黄汤

C. 加味五苓散　　D. 清热通淋汤

E. 龙胆泻肝汤

【答案】C

【解题思路】

根据主诉孕期突然小便频数而急、艰涩不利、灼热刺痛，可确诊为子淋；根据舌质红苔黄腻、脉滑数，确定证型是湿热下注证，方剂选加味五苓散。

第十三节　妊娠小便不通（助理不考）

一、定义

妊娠期间，小便不通，甚至小腹胀急疼痛，心烦不得卧，称“妊娠小便不通”，古称“转胞”或“胞转”。以妊娠晚期 7 ～ 8 个月时较为多见。

二、病因病机

胎气下坠，压迫膀胱，致膀胱不利，水道不通，溺不得出。

三、辨证论治

本病实质是肾虚或气虚，本着“急则治其标，缓则治其本”的原则，以补气升提助膀胱气化为主，不可妄投通利之品，以免影响胎元。其辨证论治见表 9-14。

表 9-14　妊娠小便不通的辨证论治

证型	证候	治法	方剂
肾虚证	妊娠小便频数不畅，继则闭而不通，小腹胀满而痛，坐卧不安，腰膝酸软，畏寒肢冷；舌质淡，苔薄润，脉沉滑无力	温肾补阳，化气行水	肾气丸
气虚证	妊娠期间，小便不通或频数量少，小腹胀急疼痛，坐卧不安，面色㿠白，神疲倦怠，头重眩晕；舌质淡，苔薄白，脉虚缓滑	补中益气，导溺举胎	益气导溺汤

命题趋势 辨证论治相关知识点，考试多以 A2 型题为主，这类题是最重要的知识，必须掌握。

金题直击

患者，女，28 岁，已婚。妊娠 8 个月，近来小便频数不畅，继则闭而不通，小腹胀满而痛，坐卧不安，腰膝酸软，畏寒肢冷，舌质淡，苔薄润，脉沉滑无力，治疗应首选的方剂是

A. 导赤散　　B. 肾气丸
C. 加味五苓散　　D. 清热通淋汤
E. 右归丸

【答案】B

【解题思路】

根据主诉孕期突然小便闭而不通，可确诊为妊娠小便不通；根据腰膝酸软、畏寒肢冷、脉沉滑无力，判定证型是肾虚证，方剂选肾气丸。

高频考点速递

1. 妊娠病的治疗原则以胎元的正常与否为前提。
2. 妊娠病用药的注意事项是，凡峻下、滑利、祛瘀、破血、耗气、散气及一切有毒药品都应慎用或禁用。
3. 妊娠恶阻的病机是冲脉之气上逆犯胃，胃失和降。
4. 妊娠期间，阴道不时有少量出血，时出时止，或淋漓不断，而无腰酸腹痛、小腹坠胀等现象者，称为胎漏。
5. 妊娠期间腰酸、腹痛下坠或伴有少量阴道出血者称为胎动不安。
6. 妊娠 12 周内胚胎自然陨堕者称为堕胎。
7. 妊娠 12 ～ 28 周内，胎儿已成形而自然陨堕者，称为小产或半产。

第十单元　产后病

考情分析

单元	级别＼年份	2019	2020	2021	2022	2023
产后病	执业	6	6	5	6	6
	助理	3	3	3	3	2

第一节　概　述

一、产后病的定义

在产褥期内发生与分娩或产褥有关的疾病，称为“产后病”。从胎盘娩出至产妇全身各器官除乳腺外恢复至孕前状态的一段时期，称“产褥期”，一般约为 6 周。目前根据临床实际，将产后七日内称为新产后。

二、产后“三冲”“三病”“三急”

产后“三冲”“三病”“三急”的含义见表 10-1。

表 10-1　产后“三冲”“三病”“三急”的含义

名称	含义
三冲	产后败血上冲，冲心、冲胃、冲肺（《张氏医通・妇人门》）
	与西医产科的羊水栓塞有相似之处，是产时危急重症
三病	产后病痉、病郁冒、大便难（《金匮要略・妇人产后病脉证治》）
三急	产后呕吐、盗汗、泄泻（《张氏医通・妇人门》）

命题趋势 概念含义类的相关知识点，考试多以 A1 和 B1 型题为主，回答这类题时可以参考临床常识选出答案。

金题直击

1. 产后三急是指

A. 呕吐、泄泻、盗汗

B. 高热、昏迷、自汗

C. 心悸、气短、抽搐

D. 尿闭、便难、冷汗

E. 下血、腹痛、心悸

【答案】A

【解题思路】

《张氏医通·妇人门》云："产后诸病，惟呕吐、盗汗、泄泻为急，三者并见必危。"

三、产后病的病因病机

亡血伤津；元气受损；瘀血内阻；外感六淫或饮食房劳所伤。

四、产后"三审"

先审小腹痛与不痛，以辨有无恶露的停滞；次审大便通与不通，以验津液之盛衰；三审乳汁的行与不行及饮食之多少，以察胃气的强弱。

五、产后病的治疗原则

1. **产后生理特点** 亡血伤津、元气受损、瘀血内阻、多虚多瘀。

2. **治疗原则** "勿拘于产后，亦勿忘于产后"，结合病情进行辨证论治。选方用药，需照顾气血，行气勿过于耗散，化瘀勿过于攻逐，时时顾护胃气，消导必兼扶脾，寒证不宜过用温燥，热证不宜过用寒凉；解表不过于发汗，攻里不过于削伐；补虚不滞邪，攻邪不伤正，勿犯虚虚实实之戒。常用的具体治法有补虚化瘀、清热解毒、益气固表、调理肾肝脾等。

六、产后用药"三禁"

禁大汗以防亡阳；禁峻下以防亡阴；禁通利小便以防亡津液。

命题趋势 用药注意事项的相关知识点，考试多以 A1 和 B1 型题为主，这类题，按照中医临床常识，即可选出选项。

金题直击

2. 下列哪项是产后用药三禁

A. 活血、通便、消导

B. 大汗、峻下、利小便

C. 清热、凉血、滋阴

D. 祛寒、开郁、化瘀

E. 以上均非

【答案】B

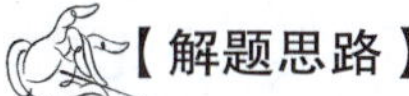【解题思路】

生产时由于分娩用力、出汗、产创和出血，本身的生理状态，是亡血伤津，元气受损。根据产后亡血伤津、元气受损、瘀血内阻、多虚多瘀的特点，用药时禁大汗以防亡阳；禁峻下以防亡阴；禁通利小便以防亡津液。

第二节　产后血晕（助理不考）

一、定义

产妇分娩后突然头晕眼花，不能起坐，或心胸满闷，恶心呕吐，痰涌气急，心烦不安，甚则神昏口噤，不省人事，称为"产后血晕"。本病可与西医"产后出血"和"羊水栓塞"互参。

二、病因病机

虚者多由阴血暴亡，心神失守而发；实者多因瘀血上攻，扰乱心神所致。

三、鉴别诊断

1. 产后血晕与产后郁冒鉴别诊断（表 10-2）

表 10-2 产后血晕与产后郁冒的鉴别诊断

鉴别	相同点	不同点
产后郁冒	眩晕	头眩目瞀，郁闷不舒，呕不能食，大便反坚，但头汗出
产后血晕		不省人事，口噤，甚则昏迷不醒

2. 产后血晕与产后痉病鉴别诊断（表 10-3）

表 10-3 产后血晕与产后痉病的鉴别诊断

鉴别	相同点	不同点
产后痉病	口噤不开	四肢抽搐、项背强直、角弓反张
产后血晕		不省人事，口噤，甚则昏迷不醒

3. 产后血晕与产后子痫鉴别诊断（表 10-4）

表 10-4 产后血晕与产后子痫的鉴别诊断

鉴别	相同点	不同点
产后子痫	神志不清	四肢抽搐，产前有头晕目眩、头面及四肢浮肿、高血压、蛋白尿等病史
产后血晕		不省人事，口噤，甚则昏迷不醒

四、急症处理

产后血晕无论虚实都属危急重症，当发生休克时，应首先抗休克，采取下列措施：头低脚高，仰卧体位，予以保温；针刺强刺激眉心、人中、涌泉等穴；丽参注射液、参麦注射液、参附注射液静脉推注或滴注，迅速补充血容量以抗休克；结合西医有关“产后出血”原因，即子宫收缩乏力、胎盘因素、软产道裂伤、凝血功能障碍，进行中西医结合的抢救。

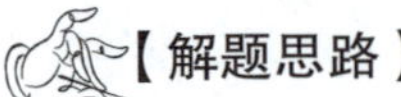

急症处理原则的相关知识点，考试多以 A1 和 B1 型题为主，回答这类题时一定按大纲原文，并参考临床，选出答案。

金题直击

下列各项不属于产后血晕急症处理原则的是

A. 保温　　B. 针刺强刺激

C. 补充血容量　　D. 头低脚高仰卧体位

E. 应用抗生素

【答案】E

【解题思路】

产后血晕急症治疗原则是立即将产妇置于头低脚高的仰卧体位，同时予以保温；针刺眉心、人中、涌泉等穴，强刺激以促速醒；丽参注射液等静脉推注或滴注，迅速补充血容量以抗休克。

第三节　产后发热

一、定义

产褥期内，出现发热持续不退，或突然高热寒战，并伴有其他症状者，称“产后发热”。如产后 1 ～ 2 日内，由于阴血骤虚，阳气外浮，而见轻微发热，而无其他症状，属正常生理现象。

二、病因病机

1. 病因 感染邪毒、外感、血瘀、血虚。

2. 病机 产后胞脉空虚，邪毒乘虚直犯胞宫，正邪交争，正气亏虚，易感外邪，败血停滞，营卫不通，阴血亏虚，阳气浮散，均可致发热。

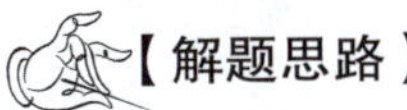

疾病病因病机的相关知识点，考试多以 A1 和 B1 型题为主，回答这类题时可以参考临床常识选出答案。

金题直击

1. 下列各项，不属于产后发热病因的是

A. 感染邪毒　　B. 外感

C. 血瘀　　D. 血虚

E. 阳盛血热

【答案】E

【解题思路】

此题考查疾病病因，产后发热的原因较为复杂，但致病机理与产后“正气易虚，易感病邪，易生瘀滞”的特殊生理状态密切相关。常见病因有感染邪毒、外感、血瘀、血虚。

三、诊断

产后发热的诊断要点及其具体内容见表 10-5。

表 10-5　产后发热的诊断要点及其具体内容

要点	具体内容
病史	妊娠晚期不节房事，或产程不顺（难产、滞产），接生不慎，产创护理不洁，或产后失血过多，或产后不禁房事，或当风感寒，或冒暑受热，或有情志不遂史
临床表现	产褥期内，尤以新产后出现发热为主，表现为持续发热，或突然寒战高热，或发热恶寒，或乍寒乍热，或低热缠绵等症状。若产后24小时之后至10天内出现体温≥38℃，大多数情况下表示有产褥感染。除发热之外，常伴有恶露异常和小腹疼痛，尤其以恶露异常为辨证要点
妇科检查	软产道损伤，局部可见红肿化脓。盆腔呈炎性改变，恶露秽臭
辅助检查	血常规检查见白细胞总数及中性粒细胞升高。宫腔分泌物或血培养可找到致病菌。B超检查见盆腔有液性暗区，提示有炎症或脓肿。彩色多普勒、CT、磁共振等检测，能对感染形成的包块、脓肿及静脉血栓作出定位和定性

四、急症处理

产后发热急症的处理方法及其具体措施见表 10-6。

表 10-6　产后发热急症的处理方法及其具体措施

方法	措施
支持疗法	加强营养，纠正水、电解质平衡紊乱；病情严重者或贫血者，多次少量输血或输血浆
热入营血	清营汤，清开灵注射液
热入心包	清营汤送服安宫牛黄丸或紫雪，醒脑静注射液
热深厥脱	独参汤、生脉散或参附汤，或用参附注射液

五、辨证论治

产后发热的辨证论治见表 10-7。

表 10-7　产后发热的辨证论治

证型	证候	治法	方剂
感染邪毒证	产后高热寒战，热势不退，小腹疼痛拒按，恶露量或多或少、色紫暗如败酱，气臭秽；心烦口渴，尿少色黄，大便燥结；舌质红苔黄，脉数有力	清热解毒，凉血化瘀	解毒活血汤加减或五味消毒饮合失笑散加减
外感证	产后恶寒发热，鼻流清涕，头痛，肢体酸痛，无汗；舌苔薄白，脉浮紧	养血祛风，疏解表邪	荆防四物汤
	外感风热，症见发热，微恶风寒，头身疼痛，咳嗽痰黄，口干咽痛，微汗或无汗；舌质红，苔薄黄，脉细数	辛凉解表，疏风清热	银翘散
	邪入少阳，症见寒热往来，口苦，咽干，目眩，默默不欲饮食，脉弦	和解少阳	小柴胡汤加味
	产时正值炎热酷暑季节，症见身热多汗，口渴心烦，体倦少气，舌红少津，脉虚数	清暑益气，养阴生津	王氏清暑益气汤
血瘀证	产后寒热时作，恶露不下或下亦甚少、色紫暗有块，小腹疼痛拒按；舌质紫暗或有瘀斑，脉弦涩	活血化瘀，和营退热	生化汤加味或桃红消瘀汤
血虚证	产后低热不退，腹痛绵绵，喜按，恶露量或多或少、色淡、质稀，自汗，头晕心悸；舌质淡，苔薄白，脉细数	补血益气，和营退热	八珍汤加减

命题趋势　辨证论治相关知识点，考试多以 A2 型题为主，这类题是最重要的知识，必须掌握。

金题直击

2. 患者，女，26 岁，已婚。产后 3 天高热寒战，小腹疼痛拒按，恶露初时量多，后量少、色紫暗如败酱、有臭气，烦躁口渴，溺赤便结，舌质红苔黄，脉滑数有力，治疗应首选的方剂是

A. 黄连解毒汤　　B. 解毒活血汤

C. 加味五苓散　　D. 清热通淋汤

E. 补中益气汤

【答案】B

【解题思路】

根据主诉产后 3 天高热寒战，可确诊为产后发热；根据溺赤便结、舌质红苔黄、脉滑数有力，确定是感染邪毒证，方剂选解毒活血汤加减或五味消毒饮合失笑散加减。

第四节　产后腹痛

一、定义

产妇在产褥期内，发生与分娩或产褥有关的小腹疼痛，称为产后腹痛。其中因瘀血引起者，称“儿枕痛”。本病以新产后多见。

孕妇分娩后，由于子宫的缩复作用，小腹呈阵阵作痛，于产后 1 ～ 2 日出现，持续 2 ～ 3 日自然消失，西医学称“宫缩痛”“产后痛”，属生理现象，一般不需治疗。

命题趋势　疾病定义的相关知识点，考试多以 A1 型题为主，诊断疾病是重中之重。

金题直击

1. 产后腹痛中，因为瘀血而引起的称为

A. 宫缩痛　　B. 产后风

C. 儿枕痛　　D. 产后痛

E. 产后身痛

【答案】C

【解题思路】

产妇在产褥期内，发生与分娩或产褥有关的小腹疼痛，称为产后腹痛。其中因瘀血引起者，称“儿枕痛”。参考西医学，孕妇分娩后，由于子宫的缩复作用，小腹呈阵阵作痛，称“宫缩痛”“产后痛”，属生理现象，一般不需治疗。在产褥期内，出现肢体或关节酸楚、疼痛、麻木、重着者，称为“产后身痛”，俗称“产后风”。

二、病因病机

1. **病因** 血虚、血瘀。
2. **病机** 冲任、胞宫的不荣而痛和不通则痛。

三、鉴别诊断

产后腹痛需与产后伤食腹痛、产褥感染腹痛、产后痢疾相鉴别。

四、辨证论治

产后腹痛的辨证论治见表 10-8。

表 10–8　产后腹痛的辨证论治

证型	证候	治法	方剂
气血两虚证	产后小腹隐隐作痛数日不止，喜按喜揉，恶露量少、色淡红、质稀无块，面色苍白，头晕眼花，心悸怔忡，大便干结；舌质淡，苔薄白，脉细弱	补血益气，缓急止痛	肠宁汤
瘀滞子宫证	产后小腹疼痛、拒按，得热痛缓，恶露量少、涩滞不畅、色紫暗有块，块下痛减，面色青白，四肢欠温，或伴胸胁胀痛；舌质紫暗，脉沉紧或弦涩	活血化瘀，温经止痛	生化汤

命题趋势　辨证论治相关知识点，考试多以 A2 型题为主，这类题是最重要的知识，必须掌握。

金题直击

2. 患者，女，29 岁，已婚。因分娩时受寒，产后小腹疼痛、拒按，恶露量少、行而不畅、色暗、有块，四肢欠温，面色青白，脉沉紧，治疗应首选的方剂是

A. 温经汤　　B. 肠宁汤
C. 温胞饮　　D. 散结定痛汤
E. 当归建中汤

【答案】D

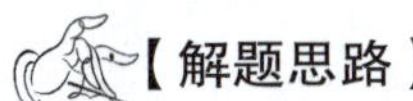
【解题思路】

根据主诉产后小腹疼痛，可确诊为产后腹痛；根据腹痛拒按、脉沉紧，可判定证型是瘀滞子宫证，选方为生化汤加益母草或散结定痛汤或补血定痛汤。

第五节　产后身痛

一、定义

产妇在产褥期内，出现肢体或关节酸楚、疼痛、麻木、重着者，称为“产后身痛”，又称“产后遍身疼痛”“产后关节痛”“产后痹证”“产后痛风”，俗称“产后风”。

二、病因病机

1. **病因** 血虚、风寒、血瘀、肾虚。

2. 病机 产后营血亏虚，经脉失养或风寒湿邪乘虚而入，稽留关节、经络所致。

疾病病因的相关知识点，考试多以 A1 和 B1 型题为主，回答这类题时可以参考临床常识选出答案。

金题直击

1. 下列各项，不属于产后身痛病因的是

A. 风寒　　B. 肾虚

C. 血瘀　　D. 血虚

E. 风热

【答案】E

【解题思路】

此题考查疾病病因，产后身痛的发生机理主要是产后营血亏虚，经脉失养或风寒湿邪乘虚而入，稽留关节、经络所致。常见病因有血虚、风寒、血瘀、肾虚。

三、鉴别诊断

1. 产后身痛与痹证鉴别诊断（表 10-9）。

表 10-9　产后身痛与痹证的鉴别诊断

疾病	相同点	不同点
痹证	病位都在肢体关节	任何时候均可发病
产后身痛		只发生在产褥期

注意点：若产后身痛日久不愈，迁延至产褥期后，则不属产后身痛，当按痹证论治。

2. 产后身痛与痿证鉴别诊断（表 10-10）。

表 10-10　产后身痛与痿证的鉴别诊断

疾病	相同点	不同点
痿证	症状均在肢体关节	以肢体痿弱不用、肌肉瘦削为特点，肢体关节一般不痛
产后身痛		以肢体和关节疼痛、重着、屈伸不利为特点，有时亦兼麻木不仁或肿胀，但无瘫痿的表现

四、辨证论治

产后身痛的辨证论治见表 10-11。

表 10-11　产后身痛的辨证论治

证型	证候	治法	方剂
血虚证	产后遍身关节酸痛，肢体麻木，面色萎黄，头晕心悸；舌质淡苔薄，脉细弱	养血益气，温经通络	黄芪桂枝五物汤
外感证	产后肢体关节疼痛、屈伸不利，或痛无定处，或冷痛剧烈、如针刺、得热则舒，或关节肿胀、麻木、重着，伴有恶寒怕风；舌质淡苔薄白，脉濡细	养血祛风，散寒除湿	独活寄生汤或趁痛汤、防风汤
血瘀证	产后身痛，尤见下肢疼痛、麻木、发硬、重着、肿胀明显，屈伸不利，小腿压痛，恶露量少、色紫暗夹血块，腹痛拒按；舌质暗苔白，脉弦涩	养血活血，化瘀祛湿	身痛逐瘀汤
肾虚证	产后，腰膝、足跟痛，艰于俯仰，头晕耳鸣，夜尿多；舌质淡暗，脉沉细弦	补肾养血，强腰壮骨	养荣壮肾汤

命题趋势 疾病证型选方的相关知识点，考试多以 A1 和 B1 型题为主。

金题直击

2. 产后身痛的血虚证最佳选方是

A. 人参养荣汤　　B. 黄芪桂枝五物汤

C. 八珍汤　　D. 当归补血汤

E. 十全大补汤

【答案】B

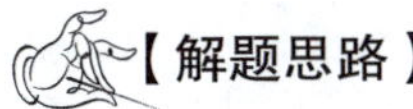
【解题思路】

题干中给出疾病和证候，问选方，产后身痛的血虚证，用的方剂为黄芪桂枝五物汤。

第六节　产后恶露不绝

一、定义

产后血性恶露持续 10 天以上，仍淋漓不尽者，称“产后恶露不绝”，又称“恶露不尽”“恶露不止”。

二、病因病机

1. 病因　气虚、血热、血瘀。

2. 病机　胞宫藏泻失度，冲任不固，血海不宁。

命题趋势 疾病病因的相关知识点，考试多以 A1 和 B1 型题为主，回答这类题时可以参考临床常识选出答案。

金题直击

1. 产后恶露不绝的主要病因是

A. 气虚、血热、血瘀　　B. 气虚、血虚、血瘀

C. 气虚、血虚、血热　　D. 气虚、血虚、寒湿

E. 以上都不是

【答案】A

【解题思路】

此题考查疾病病因，产后恶露不绝的病因是气虚、血热、血瘀。

三、鉴别诊断

产后恶露不绝需与子宫黏膜下肌瘤、绒毛膜癌相鉴别（表 10-12）。

表 10–12　产后恶露不绝与子宫黏膜下肌瘤、绒毛膜癌的鉴别诊断

疾病	临床表现	检查
子宫黏膜下肌瘤	产后阴道出血淋漓不尽	B 超提示宫内无胎盘胎膜残留，或可提示黏膜下肌瘤，HCG 阴性
绒毛膜癌	25% 发生于正常妊娠足月产 2 ～ 3 个月后，除产后阴道出血淋漓不尽外，有时可见转移症状，如咯血、阴道紫蓝色结节	可拍胸片，查尿 HCG、B 超、诊断性刮宫等辅助诊断。诊断性刮宫，组织物病理检查见坏死组织间夹有增生活跃且异型性滋养细胞，则可确诊

四、辨证论治

产后恶露不绝的辨证论治见表 10-13。

表 10-13　产后恶露不绝的辨证论治

证型	证候	治法	方剂
气虚证	产后恶露过期不尽、量多、色淡红，质稀、无臭味、面色㿠白，神疲懒言，四肢无力，小腹空坠；舌质淡苔薄白，脉细弱	补气摄血固冲	补中益气汤
血瘀证	恶露过期不尽、量时多或时少、色暗有块，小腹疼痛拒按；舌质紫暗或边有瘀点，脉沉涩	活血化瘀止血	生化汤
血热证	产后恶露过期不止、量多、色紫红、质黏有臭秽气，面色潮热，口燥咽干；舌质红，脉细数	养阴清热止血	保阴煎

命题趋势　辨证论治相关知识点，考试多以 A2 型题为主，这类题是最重要的知识，必须掌握。

金题直击

2. 患者，女，27 岁，已婚。产后恶露 1 个月未止，量多、色淡、无臭气，小腹空坠，神倦懒言，舌质淡，脉细弱，治疗应首选的方剂是

A. 举元煎　　B. 固本止崩汤

C. 生化汤　　D. 八珍汤

E. 补中益气汤

【答案】E

【解题思路】

根据主诉产后恶露 1 个月未止，可确诊为产后恶露不绝；根据小腹空坠、神倦懒言、舌质淡、脉细弱，确定证型是气虚证，方剂为补中益气汤。

第七节　缺　乳

一、定义

产后哺乳期内，产妇乳汁甚少或无乳可下者，称“缺乳”，又称“产后乳汁不行”。

二、病因病机

1. **病因**　气血虚弱、肝郁气滞、痰浊阻滞。
2. **病机**　气血虚弱，生化之源不足，或肝郁气滞，乳络不畅所致。

三、辨证论治

缺乳的辨证论治见表 10-14。

表 10-14　缺乳的辨证论治

证型	证候	治法	方剂
气血虚弱证	产后乳汁少甚或全无，乳汁清稀，乳房柔软无胀感，面色少华，倦怠乏力；舌质淡苔薄白，脉细弱	补气养血，佐以通乳	通乳丹
肝气郁滞证	产后乳汁分泌少或全无，乳房胀硬、疼痛，乳汁稠；伴胸胁胀满，情志抑郁；舌质正常，苔薄黄，脉弦或弦滑	疏肝解郁，通络下乳	下乳涌泉散
痰浊阻滞证	乳汁甚少或无乳可下，乳房硕大或下垂不胀满，乳汁不稠，肥胖，胸闷痰多，纳少便溏，或食多乳少；舌质淡胖，苔腻，脉沉细	健脾化痰通乳	苍附导痰丸合漏芦散

命题趋势　辨证论治相关知识点，考试多以 A2 型题为主，这类题是最重要的知识，必须掌握。

金题直击

患者，女，26岁，产后乳汁正常，与家人生气后，乳汁骤减，乳汁稠，乳房胀硬而痛，精神抑郁，胸胁胀痛，食欲减退，舌质暗红，苔薄黄，脉弦数，治疗应首选的方剂是

A. 通乳丹
B. 下乳涌泉散
C. 漏芦散
D. 逍遥散
E. 龙胆泻肝汤

【答案】B

【解题思路】

根据主诉乳汁骤减，可确诊为缺乳；根据精神抑郁、胸胁胀痛，可判定证型是肝郁气滞证，方剂选下乳涌泉散。

第八节　产后抑郁（助理不考）

一、定义

产后抑郁是以产妇在分娩后出现情绪低落、精神抑郁为主要症状的病证，是产褥期精神综合征中最常见的一种类型。西医称之为“产褥期抑郁症”。

二、病因病机

1. **病因**　心脾两虚、瘀血内阻、肝郁气结。
2. **病机**　血虚或血瘀导致心神不守。

三、辨证论治

产后抑郁的辨证论治见表10-15。

表10-15　产后抑郁的辨证论治

证型	证候	治法	方剂
心脾两虚证	产后焦虑，忧郁，心神不宁，常悲伤欲哭，情绪低落，失眠多梦，健忘，精神萎靡；伴神疲乏力，纳少便溏，脘闷腹胀；舌质淡，苔薄白，脉细弱	健脾益气，养心安神	归脾汤
瘀血内阻证	产后抑郁寡欢，默默不语，失眠多梦，神志恍惚，恶露淋漓日久、色紫暗有块，面色晦暗；舌质暗有瘀斑，苔白，脉弦或涩	活血逐瘀，镇静安神	调经散或芎归泻心汤
肝郁气结证	产后心情抑郁，心神不安，夜不入寐，或噩梦频频，惊恐易醒，恶露量或多或少、色紫暗有块，胸闷纳呆善太息；苔薄，脉弦	疏肝解郁，镇静安神	逍遥散

命题趋势　辨证论治相关知识点，考试多以A2型题为主，这类题是最重要的知识，必须掌握。

金题直击

患者，女，26岁，产后抑郁寡欢，默默不语，失眠多梦，神志恍惚，恶露淋漓日久、色紫暗有块，面色晦暗，舌质暗、有瘀斑，苔白，脉弦或涩，治疗应首选的方剂是

A. 归脾汤
B. 逍遥散
C. 当归补血汤
D. 加味逍遥散
E. 调经散

【答案】E

【解题思路】

根据主诉产后抑郁寡欢、默默不语，可确诊为产后抑郁；根据舌质暗、有瘀斑，可判定证型是瘀血内阻证，方剂选调经散。

第九节　产后小便不通（助理不考）

一、定义

新产后产妇发生排尿困难，小便点滴而下，甚则闭塞不通，小腹胀急疼痛者，称“产后小便不通”，又称“产后癃闭”。

二、病因病机

1. **病因**　气虚、肾虚和血瘀。

2. **病机**　膀胱气化失司所致。若肺脾气虚，肾阳不足，气机阻滞或瘀血阻滞，可导致膀胱气化失常，发为小便不通。

三、辨证论治

产后小便不通因病在产后，不可滥用通利之品。其辨证论治见表 10-16。

表 10-16　产后小便不通的辨证论治

证型	证候	治法	方剂
气虚证	产后小便不通，小腹胀急疼痛，或小便清白、点滴而下，倦怠乏力，少气懒言，语音低微；舌质淡，苔薄白，脉缓弱	补气升清，化气行水	补中益气汤
肾虚证	产后小便不通，小腹胀急疼痛，或小便色白而清、点滴而下，腰膝酸软；舌质淡，苔白，脉沉细无力	温补肾阳，化气行水	济生肾气丸或金匮肾气丸
血瘀证	产程不顺，产时损伤膀胱，产后小便不通或点滴而下，尿色略浑浊带血丝，小腹胀满疼痛；舌质正常或暗，脉涩	活血化瘀，行气利水	加味四物汤或小蓟饮子

命题趋势　辨证论治相关知识点，考试多以 A1、A2 和 B1 型题为主，这类题是最重要的知识，必须掌握。

金题直击

1. 产后小便不通，因为病在产后，不可滥用哪类药物

A. 活血　　B. 大汗

C. 清热　　D. 祛寒

E. 通利

【答案】E

【解题思路】

小便不通的常规治法为通利小便，但是生产时由于分娩用力、出汗、产创和出血，本身的生理状态，是亡血伤津，所以通利之品不可滥用。

2. 患者，女，29 岁，产程不顺，产时损伤膀胱，产后小便点滴而下，尿色略浑浊带血丝，小腹胀满疼痛，脉涩，治疗应首选的方剂是

A. 济生肾气丸　　B. 加味四物汤

C. 化阴煎　　D. 补中益气汤

E. 沉香散

【答案】B

【解题思路】

根据主诉产后小便点滴而下，可确诊为产后小便不通；根据尿色略浑浊带血丝、小腹胀满疼痛、脉涩，可判定证型是瘀血内阻证，方剂选加味四物汤。

第十节 产后小便淋痛（助理不考）

一、定义

产后出现尿频、尿急、淋沥涩痛等症状称“产后小便淋痛”。又称“产后淋”“产后溺淋”。

二、病因病机

1. 病因　湿热蕴结、肾阴亏虚、肝经郁热。
2. 病机　膀胱气化失司，水道不利。

三、辨证论治

产后小便淋痛的辨证论治见表 10-17。

表 10-17　产后小便淋痛的辨证论治

证型	证候	治法	方剂
湿热蕴结证	产时不顺，产后突感小便短涩，淋沥灼痛，尿黄赤或浑浊，口渴不欲饮，心烦；舌质红苔黄腻，脉滑数	清热利湿通淋	加味五淋散或八正散或分清饮
肾阴亏虚证	产后小便频数，淋沥不爽，尿道灼热疼痛，尿少色深黄；伴腰酸膝软，头晕耳鸣，手足心热；舌质红苔少，脉细数	滋肾养阴通淋	知柏地黄汤
肝经郁热证	产后小便艰涩而痛，余沥不尽，尿色红赤色，情志抑郁或心烦易怒，小腹胀满，两胁胀痛，口苦而干，大便干结；舌质红苔黄，脉弦数	疏肝清热通淋	沉香散

命题趋势　辨证论治相关知识点，考试多以 A2 型题为主，这类题是最重要的知识，必须掌握。

金题直击

患者，女，24 岁，已婚。产后小便艰涩而痛，余沥不尽，尿色红赤色，心烦易怒，小腹胀满，两胁胀痛，口苦而干，大便干结，舌质红，苔黄，脉弦数，治疗应首选的方剂是

A. 知柏地黄汤　　B. 加味四物汤
C. 沉香散　　D. 化阴煎
E. 龙胆泻肝汤

【答案】C

【解题思路】

根据主诉产后小便艰涩而痛、余沥不尽，可确诊为产后小便淋痛；根据尿色红赤色、心烦易怒、舌质红，苔黄、脉弦数，可判定证型是肝经郁热证，方剂选沉香散。

高频考点速递

1. 产后三病　病痉、病郁冒、大便难。
2. 产后三急　呕吐、盗汗、泄泻。
3. 产后三冲　冲心、冲肺、冲胃。
4. 产后三审　先审小腹痛与不痛，以辨有无恶露停滞；次审大便通与不通，以验津液的盛衰；再审乳汁的行与不行和饮食的多少，以察胃气的强弱。
5. 产后用药三禁　禁大汗以防亡阳，禁峻下以防亡阴，禁通利小便以防亡津液。
6. 恶露不绝　产后血性恶露持续 10 天以上，仍淋漓不断者。

第十一单元　妇科杂病

考情分析

单元	年份/级别	2019	2020	2021	2022	2023
妇科杂病	执业	5	4	4	3	4
	助理	3	2	3	2	2

第一节　概　述

一、定义

凡不属经、带、胎、产和前阴疾病范畴，而又与女性解剖、生理特点有密切关系的疾病，称为“妇科杂病”。

二、范围

常见的妇科杂病有癥瘕、盆腔炎、不孕症、阴痒、阴疮、子宫脱垂、妇人脏躁。

三、病因病机

1. 病因　寒热湿邪、七情内伤、生活因素、体质因素等。

2. 病机　肾、肝、脾功能失常，气血失调，直接或间接影响冲任、胞宫、胞脉、胞络而发生妇科杂病。

3. 最常见的病因病机　气滞血瘀，湿热瘀结，痰湿壅阻，肾虚，肝郁，脾虚，冲任、胞脉胞络损伤及脏阴不足等。

疾病病位的相关知识点，考试多以 A1 和 B1 型题为主，回答这类题时临床常识和证型特点，容易得出正确答案。

金题直击

与妇科杂病关系最密切的脏腑是

A. 心、肝、肾　　B. 脾、肺、肝

C. 肝、心、肺　　D. 肾、肝、胃

E. 肝、脾、肾

【答案】E

【解题思路】

妇科杂病的病机主要是肾、肝、脾功能失常，气血失调，直接或间接影响冲任、胞宫、胞脉、胞络而发生。

四、治疗

1. 重在整体调补肾、肝、脾功能，调理气血，调治冲任、胞宫，以恢复其生理功能，并注意祛邪。
2. 常用具体治法有补肾疏肝、健脾、益气、祛瘀、化痰、消癥、清热解毒、甘润滋养及外用杀虫止痒等。

第二节　癥　瘕

一、定义

妇人下腹结块，伴有或胀，或痛，或满，或异常出血者，称为癥瘕。癥者有形可征，固定不移，痛有定处，属血病；瘕者假聚成形，聚散无常，推之可移，痛无定处，属气病。但临床常难以划分，故并称癥瘕。癥瘕有良性和恶性之分，这里仅指良性癥瘕。

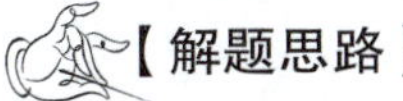

疾病表现的相关知识点，考试多以 A1 和 B1 型题为主，回答这类题时可以参考常识选出答案。

金题直击

1. 妇人癥瘕的主症是

A. 下腹部胀满　　B. 下腹部疼痛

C. 腰腹部疼痛　　D. 下腹部结块

E. 月经过多

【答案】D

【解题思路】

妇人下腹结块，伴有或胀，或痛，或满，或异常出血者，称为癥瘕。

二、病因病机

1. 病因　气滞血瘀、痰湿瘀结、湿热瘀阻和肾虚血瘀。

2. 病机　机体正气不足，风寒湿热之邪内侵，或七情、房事、饮食内伤，脏腑功能失调，气机阻滞，瘀血、痰饮、湿浊等有形之邪凝结不散，停聚小腹，日月相积，逐渐而成。

三、鉴别诊断

首先应与妊娠子宫及尿潴留鉴别；然后识别妇科良性癥瘕所涉及主要病种，如卵巢良性肿瘤、子宫肌瘤、盆腔炎性包块、陈旧性宫外孕。

四、辨证论治

癥瘕的辨证论治见表 11-1。

表 11-1　癥瘕的辨证论治

证型	证候	治法	方剂
气滞血瘀证	下腹部结块、触之有形、按之痛或不痛，小腹胀满，月经先后不定，经血量多有块，经行难净，经色暗；精神抑郁，胸闷不舒，面色晦暗，肌肤甲错；舌质紫暗有瘀点，脉沉弦涩	行气活血，化瘀消癥	香棱丸或大黄䗪虫丸
痰湿瘀结证	下腹结块、触之不坚、固定难移，经行量多、淋漓难净，经间带下增多；胸脘痞闷，腰酸疼痛；舌体胖大、质紫暗、有瘀斑瘀点，苔白厚腻，脉弦滑或沉涩	化痰除湿，活血消癥	苍附导痰丸合桂枝茯苓丸
湿热瘀阻证	下腹部肿块，热痛起伏，触之痛剧，痛连腰骶，经行量多，经期延长，带下量多、色黄如脓或赤白相杂；兼见身热口渴，心烦不宁，大便秘结，小便黄赤；舌质暗红、有瘀斑，苔黄，脉弦滑数	清热利湿，化瘀消癥	大黄牡丹汤
肾虚血瘀证	下腹部结块、触痛，经量多或少，经行腹痛较剧，经色紫暗有块，婚久不孕或曾反复流产；腰酸膝软，头晕耳鸣；舌质暗，脉弦细	补肾活血，消癥散结	补肾祛瘀汤或益肾调经汤

命题趋势　辨证论治相关知识点，考试多以 A2 型题为主，这类题是最重要的知识，必须掌握。

金题直击

2. 患者，女，45 岁，已婚。下腹结块、触之不坚、固定难移，经行量多、淋漓难净，经间带下增多，胸脘痞闷，腰腹疼痛，舌体胖大、质紫暗、有瘀斑，苔白厚腻，脉弦滑，治疗应首选的方剂是

A. 苍附导痰汤合桂枝茯苓丸　　B. 逍遥散

C. 乌药汤　　D. 益肾调经汤

E. 大黄牡丹汤

【答案】A

【解题思路】

根据主诉下腹结块、触之不坚、固定难移，可确诊为癥瘕；根据舌质紫暗、有瘀斑，苔白厚腻，脉弦滑，判定证型是痰湿瘀结证，方剂选苍附导痰汤合桂枝茯苓丸。

第三节 盆腔炎

一、定义

女性内生殖器官及其周围结缔组织、盆腔腹膜发生的炎症，称为盆腔炎。可分为急性盆腔炎和慢性盆腔炎。急性期未能得到彻底治愈，则可转为慢性盆腔炎。盆腔的炎症最常见的是输卵管炎及输卵管卵巢炎，单纯的子宫内膜炎或卵巢炎较少见。

二、病因病机

（一）急性盆腔炎

1. 病因 热毒炽盛、湿热瘀结。

2. 病机 产后、流产后、宫腔内手术处置后，或经期卫生保健不当之际，邪毒乘虚侵袭，稽留于冲任及胞宫脉络，与气血相搏结，邪正交争，而发热疼痛。

（二）慢性盆腔炎

1. 病因 湿热瘀结、气滞血瘀、寒湿凝滞、气虚血瘀。

2. 病机 经行产后，胞门未闭，风寒湿热之邪，或虫毒乘虚内侵，与冲任气血相搏结，蕴积于胞宫，反复进退，耗伤气血，虚实错杂，缠绵难愈。

命题趋势 疾病病因的相关知识点，考试多以 A1 和 B1 型题为主。

金题直击

1. 急性盆腔炎和慢性盆腔炎共同的病因是

A. 气滞血瘀　　B. 肺脾气虚

C. 痰湿阻滞　　D. 脾肾阳虚

E. 湿热瘀结

【答案】E

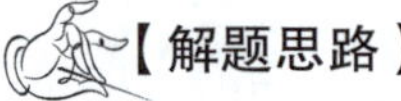
【解题思路】

急性盆腔炎常见病因有热毒炽盛、湿热瘀结；慢性盆腔炎常见病因有湿热瘀结、气滞血瘀、寒湿凝滞、气虚血瘀。二者共同的病因是湿热瘀结。

三、诊断

1. 急性盆腔炎的诊断 急性盆腔炎的诊断要点及其内容见表 11-2。

表 11-2 急性盆腔炎的诊断要点及其内容

要点	内容
病史	近期有经行、产后、妇产科手术、房事不洁等发病因素
临床表现	呈急性病容，辗转不安，面部潮红，高热不退，小腹部疼痛难忍，赤白带下或恶露量多，甚至如脓血，亦可伴有腹胀、腹泻、尿频、尿急等症状
妇科检查	小腹部肌紧张，压痛、反跳痛；阴道充血，脓血性分泌物量多；宫颈充血，宫体触压痛拒按，宫体两侧压痛明显，甚至触及包块；盆腔形成脓肿，位置较低者则后穹隆饱满，有波动感
辅助检查	血常规检查见白细胞升高，粒细胞更明显。阴道、宫腔分泌物或血培养可见致病菌。后穹隆穿刺可吸出脓液。B 超可见盆腔内有炎性渗出液或肿块

2. 慢性盆腔炎的诊断 慢性盆腔炎的诊断要点及其内容见表 11-3。

表 11-3 慢性盆腔炎的诊断要点及其内容

要点	内容
病史	既往有急性盆腔炎、阴道炎、节育及妇科手术感染史，或不洁性生活史
临床表现	下腹部疼痛，痛连腰骶，可伴有低热起伏，易疲劳，劳则复发，带下增多，月经不调，甚至不孕
妇科检查	子宫触压痛，活动受限，宫体一侧或两侧附件增厚、压痛，甚至触及炎性肿块。盆腔 B 超、子宫输卵管造影及腹腔镜检有助于诊断

四、鉴别诊断

1. 急性盆腔炎 需与如下疾病相鉴别。

（1）异位妊娠（表 11-4）

表 11-4 急性盆腔炎与异位妊娠的鉴别诊断

疾病	相同点	不同点
输卵管妊娠流产、破裂	腹痛、阴道流血，甚至晕厥	妊娠试验阳性，后穹隆穿刺吸出不凝固的积血
急性盆腔炎		高热，白细胞明显升高，后穹隆穿刺吸出脓液

（2）急性阑尾炎（表 11-5）

表 11-5 急性盆腔炎与急性阑尾炎的鉴别诊断

疾病	相同点	不同点
急性阑尾炎	身热、腹痛、白细胞升高	多局限于右下腹部，有麦氏点压痛、反跳痛
急性盆腔炎		痛在下腹部两侧，病位较低，常伴有月经异常

（3）卵巢囊肿蒂扭转：常有突然腹痛，渐加重，甚至伴有恶心呕吐，一般体温不甚高。B 超检查或妇科盆腔检查可资鉴别。

2. 慢性盆腔炎 需要与如下疾病相鉴别。

（1）子宫内膜异位症（表 11-6）

表 11-6 慢性盆腔炎与子宫内膜异位症的鉴别诊断

疾病	相同点	不同点
子宫内膜异位症	进行性加重的痛经	平时不痛，或仅有轻微疼痛不适，经期则腹痛难忍，并呈进行性加重。腹腔镜检、B 超及抗子宫内膜抗体等检验有助于确诊
慢性盆腔炎		长期慢性疼痛，可有反复急性发作，低热，经行、性交、劳累后疼痛加重

（2）卵巢囊肿（表 11-7）

表 11-7 慢性盆腔炎与卵巢囊肿的鉴别诊断

疾病	不同点
卵巢囊肿	肿块多为圆形或椭圆形，周围无粘连，活动自如，常无明显自觉不适
慢性盆腔炎形成输卵管积水，或输卵管卵巢囊肿	有盆腔炎病史，肿块成腊肠形，囊壁较薄，周围有粘连，活动受限

五、辨证论治

（一）急性盆腔炎

1. 特点 发病急，病情重，病势凶险。

2. 病因 以热毒为主，兼有湿、瘀。

3. 治法 以清热解毒为主，祛湿化瘀为辅。

急性盆腔炎的辨证论治见表 11-8。

表 11-8　急性盆腔炎的辨证论治

证型	证候	治法	方剂
热毒炽盛证	高热腹痛，恶寒或寒战，下腹部疼痛拒按，咽干口苦，带下量多、色黄或赤白兼杂、质黏稠如脓血、味臭秽，大便秘结，溲赤；舌质红苔黄厚，脉滑数	清热解毒，利湿排脓	五味消毒饮合大黄牡丹汤
湿热瘀结证	下腹部疼痛拒按或胀满，热势起伏，寒热往来，带下量多、色黄、质稠、味臭秽，经量增多，经期延长，淋漓不止，大便溏或燥结，溲赤；舌质红、有瘀点，苔黄厚，脉弦滑	清热利湿，化瘀止痛	仙方活命饮

（二）慢性盆腔炎

慢性盆腔炎的辨证论治见表 11-9。

表 11-9　慢性盆腔炎的辨证论治

证型	证候	治法	方剂
湿热瘀结证	小腹部隐痛或疼痛拒按，痛连腰骶，低热起伏，经行或劳累加重，带下量多、色黄、质黏稠；胸闷纳呆，口干不欲饮，大便溏或秘结，小便黄赤；舌体胖大，舌质红苔黄腻，脉弦数或滑数	清热利湿，化瘀止痛	银甲丸或当归芍药散
气滞血瘀证	少腹部胀痛或刺痛，经行腰腹疼痛加重，经量多、有血块，瘀块排出则痛减，带下量多，婚后多年不孕，经行情志抑郁，经前乳房胀痛；舌质紫暗、有瘀斑，苔薄，脉弦涩	活血化瘀，理气止痛	膈下逐瘀汤
寒湿凝滞证	小腹冷痛或坠胀疼痛，经行腹痛加重，喜热恶寒，得热痛减，月经错后、量少、色暗，带下淋沥；神疲乏力，腰骶冷痛，小便频数，婚久不孕；舌质暗红苔白腻，脉沉迟	祛寒除湿，活血化瘀	少腹逐瘀汤
气虚血瘀证	下腹部疼痛结块，缠绵日久，痛连腰骶，经行加重，经量多有血块，带下量多；精神不振，疲乏无力，食少纳呆；舌质暗红、有瘀点瘀斑，苔白，脉弦涩无力	益气健脾，化瘀散结	理冲汤

命题趋势 辨证论治相关知识点，考试多以 A2 型题为主，这类题是最重要的知识，必须掌握。

金题直击

2. 患者，女，25 岁，已婚。下腹部疼痛结块，缠绵日久，痛连腰骶，经行加重，经血量多有块，带下量多，精神不振，纳少乏力，舌质紫暗有瘀点，苔白，脉弦涩无力，治疗应首选的方剂是

A. 理冲汤　　B. 膈下逐瘀汤

C. 少腹逐瘀汤　　D. 血府逐瘀汤

E. 银甲丸

【答案】A

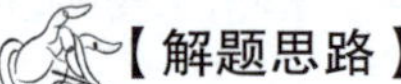

【解题思路】

根据主诉下腹部疼痛，可确诊为盆腔炎；根据纳少乏力、舌质紫暗有瘀点、苔白、脉弦涩无力，判定证型是气虚血瘀证，方剂选理冲汤。

第四节　不孕症

一、定义

女子婚后未避孕，有正常性生活，同居 1 年，而未受孕者；或曾有过妊娠，而后未避孕，又连续 1 年未再受孕者，称“不孕症”。前者为原发性不孕，古称“全不产”；后者为继发性不孕，古称“断绪”。

二、病因病机

1. **病因** 虚者主要为肾阳亏损和肾阴不足；实者主要为肝郁、痰湿和血瘀。

2. **病机** 虚者因冲任、胞宫失于濡养与温煦，难以成孕；实者因瘀滞内停，冲任受阻，不能摄精成孕。

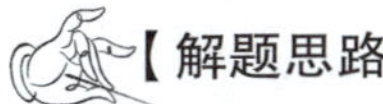

疾病病因的相关知识点，考试多以 A1 和 B1 型题为主，回答这类题时可以参考临床常识选出答案。

金题直击

1. 不孕症常见的病因不包括下列哪项

A. 肝郁　　B. 肾虚

C. 瘀滞胞宫　　D. 脾虚

E. 痰湿内阻

【答案】D

【解题思路】

此题考查疾病病因，不孕症属于虚者，有肾阳亏损和肾阴不足；属于实者有肝郁、痰湿和血瘀。

三、诊断

不孕症的诊断要点及其内容见表 11-10。

表 11-10　不孕症的诊断要点及其内容

要点	内容
询问病史	结婚年龄、丈夫健康状况、性生活情况、月经史、既往史（有无结核、阑尾炎手术、甲状腺病等）、家族史、既往生育史。对继发不孕者尤需问清有无感染病史
体格检查	注意第二性征的发育，内外生殖器的发育，有无畸形、炎症、包块及溢乳等
卵巢功能检查	了解卵巢有无排卵及黄体功能状态。如 BBT、B 超监测排卵、阴道脱落细胞涂片检查、子宫颈黏液结晶检查、子宫内膜活检、女性激素测定等
输卵管通畅试验	常用输卵管通液术、子宫输卵管碘油（或碘水）造影及 B 超下输卵管过氧化氢溶液通液术。除检查子宫输卵管有无畸形、是否通畅、有无子宫内膜结核和肌瘤外，还有一定的分离粘连的治疗作用
免疫因素检查	如抗精子抗体（ASAB）、抗内膜抗体（EMAB）
宫腔镜检查	怀疑有宫腔或子宫内膜病变时，可做宫腔镜检查或行宫腔粘连分离
腹腔镜检查	上述检查均未见异常，或输卵管造影有粘连等，可做腹腔镜检查，可发现术前未发现的病变，如子宫内膜异位症等。亦可行粘连分离术、内异病灶电凝术、多囊卵巢打孔术。必要时剖腹探查
排除垂体病变	当怀疑垂体病变时，应做头 CT、MRI 检查，排除垂体病变引起的不孕

四、辨证论治

不孕症的辨证论治见表 11-11。

表 11-11　不孕症的辨证论治

证型	证候	治法	方剂
肾气虚证	婚久不孕，月经不调或停闭，经量或多或少、色暗；头晕耳鸣，腰膝酸软，精神疲倦，小便清长；舌质淡，苔薄，脉沉细，两尺尤甚	补肾益气，温养冲任	毓麟珠
肾阳虚证	婚久不孕，月经后推或停闭不行，经色淡暗，性欲淡漠，小腹冷，带下量多清稀如水；或子宫发育不良；头晕耳鸣，腰膝酸软，夜尿多，眼眶暗，面部暗斑，或环唇暗；舌质淡暗，苔白，脉沉细尺弱	温肾暖宫，调补冲任	温胞饮或右归丸
肾阴虚证	婚久不孕，月经提前、量少或停闭，经色鲜红，或行经时间延长甚至崩中或漏下不止；形体渐消，头晕耳鸣，腰膝酸软，五心烦热，失眠多梦，眼花心悸，肌肤失润，阴中干涩；舌质稍红略干，苔少，脉细或细数	滋肾养血，调补冲任	养精种玉汤

续表

证型	证候	治法	方剂
肝气郁结证	婚久不孕，月经或先或后，经量多少不一，或经来腹痛；或经前烦躁易怒，胸胁乳房胀痛，精神抑郁，善太息；舌质暗红或边有瘀斑，脉弦细	疏肝解郁，理血调经	开郁种玉汤加减
瘀滞胞宫证	婚久不孕，月经推后或周期正常，经来腹痛，或进行性加剧，经量多少不一，经色紫暗、有血块，块下痛减；或经行不畅、淋沥难净，或经间出血；或肛门坠胀不适，性交痛；舌质紫暗或有瘀点、瘀斑，脉弦或弦细涩	逐瘀荡胞，调经助孕	少腹逐瘀汤加减
痰湿内阻证	婚久不孕，形体肥胖，月经推后，甚则停闭不行；带下量多、色白、质黏、无臭；头晕心悸，胸闷泛恶，面目虚浮或㿠白；舌质淡胖，苔白腻，脉滑	燥湿化痰，行滞调经	苍附导痰丸

命题趋势 辨证论治相关知识点，考试多以A2型题为主。

金题直击

2. 患者，女，30岁，已婚，白领。已婚3年不孕，月经2～3个月一行，头晕耳鸣，腰酸腿软，畏寒肢冷，性欲淡漠，舌质淡苔白，脉沉细尺弱。治疗应首选的方剂是

A. 活血化瘀

B. 逐瘀荡胞，调经助孕

C. 养血活血

D. 温肾暖宫，调补冲任

E. 补肾活血，调经助孕

【答案】D

【解题思路】

根据主诉已婚3年不孕，可确诊为不孕症；根据腰酸腿软、畏寒肢冷、性欲淡漠，确定证型是肾阳虚证，治法是温肾暖宫，调补冲任。

五、辨病与辨证结合

1. 排卵障碍性不孕 包括无排卵和黄体功能不全。无排卵者，治疗多以补益肾气，平衡肾阴阳，调整肾-天癸-冲任-胞宫生殖轴以促排卵，如促排卵汤（《罗元恺论医集》）。黄体功能不全者，治疗多以补肾疏肝为主。常见的证型有脾肾阳虚证、肝肾阴虚证、肾虚血瘀证、肾虚痰湿证和肾虚肝郁证等。

2. 免疫性不孕 造成不孕的免疫反应可分为同种免疫、局部免疫及自身免疫三种。目前进行的大多是对抗精子免疫性不孕的研究。中医学认为引起免疫性不孕的常见病因病机是肾虚血瘀、阴虚火旺、气滞血瘀和湿热互结。

3. 输卵管阻塞性不孕 多因盆腔慢性炎症导致输卵管粘连、积水、僵硬、扭曲或闭塞，而发为不孕。输卵管阻塞性不孕的中医常见证型为气滞血瘀证、湿热瘀阻证、肾虚血瘀证、寒凝血瘀证。治疗多以疏肝理气，化瘀通络为主，内服外治（中药保留灌肠或外敷下腹部）；配合导管扩通（介入治疗）可提高疗效。

第五节　阴　痒

一、定义

妇女外阴及阴道瘙痒，甚则痒痛难忍，坐卧不宁，或伴带下增多等，称为“阴痒”。

二、病因病机

1. 病因 肝经湿热、肝肾阴虚。

2. 病机 内因脏腑虚损，肝肾功能失常，外因多见会阴局部损伤，带下尿液停积，湿蕴而生热，湿热生虫，虫毒侵蚀，则致外阴痒痛难忍。

三、诊断

阴痒的诊断要点及其内容见表11-12。

表 11-12　阴痒的诊断要点及其内容

要点	内容
病史	有不良的卫生习惯，带下量多，长期刺激外阴部，或有外阴、阴道炎病史
临床表现	妇人前阴部瘙痒时作，甚则难以忍受，坐卧不宁，亦可波及肛门周围或大腿内侧
妇科检查	外阴部皮肤粗糙，有抓痕，色素蜕变，甚则皲裂、破溃、黄水淋沥
实验室检查	白带镜检正常或可见念珠菌、滴虫等

四、辨证论治

阴痒的辨证论治见表 11-13。

表 11-13　阴痒的辨证论治

证型	证候	治法	方剂
肝经湿热证	阴部瘙痒难忍，坐卧不安，外阴皮肤粗糙增厚、有抓痕，黏膜充血破溃，或带下量多、色黄如脓，或呈泡沫米泔样，或灰白如凝乳，味腥臭；伴心烦易怒，胸胁满痛，小便黄赤；舌体胖大、色红苔黄腻，脉弦滑	清热利湿，杀虫止痒	龙胆泻肝汤或萆薢渗湿汤，外用蛇床子散
肝肾阴虚证	阴部瘙痒难忍，干涩灼热，夜间加重，或会阴部肤色变浅白，皮肤粗糙，皲裂破溃；眩晕耳鸣，五心烦热，烘热汗出，腰酸腿软；舌质红苔少，脉细数无力	滋阴补肾，清肝止痒	知柏地黄汤

辨证论治相关知识点，考试多以 A2 型题为主。

金题直击

患者，女，56 岁，已婚，工人。阴部奇痒干涩 7 天，五心烦热，腰酸腿软，舌质红少苔，脉细数无力，其治疗首选的方剂是

A. 知柏地黄汤　　B. 保阴煎
C. 两地汤　　D. 六味地黄丸
E. 左归丸

【答案】A

【解题思路】

根据主诉阴部奇痒干涩，可确诊为阴痒；根据五心烦热、腰酸腿软，判定证型是肝肾阴虚证，方剂选知柏地黄丸。

五、外治法

1. 熏洗盆浴　蛇床子 30g，百部 30g，苦参 30g，徐长卿 15g，黄柏 20g，荆芥（或薄荷）20g（后下）。亦可选用市售洁尔阴、洁身纯等中药制剂。

2. 阴道纳药　根据白带检查结果，针对病源选药。

第六节　阴疮（助理不考）

一、定义

妇人外阴部结块红肿，或溃烂成疮，黄水淋沥，局部肿痛，甚则溃疡如虫蚀者，称“阴疮”，又称“阴蚀”“阴蚀疮”。多见于西医的“外阴溃疡”“前庭大腺脓肿”。

二、病因病机

1. 病因　热毒、寒湿。

2. 病机　主要由热毒炽盛或寒湿凝滞，侵蚀外阴部肌肤所致。

三、辨证论治

治疗应内外兼顾，在全身用药的同时，重视局部治疗。阴疮的辨证论治见表 11-14。

表 11-14　阴疮的辨证论治

证型	证候	治法	方剂
热毒证	外阴部皮肤局限性鲜红肿胀、破溃糜烂、灼热结块，脓苔稠黏，或脓水淋沥；伴身热心烦，口干纳少便秘尿黄；舌质红，苔黄腻，脉弦滑数	清热利湿，解毒消疮	龙胆泻肝汤
寒湿证	阴部肌肤肿溃，触之坚硬，色晦暗不泽，日久不愈，脓水淋沥，疼痛绵绵；伴精神不振，疲乏无力，畏寒肢冷，食少纳呆；舌质淡苔白腻，脉沉细缓	温经散寒，除湿消疮	阳和汤或托里消毒散

命题趋势　辨证论治相关知识点，考试多以 A2 型题为主。

金题直击

患者，女，63 岁，已婚，退休。阴部肌肤肿溃，触之坚硬，色晦暗不泽，日久不愈，脓水淋沥，疼痛绵绵，伴精神不振，疲乏无力，畏寒肢冷，食少纳呆，舌质淡苔白腻，脉沉细缓，其治疗首选的方剂是

A. 少腹逐瘀汤　　B. 阳和汤

C. 阴蚀生疮方　　D. 右归饮

E. 温经汤

【答案】B

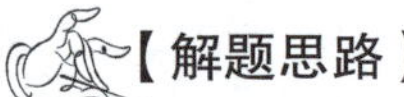
【解题思路】

根据主诉阴部肌肤肿溃、触之坚硬，可确诊为阴疮；根据畏寒肢冷，判定证型是寒湿证，方剂选阳和汤或托里消毒散。

第七节　阴　挺

一、定义

子宫从正常位置沿阴道下降，宫颈外口达坐骨棘水平以下，甚至子宫全部脱出于阴道口以外，称“阴挺”。常合并阴道前壁和后壁膨出。也称“阴脱”“阴菌”“阴痔”“产肠不收”“葫芦颓”。本病相类于西医的“子宫脱垂”。

命题趋势　疾病定义的相关知识点，考试多以 A1 和 B1 型题为主。

金题直击

1.“阴挺”的中医别名不包括

A. 阴脱　　B. 阴菌

C. 阴痔　　D. 子宫脱垂

E. 产肠不收

【答案】D

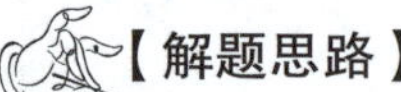
【解题思路】

子宫从正常位置发生器质性位移，称“阴挺”，也称“阴脱”“阴菌”“阴痔”“产肠不收”“葫芦颓”，以上名词皆属于中医名称。阴挺相类于西医的“子宫脱垂”。

二、病因病机

1. 病因　气虚、肾虚。

2. 病机　子宫脱垂与分娩损伤有关。产伤未复，中气不足，或肾气不固，带脉失约，日渐下垂脱出。亦见于长期慢性咳嗽、便秘、年老体衰之体，冲任不固，带脉固摄无力而子宫脱出。

三、诊断及分度

1. **诊断** 根据病史及检查所见容易确诊。

2. **分度** 子宫脱垂的分度及其临床表现见表 11-15。

表 11-15 子宫脱垂的分度及其临床表现

分度	临床表现
Ⅰ度	轻型：宫颈外口距处女膜缘 <4cm，未达处女膜缘
	重型：宫颈已达处女膜缘，阴道口可见子宫颈
Ⅱ度	轻型：宫颈脱出阴道口，宫体仍在阴道内
	重型：部分宫体脱出阴道口
Ⅲ度	宫颈与宫体全部脱出阴道口外

命题趋势 疾病表现的相关知识点，考试多以 A1 和 B1 型题为主。

金题直击

2. Ⅰ度重型子宫脱垂的表现是

A. 宫颈外口距处女膜缘 <4cm，未达处女膜缘
B. 部分宫体脱出阴道口
C. 宫颈脱出阴道口，宫体仍在阴道内
D. 宫颈已达处女膜缘，阴道口可见子宫颈
E. 宫颈与宫体全部脱出阴道口外

【答案】D

【解题思路】

西医把子宫脱垂分成三度，A 为Ⅰ度轻型，B 为Ⅱ度重型，C 为Ⅱ度轻型，D 为Ⅰ度重型，E 为Ⅲ度脱垂。

四、辨证论治

阴挺的辨证论治见表 11-16。

表 11-16 阴挺的辨证论治

证型	证候	治法	方剂
气虚证	子宫下坠或脱出于阴道口外，阴道壁松弛膨出，劳则加剧，小腹下坠；四肢无力，身倦懒言，面色不华，四肢乏力，小便频数，带下量多、质稀色淡；舌质淡苔薄，脉缓弱	补中益气，升阳举陷	补中益气汤
肾虚证	子宫下脱，日久不愈；头晕耳鸣，腰膝酸软冷痛，小腹下坠，小便频数，夜间尤甚，带下清稀；舌质淡红，脉沉弱	补肾固脱，益气升提	大补元煎

高频考点速递

1. 急性盆腔炎病因 热毒炽盛、湿热瘀结。

2. 急性盆腔炎病因病机 产后、流产后、宫腔内手术处置后，或经期卫生保健不当之际，邪毒乘虚侵袭，稽留于冲任及胞宫脉络，与气血相搏结，邪正交争，而发热疼痛。

3. 不孕症 女子婚后未避孕，有正常性生活，同居 1 年，而未受孕者，或曾有过妊娠，而后未避孕，又连续 1 年未再受孕者，称“不孕症”。

4. 不孕症病机 虚者因冲任、胞宫失于濡养与温煦，难以成孕；实者因瘀滞内停，冲任受阻，不能摄精成孕。

5. 子宫脱垂的分度 Ⅰ度：轻型，宫颈外口距处女膜缘 <4cm，未达处女膜缘；重型，宫颈已达处女膜缘，阴道口可见子宫颈。Ⅱ度：轻型，宫颈脱出阴道口，宫体仍在阴道内；重型，部分宫体脱出阴道口。Ⅲ度：宫颈与宫体全部脱出阴道口外。

第十二单元　计划生育

考情分析

单元	年份/级别	2019	2020	2021	2022	2023
计划生育	执业	0	2	1	0	1
	助理	0	1	1	1	0

第一节　避　孕

一、工具避孕

1. 宫内节育器

（1）适应证：已婚育龄妇女，愿意选用而无禁忌证者均可放置。

（2）禁忌证：放置节育器前，必须排除妊娠的存在；生殖器官炎症；月经紊乱；生殖器肿瘤、宫颈口过松、重度子宫脱垂等；严重的全身性疾病；严重的出血性疾病。

（3）放置时间：月经干净后3～7天；人工流产术后，无感染或出血倾向者；自然流产转经后；足月产及孕中期引产后3个月或剖宫产后半年。

命题趋势 西医手术相关知识点，考试多以A1型题为主。

金题直击

下列各项，不属于放置宫内节育器禁忌证的是

A. 滴虫性阴道炎　　B. 月经过多

C. 重度痛经　　D. 宫颈口松

E. 足月产后3个月

【答案】E

【解题思路】

宫内节育器，禁忌证包括月经紊乱，如近3个月月经过多、月经频发或不规则阴道出血、重度痛经等；宫颈口过松、重度子宫脱垂等；严重的全身性疾患和出血性疾病等。

（4）节育器的取出与换置

① 取器指征：放置年限已到需更换者；计划再生育；宫内节育器并发症较重，治疗无效者；宫内节育器变形或异位者；要求改用其他避孕措施或节育器者；已绝经半年以上，或丧偶、离婚者；有感染化脓、嵌顿等并发症。

② 取器时间：月经干净后3～7天，或绝经后半年至一年为宜；如因为盆腔肿瘤需取出，则随时可取；带器妊娠者，妊娠终止时同时取出；疑有感染者，术前、术后应给予抗生素治疗。

③ 更换节育器：旧节育器取出后，可立即放置新的，或待下次月经干净后再放置。

2. 阴道隔膜　俗称子宫帽，适于每次性交时使用。

3. 阴茎套　亦称避孕套，由男方掌握，适于每次性交时使用。

二、药物避孕

1. 适应证　凡身体健康、愿意避孕且月经基本正常的育龄妇女均可使用。

2. 禁忌证　严重高血压、糖尿病、肝肾疾病及甲状腺功能亢进者不宜应用；血栓性疾病、血液病者及哺乳期不宜应用；子宫肌瘤、恶性肿瘤或乳房内有肿块者不宜应用。

第二节 人工流产

一、适应证和禁忌证

1. 适应证 妊娠10周内要求终止妊娠而无禁忌证者；妊娠10周内因某种疾病而不宜继续妊娠者。

2. 禁忌证 生殖器官急性炎症；各种疾病的急性期，或严重的全身性疾病不能耐受手术者；妊娠剧吐酸中毒尚未纠正者；术前相隔4小时两次体温在37.5℃以上者。

二、并发症的诊断与防治

1. 人流综合征

（1）诊断要点：头晕、恶心、呕吐、面色苍白、出冷汗甚至晕厥，心率减慢小于60次/分，心律不齐，血压下降。

（2）预防：手术动作轻柔；扩张宫颈缓慢；负压不宜过高；勿反复、过度吸刮；过于紧张者术前予止痛处理。

（3）治疗：平卧休息；心率过缓者予阿托品0.5mg静脉滴注并吸氧。

2. 子宫穿孔

（1）诊断要点：无底感，宫腔深度超过应有深度；吸引过程中突感阻力消失或有突破感、无底感；腹痛剧烈，甚至内脏牵拉感内出血或腹膜刺激征象；吸出物有脂肪、肠管等组织。

（2）预防及治疗：子宫穿孔较小，穿孔后无吸引操作，症状较轻，宫腔内容物已清除干净，无内出血征象则可保守治疗。若上述征象在胚胎未吸出前发生，则应换有经验医师避开穿孔部分完成吸宫术，术后保守治疗，有内出血或内脏损伤征象可剖腹探查。

3. 人流不全

（1）诊断要点：术后阴道持续或间断出血超过10天或出血量大于月经量，夹有黑血块或烂肉样组织；术后有腰酸腹痛下坠感，且阵发性腹痛后出血增加；妇科检查提示子宫增大、较软，宫口松弛；HCG阳性或未降至正常；B超提示宫腔内有组织残留。

（2）预防及治疗：流血不多可用抗生素加中药；流血多可清宫加抗生素加缩宫剂。合并大出血、休克，应抢救休克，好转后清宫；伴有急性感染，可应用大量抗生素，轻轻夹出大块组织，感染控制后清宫。

4. 宫颈或宫颈管内口粘连

（1）诊断要点：宫颈或宫颈管内口粘连诊断要点及其具体内容见表12-1。

表12-1 宫颈或宫颈管内口粘连诊断要点及其具体内容

要点	具体内容
表现	术后闭经或月经过少，伴周期性下腹坠胀、肛门坠胀感
检查	子宫稍大，压痛、宫颈举痛及附件压痛明显，探针探宫腔不顺，进入后流出暗紫色血液
子宫碘油造影	宫腔狭窄或充盈缺损或不显影
宫腔镜	可观察粘连部分、形态及萎缩内膜面积

（2）预防：避免负压过高；吸管进出宫颈口不应带负压；怀疑感染时，尽早使用抗生素。

（3）治疗：宫颈内口粘连可用探针分离后使用宫颈扩张器扩张至7～8号；宫腔粘连可用探针或4号扩张器伸入宫腔摇摆分离；或宫腔镜直视分离，然后置入宫内节育器，口服炔雌醇、抗生素预防感染。

5. 人流术后感染 其要点及具体内容见表12-2。

表12-2 人流术后感染要点及其具体内容

要点	具体内容
诊断要点	术后2周内出现下腹疼痛、发热、腰痛、阴道分泌物浑浊、白细胞增高、中性为主。妇检示子宫体稍大而软，压痛，双侧附件增厚或有包块压痛明显
预防	严格把握适应证；术中注意无菌操作；术后注意外阴卫生；禁性交1月
治疗	广谱抗生素治疗1周以上

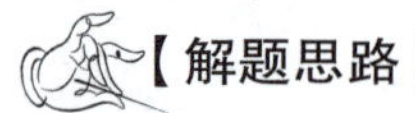

西医手术相关知识点，考试多以 A1 型题为主。

金题直击

下列各项，不属于人工流产并发症的是

A. 人流综合征　　B. 子宫穿孔

C. 人流后宫缩不良　　D. 人流不全

E. 人流术后感染

【答案】C

【解题思路】

人工流产常见的并发症包括人流综合征、子宫穿孔、人流不全、人流术后感染、宫颈或宫颈管内口粘连。

三、药物流产的适应证和禁忌证

1. 适应证　正常宫内妊娠 7 周以内；18 ～ 40 岁的健康育龄妇女；自愿要求药物终止妊娠的健康妇女；高危人流对象；对手术流产有恐惧心理者。

2. 禁忌证　肾上腺疾病或与内分泌有关的肿瘤；过敏体质者；带器妊娠或疑宫外孕者；妊娠剧吐；生殖器官急性炎症；距医疗单位较远。

第三节　经腹输卵管结扎术

绝育手术的适应证和禁忌证如下：

1. 适应证　自愿接受绝育手术而无禁忌证者，患有严重全身疾病不宜生育而行治疗性绝育术。

2. 禁忌证　急、慢性盆腔感染，腹壁皮肤感染者，应在感染治愈后再行手术；24 小时内有两次间隔 4 小时的体温在 37.5 ℃或以上者；全身情况不良不能耐者；严重的精神官能症者。

高频考点速递

1. 宫内节育器禁忌证　放置节育器前，必须排除妊娠的存在；生殖器官炎症；月经紊乱；生殖器肿瘤、宫颈口过松、重度子宫脱垂等；严重的全身性疾病；严重的出血性疾病。

2. 宫内节育器放置时间　月经干净后 3 ～ 7 天；人工流产术后，无感染或出血倾向者；自然流产转经后；足月产及孕中期引产后 3 个月或剖宫产后半年。

3. 药物避孕禁忌证　严重高血压、糖尿病肝肾疾病及甲状腺功能亢进者不宜应用；血栓性疾病、血液病者及哺乳期不宜应用；子宫肌瘤、恶性肿瘤或乳房内有肿块者不宜应用。

4. 子宫穿孔诊断要点　无底感，宫腔深度超过应有深度；吸引过程中突感阻力消失或有突破感、无底感；腹痛剧烈，甚至内脏牵拉感内出血或腹膜刺激征象；吸出物有脂肪、肠管等组织。

第十三单元　女性生殖功能的调节与周期性变化（助理不考）

考情分析

单元	年份 / 级别	2019	2020	2021	2022	2023
女性生殖功能的调节与周期性变化（助理不考）	执业	2	1	2	1	1

第一节　卵巢的功能及周期性变化

一、卵巢功能的周期性变化

1. 卵泡的发育及成熟　在妇女一生中，能发育至成熟而排卵的卵细胞有 400 ～ 500 个。成熟卵泡 B 超显示直径为 18 ～ 25mm。

命题趋势　西医相关知识点，考试多以 A1 型题为主。

金题直击

1. 成熟卵泡的直径大小是

A. <17mm　　B. >18mm

C. 18 ～ 25mm　　D. 17 ～ 22mm

E. >22mm

【答案】C

【解题思路】

在妇女一生中，能发育至成熟而排卵的卵细胞有 400 ～ 500 个。成熟卵泡 B 超显示直径为 18 ～ 25mm。

2. 排卵　排卵一般发生在 28 天的月经周期中间，或下次月经前 14 天左右。排卵可由两侧卵巢轮流发生，或持续见于某一侧卵巢。

3. 黄体的形成和萎缩　排卵后的 7 ～ 8 天，黄体发育达最盛期，直径约 1 ～ 3cm，色黄，突出于卵巢表面。若卵子受精，则黄体继续发育为妊娠黄体，到妊娠 10 周后其功能由胎盘取代。若卵子未受精，黄体于排卵后 9 ～ 10 天（即月经周期第 24 ～ 25 天）开始萎缩，黄体消退，细胞变性，性激素的分泌量也减退，约至周期的 28 天子宫内膜不能维持而脱落，形成月经来潮。

命题趋势　西医相关知识点，考试多以 A1 型题为主。

金题直击

2. 若卵子未受精，黄体开始萎缩的时间是排卵后

A. 4 ～ 5 天　　B. 9 ～ 10 天

C. 11 ～ 12 天　　D. 13 ～ 14 天

E. 15 ～ 16 天

【答案】B

【解题思路】

排卵后的 7 ～ 8 天，黄体发育达最盛期，直径为 1 ～ 3cm。若卵子未受精，黄体于排卵后 9 ～ 10 天（即月经周期第 24 ～ 25 天）开始萎缩。

二、卵巢分泌的激素及其功能

卵巢主要合成及分泌两种性激素，即雌激素和孕激素，也分泌少量的雄激素。

1. 雌激素的主要生理作用

（1）能促进卵泡的发育。

（2）能促使子宫发育；能使子宫颈管黏液分泌量增多，质变稀薄，易拉成丝状，以利精子通过。

（3）能促进输卵管发育。

（4）使阴道上皮细胞增生和角化、细胞内糖原增多，保持阴道呈弱酸性。

（5）促进乳腺腺管细胞增生，乳头、乳晕着色，通过对催乳素分泌的抑制而抑制乳汁分泌。

（6）对丘脑下部和垂体的反馈调节，间接对卵巢功能产生调节作用。

（7）促进水与钠的潴留。

（8）促进骨中钙的沉积，加速骨骺闭合。

 西医相关知识点，考试多以A1型题为主。

金题直击

3. 下述哪种激素能使阴道上皮细胞增生和角化、细胞内糖原增多，保持阴道呈弱酸性

A. 促性腺激素释放激素　　B. 垂体促性腺激素

C. 促甲状腺激素　　D. 雌激素

E. 孕激素

【答案】D

【解题思路】

雌激素能使阴道上皮细胞增生和角化、细胞内糖原增多，保持阴道呈弱酸性。

2. 孕激素的主要生理作用

（1）使子宫内膜由增生期转变为分泌期。

（2）抑制子宫颈内膜的黏液分泌，并使之黏稠。

（3）抑制输卵管蠕动。

（4）促进乳腺腺泡发育，大剂量孕激素对乳汁的分泌有一定抑制作用。

（5）使阴道上皮细胞脱落、糖原沉积和阴道乳酸杆菌减少，酸性降低。

（6）对正常的妇女有使体温轻度升高的作用，排卵后基础体温可上升0.3～0.5℃。

（7）对丘脑下部和脑垂体仅有抑制性的负反馈作用。

3. 雄激素的主要生理作用　可促使阴毛、腋毛的生长，促进蛋白质合成，促进肌肉生长和骨骼的发育，有促进红细胞生成的作用，提高性欲。大量雄激素与雌激素有拮抗的作用。

第二节　子宫内膜的周期性变化

一、增生期

子宫内膜增生期的分期及其具体内容见表13-1。

表13-1　子宫内膜增生期的分期及其具体内容

分期	具体内容
增生早期	内膜的增生与修复在月经期即已开始。在月经周期的5～7日。此期内膜较薄，为1～2mm
增生中期	在月经周期的第8～10日。此期特征是间质水肿明显，腺体数增多、增长，呈弯曲形
增生晚期	在月经周期的第11～14日。此期内膜增厚至3～5mm，表面高低不平，略呈波浪形

二、分泌期

子宫内膜分泌期的分期及其具体内容见表13-2。

表13-2　子宫内膜分泌期的分期及其具体内容

分期	具体内容
分泌早期	月经周期的第15～19日
分泌中期	月经周期的第20～23日
分泌晚期	月经周期的第24～28日。此期为月经来潮前期。子宫内膜厚达10mm，并呈海绵状

三、月经期

在月经周期的第1～4日。体内雌孕激素水平下降，内膜中血循环障碍加剧，内膜功能层的螺旋小动脉持续痉挛，血流减少，组织变性，血管壁破裂形成血肿，促使组织坏死剥脱，变性、坏死脱落的内膜碎片与血液相混一起从阴道排出，形成月经血。

第三节　下丘脑－垂体－卵巢轴的相互关系

一、反馈作用

子宫内膜的周期性变化受卵巢激素的影响，卵巢功能受垂体控制，而垂体的活动又受下丘脑的调节，下丘脑又受大脑皮层的支配。卵巢所产生的激素还可以反过来影响下丘脑与垂体的功能。

二、调节功能

当循环中雌激素浓度低于 200pg/mL 时，对垂体卵泡刺激素（FSH）的分泌起抑制作用（负反馈）。

高频考点速递

1. 在妇女一生中，能发育至成熟而排卵的卵细胞有 400 ～ 500 个。成熟卵泡 B 超显示直径为 18 ～ 25mm。

2. 若卵子未受精，黄体于排卵后 9 ～ 10 天（即月经周期第 24 ～ 25 天）开始萎缩，黄体消退，细胞变性，性激素的分泌量也减退。

3. 雄激素可促使阴毛、腋毛的生长，促进蛋白质合成，促进肌肉生长和骨骼的发育，有促进红细胞生成的作用，提高性欲。大量雄激素与雌激素有拮抗的作用。

第十四单元　妇产科特殊检查与常用诊断技术

考情分析

单元	年份 级别	2019	2020	2021	2022	2023
妇产科特殊检查与常用诊断技术	执业	0	0	1	1	1

第一节　妇科检查

一、双合诊

双合诊是检查者用一只手的两指或一指放入被检查者阴道，另一只手在被检查者腹部配合检查的方法，是盆腔检查中最重要、最常用的方法。

用以检查子宫的位置、大小、质地、活动度以及有无压痛，附件区有无增厚、肿块或压痛。

二、三合诊

三合诊是腹部、阴道、直肠联合检查。三合诊的目的是弥补双合诊的不足。能更清楚地了解极度后位的子宫大小，发现子宫后壁、直肠子宫凹陷、骶韧带、骨盆腔内侧壁及后部病变。凡疑有生殖器结核、恶性肿瘤、子宫内膜异位症、炎性包块等，三合诊尤显重要。

第二节　妇科特殊诊断技术

一、基础体温测定

1. **基础体温（BBT）**　指机体处于静息状态下的体温。
2. **临床应用**　检查不孕原因，指导避孕和受孕，协助诊断妊娠，协助诊断月经失调。

二、阴道脱落细胞检查（助理不考）

1. 应用 了解体内性激素水平，可用于闭经、功血诊断。

2. 涂片种类及标本采集

（1）阴道涂片了解卵巢功能。

（2）宫颈刮片（防癌涂片）早期发现宫颈癌。

三、宫颈黏液检查（助理不考）

1. 宫颈黏液结晶检查 预测排卵期，借以指导避孕与受孕。

2. 宫颈黏液拉丝试验 与宫颈黏液结晶检查结合，作为了解卵巢功能的简便方法。

四、常用女性内分泌激素测定

1. 垂体促性腺激素测定 包括卵泡刺激素（FSH）和黄体生成激素（LH）。有助于鉴别垂体性闭经和卵巢性闭经，帮助判断卵巢功能不足。

2. 垂体泌乳素（PRL）测定 垂体肿瘤等均可引起 PRL 增高。

3. 雌二醇（E_2）测定 临床主要用于监测卵巢功能，判断闭经原因，诊断无排卵，监测卵泡发育，诊断女性性早熟。

4. 孕酮（P）测定 作为排卵的标准之一，血 P 达到 16nmol/L 以上，提示有排卵。

5. 睾酮（T）测定 评价多囊卵巢综合征的治疗效果。

6. 人绒毛膜促性腺激素（HCG）的测定 对妊娠及相关疾病的诊断和监测亦很常用。

命题趋势 西医相关知识点，考试多以 A1 型题为主。

金题直击

1. 孕酮测定，提示有排卵的是

A. 血中孕酮达到 13nmol/L

B. 血中孕酮达到 14nmol/L

C. 血中孕酮达到 15nmol/L

D. 血中孕酮达到 16nmol/L

E. 血中孕酮达到 17nmol/L

【答案】D

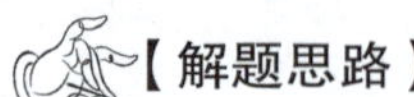
【解题思路】

孕酮（P）测定临床应用主要作为排卵的标准之一，血 P 达到 16nmol/L 以上，提示有排卵。

五、活体组织检查（助理不考）

1. 外阴活组织检查 适应证为确定外阴白色病变的类型及排除恶变；外阴赘生物或久治不愈的溃疡需明确诊断及排除恶性病变者。

2. 宫颈活组织检查 适应证为宫颈溃疡或有赘生物需明确诊断者；宫颈细胞学检查巴氏分级Ⅲ级以上者；有宫颈接触性出血或可疑宫颈癌者；宫颈特异性炎症者。

六、诊断性刮宫（助理不考）

1. 适应证

（1）子宫异常性出血，需排除或证实子宫内膜癌、宫颈癌者。

（2）月经失调需了解子宫内膜变化及其对性激素的反应者。

（3）不孕症，了解有无排卵。

（4）疑有子宫内膜结核者。

（5）因宫腔残留组织或子宫内膜脱落不完全导致长时间多量出血者。

2. 禁忌证

（1）急性或亚急性生殖道炎症。

（2）疑有妊娠要求继续妊娠者。

（3）急性或严重的全身性疾病。

（4）手术前体温大于 37.5℃者。

3. **注意事项** 不孕症或功血者，应在月经前或月经来潮12小时内诊断性刮宫，以判断有无排卵或黄体功能不良。术前有阴道出血者/术前术后应予预防感染治疗。术后两周内禁止性生活、盆浴。

西医手术相关知识点，考试多以A1型题为主，这类题一般掌握，了解即可。

金题直击

2. 下列各项，不属于诊断性刮宫适应证的是

A. 因宫腔残留组织或子宫内膜脱落不全导致长时间多量出血者

B. 疑有子宫内膜结核者

C. 月经失调需了解子宫内膜变化及其对性激素的反应者

D. 子宫异常出血，需排除或证实子宫内膜癌、宫颈管癌者

E. 急性或严重的全身疾病 【答案】E

【解题思路】

E选项为诊断性刮宫禁忌证，其他禁忌证还包括急性或亚急性生殖道炎症，疑有妊娠要求继续妊娠者，手术前体温大于37.5℃者。

七、后穹隆穿刺（助理不考）

适应证：明确子宫直肠凹陷积液性质；明确贴近阴道后穹隆的肿块性质。

八、输卵管通畅检查（助理不考）

（一）输卵管通液术

有手感通液术、B超下通液术、腹腔镜下通液术、治疗性通液术4种方法。

（二）子宫输卵管造影术

1. 适应证

（1）不孕症。

（2）习惯性流产。

（3）确定生殖器畸形的类别。

2. 禁忌证 急性或亚急性生殖道炎症；严重的全身性疾病；产后、流产后、刮宫术后6周内；停经不能排除妊娠者；过敏性体质或碘过敏者。

九、超声检查

常用的方法有B型显像法、多普勒超声法两种。其中使用最广泛的是B型超声经腹壁及经阴道探查法。临床应用主要有：鉴别增大的子宫；鉴别胎儿存活或死亡；盆、腹腔包块的定位和（或）定性等。

十、宫腔镜检查

1. 宫腔镜检查适应证

（1）异常子宫出血。

（2）可疑宫腔粘连及畸形。

（3）可疑妊娠物残留。

（4）影像学检查提示宫腔内占位病变。

（5）原因不明的不孕或反复流产。

（6）宫内节育器异常。

（7）宫腔内异物。

（8）宫腔镜术后相关评估。

2. 宫腔镜手术适应证

（1）子宫内膜息肉。

（2）子宫黏膜下肌瘤及部分影响宫腔形态的肌壁间肌瘤。
（3）宫腔粘连。
（4）纵隔子宫。
（5）子宫内膜切除。
（6）宫腔内异物取出，如嵌顿节育器及流产残留物等。
（7）宫腔镜引导下输卵管插管通液、注药及绝育术。

3. 禁忌证

（1）绝对禁忌证
① 急性、亚急性生殖道感染。
② 心、肝、肾衰竭急性期及其他不能耐受手术者。
（2）相对禁忌证
① 体温＞ 37.5℃。
② 子宫颈瘢痕，不能充分扩张者。
③ 近期（3 个月内），有子宫穿孔史或子宫手术史者。
④ 浸润性子宫颈癌、生殖道结核未经系统抗结核治疗者。

十一、腹腔镜检查

1. 适应证

（1）急腹症（如异位妊娠、卵巢囊肿破裂、卵巢囊肿蒂扭转等）。
（2）盆腔包块。
（3）子宫内膜异位症。
（4）确定不明原因急、慢性腹痛和盆腔痛的原因。
（5）不孕症。
（6）计划生育并发症（如寻找和取出异位宫内节育，子宫穿孔等）。
（7）有手术指征的各种妇科良性疾病。
（8）子宫内膜癌分期手术和早期子宫颈癌根治术。

2. 禁忌证

（1）绝对禁忌证
① 严重的心脑血管疾病及肺功能不全。
② 严重的凝血功能障碍。
③ 绞窄性肠梗阻。
④ 大的腹壁疝或膈疝。
⑤ 腹腔内大出血。
（2）相对禁忌证
① 盆腔肿块过大。
② 妊娠＞ 16 周。
③ 腹腔内广泛粘连。
④ 晚期或广泛转移的妇科恶性肿瘤。

腹腔镜手术作为一种微创手术方式，具有创伤小、恢复快、住院时间短等优点，已成为当代妇科疾病诊治的常用手段。

高频考点速递

1. 双合诊　检查者用一只手的两指或一指放入被检查者阴道，另一只手在被检查者腹部配合检查的方法，是盆腔检查中最重要、最常用的方法。

2. 孕酮（P）测定　作为排卵的标准之一，血 P 达到 16nmol/L 以上，提示有排卵。

3. 诊断性刮宫禁忌证　急性或亚急性生殖道炎症；疑有妊娠要求继续妊娠者；急性或严重的全身性疾病；手术前体温大于 37.5℃者。

4. 输卵管通畅检查禁忌证　急性或亚急性生殖道炎症；严重的全身性疾病；产后、流产后、刮宫术后 6 周内；停经不能排除妊娠者；过敏性体质或碘过敏者。

中医儿科学

第一单元　儿科学基础

◆考情分析

单元	年份/级别	2019	2020	2021	2022	2023
儿科学基础	执业	2	2	1	2	2
	助理	1	1	0	1	1

第一节　小儿年龄分期

小儿年龄分期的标准及特点如下：

1. 胎儿期　从男女生殖之精相合而受孕，直至分娩断脐，胎儿出生，称为胎儿期。胎儿期各阶段特点见表 1-1。

表 1-1　胎儿期各阶段的特点

分期	特点
妊娠早期 12 周（胚胎期）	最易受到感染、药物、劳累、物理、营养缺乏以及不良心理因素等伤害，造成流产、死胎或先天畸形
妊娠中期 15 周	胎儿各器官迅速增长，功能也渐成熟
妊娠晚期 13 周	胎儿以肌肉发育和脂肪积累为主，体重增长快

注：后两个阶段若胎儿受到伤害，易发生早产

2. 新生儿期　从出生后脐带结扎到出生后 28 天，称为新生儿期。新生儿期的特点是对外界的适应能力和御邪能力差，加上胎内、分娩及生后护理不当，可导致产伤、窒息、硬肿、脐风等疾病。

命题趋势　年龄分期的标准的相关知识点，考试多以 A1、B1 型题为主。

金题直击

新生儿期是指从出生后脐带结扎至生后

A. 7 天　　B. 14 天

C. 28 天　　D. 30 天

E. 60 天

【答案】C

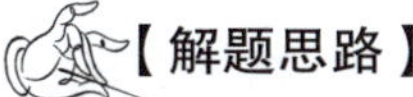

【解题思路】

新生儿期指的是自胎儿娩出后脐带结扎时开始至 28 天之前。所以本题选 C。

3. 婴儿期　从出生后至满 1 周岁，称为婴儿期，其中包括新生儿期。这一时期特点是生长发育迅速，营养需求高。但是婴儿脾胃运化力弱，肺卫娇嫩未固，受之于母体的免疫能力逐渐消失，自身免疫力尚未健全，容易发生肺系疾病、脾系疾病及各种传染病。

4. 幼儿期　从 1 周岁至满 3 周岁，称为幼儿期。这一时期小儿容易发生吐泻、疳证等脾系疾病；户外活动增多，传染病发病率增高；幼儿识别危险、自我保护能力差，易发生中毒、烫伤等意外事故。

5. 学龄前期　从 3 周岁后到入小学前（6 ～ 7 岁）为学龄前期。这一时期要保障儿童的身心健康。学龄前

期儿童容易发生意外伤害，如溺水、烫伤、坠床、误服药物中毒等，应注意防护。

6. 学龄期 从6～7周岁入小学至青春期来临（女12岁，男13岁），称为学龄期。这一时期应注意保护视力，防止近视；养成卫生习惯，防治龋齿；注意情绪和行为变化，减少精神行为障碍的发病率。

7. 青春期 女孩从11～12岁到17～18岁，男孩从13～14岁到18～20岁。青春期体格发育出现第二次高峰。此期容易出现各种身心疾病，如月经紊乱、性心理障碍、酗酒等。应做好此期生理卫生教育，进行正确的心理引导，保障青春期的身心健康。

第二节　小儿生长发育

一、体重

1. 测量方法及正常值 应在清晨空腹、排空大小便、仅穿单衣的状况下进行，或于平时进食后2小时称量为佳。小儿体重的增长不是匀速的，在青春期之前，年龄愈小，增长速率愈快。

临床可以用表1-2的公式推算小儿体重。

表1-2　小儿年龄段及体重计算公式

年龄	公式
≤6个月	体重（kg）＝3＋0.7×月龄
7～12个月	体重（kg）＝6＋0.25×月龄
1岁以上	体重（kg）＝8＋2×年龄

2. 临床意义 ①体重是衡量小儿体格生长和营养状况的指标之一。②体重是临床计算用药量的主要依据之一。③体重增长过速可能为肥胖症，体重低于正常均值的85%者为营养不良。

命题趋势 体重测量方法的相关知识点，重在理解，考试多以A1、B1型题为主。

金题直击

1. 按公式计算，8个月婴儿正常体重是

A. 8kg　　B. 8.5kg

C. 9kg　　D. 9.5kg

E. 9.8kg

【答案】A

【解题思路】

临床常用公式大致推算小儿体重：7～12个月体重（kg）=6＋0.25×月龄。8个月体重（kg）=6＋0.25×8=8kg。

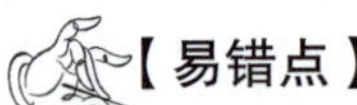
【易错点】

注意准确运用对应的体重计算公式，1周岁以内婴儿，体重增长分两个阶段，每个阶段的生长重量不同。

二、身长（高）

1. 测量方法及正常值

（1）测量方法（表1-3）

表1-3　身高的测量方法

定义	内容
身长	3岁以下小儿仰卧位以量床测量从头顶至足底的长度
身高	3岁以上可用身高计或固定于墙上的软尺测量

（2）年龄与身高的关系（表 1-4）

表 1-4　年龄与身高的关系

年龄	身长（高）数值
出生时	身长约为 50cm
生后第一年	身长增长最快，约 25cm，其中前 3 个月约增长 12cm
第二年	身长增长速度减慢，约 10cm
2 周岁后至青春期	身长（高）增长平稳，每年约 7cm。公式：身高（cm）= 75 + 7× 年龄

2. 临床意义　身长（高）是反映骨骼发育的重要指标之一，其增长与种族、遗传、体质、营养、运动、疾病等因素有关。身高的显著异常是疾病的表现，如身高低于正常均值的 70%，应考虑侏儒症、克汀病、营养不良等。

命题趋势　身长（高）测量方法的相关知识点，考试多以 A1、B1 型题为主。

金题直击

2. 按公式计算，5 岁小儿正常身高是

A. 75cm　　B. 95cm

C. 100cm　　D. 105cm

E. 110cm

【答案】E

【解题思路】

身高（cm）公式= 75 + 7 ×年龄，5 岁小儿身高约为 110cm。

三、囟门

1. 测量方法及正常值　囟门的位置及闭合时间见表 1-5。

表 1-5　囟门的位置及闭合时间

位置	闭合时间
前囟是额骨和顶骨之间菱形间隙	至 12 ～ 18 个月闭合
后囟是顶骨和枕骨之间三角形间隙	部分小儿出生时就已闭合，未闭合者正常情况应在生后 2 ～ 4 个月内闭合

2. 临床意义　囟门异常表现及临床意义见表 1-6。

表 1-6　囟门异常表现及临床意义

异常表现	临床意义
囟门早闭且头围明显小于正常者	为头小畸形
囟门迟闭及头围大于正常者	常见于解颅（脑积水）、佝偻病、先天性甲状腺功能减低症等
囟门凹陷——囟陷	多见于阴伤液竭之失水或极度消瘦者
囟门凸出——囟填	反映颅内压增高，多见于热炽气营之脑炎、脑膜炎等

命题趋势　前后囟门闭合的相关知识点，考试多以 A1、B1 型题为主。

金题直击

3. 前囟大且闭合晚，一般不可见于哪项疾病

A. 佝偻病　　B. 小头畸形

C. 呆小病　　D. 解颅

E. 脑积水

【答案】B

【解题思路】

囟门早闭多为头小畸形；囟门迟闭常见于解颅（脑积水）、佝偻病、先天性甲状腺功能减低症等。

四、头围

1. 测量方法及正常值 自双眉弓上缘处，经过枕骨结节绕头一周的长度为头围。小儿各年龄段头围大小见表 1-7。

表 1-7 小儿各年龄段头围大小

年龄	头围
足月儿	出生时头围约为 33 ～ 34cm
1 周岁时	约为 46cm
2 周岁时	约为 48cm
5 周岁时	约增长至 50cm
15 周岁时	接近成人，为 54 ～ 58cm

2. 临床意义 头围大小与脑和颅骨的发育有关。头围大小的临床意义见表 1-8。

表 1-8 头围大小的临床意义

表现	临床意义
头围小者	提示脑发育不良
头围增长过速	常提示为解颅

五、胸围

1. 测量方法及正常值 用软尺由乳头下缘（乳腺已发育的女孩，固定于胸骨中线第 4 肋间）向背后绕两侧肩胛角下缘 1 周，取呼气和吸气时的平均值。小儿各年龄段胸围的大小见表 1-9。

表 1-9 小儿各年龄段胸围大小

年龄	胸围
新生儿	约 32cm
1 周岁时	约 44cm，接近头围
2 周岁后	渐大于头围，其差数（cm）约等于其岁数减 1

2. 临床意义 胸围反映胸廓、胸背的肌肉、皮下脂肪及肺的发育程度。胸围大小的临床意义见表 1-10。

表 1-10 胸围大小的临床意义

表现	临床意义
胸廓发育差，胸围超过头围的时间较晚	营养不良或缺少锻炼
胸围超过头围的时间较早	营养状况良好

六、乳牙

1. 牙齿萌出时间及正常值 乳牙出齐为 20 颗，恒牙出齐为 30 颗。牙齿萌出时间及特点见表 1-11。

表 1-11 牙齿萌出时间及特点

时间	特点
生后 4 ～ 10 个月	乳牙开始萌出，出牙顺序是先下颌后上颌，自前向后依次萌出，唯尖牙例外
2 ～ 2.5 周岁	乳牙出齐
6 周岁左右	开始萌出第 1 颗恒牙
2 岁以内	乳牙数＝月龄－ 4（或 6）

2. 临床意义　出牙时间推迟或顺序混乱，常见于佝偻病、呆小病、营养不良等。

七、呼吸、脉搏、血压

1. 呼吸、脉搏与年龄的关系　年龄越小，呼吸及脉搏越快，见表 1-12。

表 1–12　呼吸、脉搏与年龄的关系

年龄	呼吸（次 / 分）	脉搏（次 / 分）	呼吸 / 脉搏
新生儿	45 ～ 40	140 ～ 120	1∶3
1 周岁	40 ～ 30	130 ～ 110	1∶（3 ～ 4）
1 ～ 3 周岁	30 ～ 25	120 ～ 100	1∶（3 ～ 4）
3 ～ 7 周岁	25 ～ 20	100 ～ 80	1∶4
7 ～ 14 周岁	20 ～ 18	90 ～ 70	1∶4

命题趋势　小儿脉搏与血压的相关知识点，考试多以 A1、B1 型题为主。

金题直击

4. 随着小儿年龄的增加，其脉搏、血压变化规律是

A. 脉搏增快、血压增高　　B. 脉搏增快、血压减低
C. 脉搏减慢、血压增高　　D. 脉搏减慢、血压减低
E. 脉搏、血压均无明显变化

【答案】C

【解题思路】

年龄越小，呼吸及脉搏越快，血压越低。

2. 血压与年龄的关系公式

收缩压（mmHg）= 80＋2×年龄
舒张压（mmHg）=收缩压×2/3

命题趋势　小儿血压的正常值的相关知识点，考试多以 A1、B1 型题为主。

金题直击

5. 小儿 5 岁时的收缩压是

A. 70mmHg　　B. 80mmHg
C. 90mmHg　　D. 100mmHg
E. 110mmHg

【答案】C

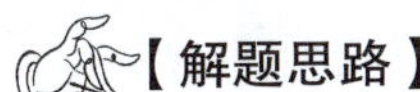
【解题思路】

小儿血压正常值公式为：收缩压=80＋2×年龄，舒张压=收缩压×2/3。

八、感知、运动、语言、性格发育（助理不考）

1. 感知发育

（1）小儿视觉发育生理情况（表 1-13）

表 1–13　各年龄段小儿视觉发育生理情况

年龄	生理情况
新生儿	视觉不敏锐，在 15 ～ 20cm 距离处最清晰，可短暂地注视和反射地跟随近距离内缓慢移动的物体
2 个月	可协调地注视物体，初步有头眼协调
3 个月	头眼协调好，可追寻活动的物体或人

续表

年龄	生理情况
4～5个月	开始能认识母亲，见到奶瓶表示喜悦
6个月时	能转动身体协调视觉
9个月时	出现视深度感觉，能看到小物体
1周岁半时	能区别各种形状
2周岁时	能区别垂直线与横线，目光跟踪落地的物体
5周岁时	可区别各种颜色
6周岁时	视力才达到1.0

（2）小儿听觉发育生理情况（表1-14）

表1–14　各年龄段小儿听觉发育生理情况

年龄	生理情况
新生儿	出生3～7天听觉已相当良好
3个月	可转头向声源
4个月	听到悦耳声音会有微笑
5个月	对母亲语声有反应
8个月	能区别语声的意义
9个月	能寻找来自不同方向的声源
1周岁时	听懂自己的名字
2周岁时	听懂简单的吩咐
4周岁时	听觉发育完善

命题趋势　听觉的相关知识点，考试多以A1、B1型题为主。

金题直击

6. 正常小儿多少个月时能听懂自己的名字

A. 3　　B. 4

C. 5　　D. 8

E. 12

【答案】E

【解题思路】

5个月时对母亲语声有反应；1岁时听懂自己的名字；2岁时听懂简单的吩咐。

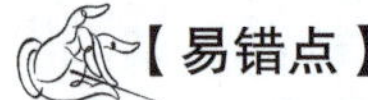【易错点】

容易把月份当成年岁，错选其他选项。

（3）小儿嗅觉和味觉发育生理情况（表1-15）

表1–15　各年龄段小儿嗅觉和味觉发育生理情况

年龄	生理情况
新生儿	对母乳香味已有反应，对不同味道如甜、酸、苦等反应也不同
3～4个月	能区别好闻和难闻的气味
5个月	对食物味道的微小改变很敏感，应适时合理添加各类辅食，使之适应不同味道和食物

（4）小儿皮肤感觉发育生理情况（表 1-16）

表 1-16 各年龄段小儿皮肤感觉发育生理情况

年龄	生理情况
新生儿	触觉很敏感，尤其以嘴唇、手掌、脚掌、前额和眼睑等部位最敏感；痛觉出生时已存在，疼痛可引起全身或局部的反应；温度觉很灵敏，尤其对冷的反应，如出生时离开母体环境温度骤降就引发啼哭
2～3 周岁时	小儿能通过皮肤觉与手眼协调一致的活动区分物体的大小、软硬和冷热等
5 周岁时	能分辨体积相同重量不同的物体

（5）小儿知觉发育生理情况（表 1-17）

表 1-17 各年龄段小儿知觉发育生理情况

年龄	生理情况
1 岁末	开始有空间和时间知觉
3 周岁	能辨上下
4 周岁	辨前后，开始有时间概念
5 周岁	能辨别自身的左右

2. 运动发育 动作发育顺序是由上向下、由粗到细、由不协调到协调进展的。

（1）粗动作：粗动作发育过程可归纳为“二抬四撑六会坐，七滚八爬周会走”。小儿粗动作发育年龄及生理情况见表 1-18。

表 1-18 小儿粗动作发育年龄及生理情况

年龄	生理情况
新生儿	仅有反射性活动（如吮吸、吞咽等）和不自主的活动
1 个月	小儿睡醒后常做伸欠动作
10 个月	可站立扶走
18 个月	可跑步和倒退行走
12 个月	可以独走
24 个月	时可双足并跳
36 个月	会骑三轮车

命题趋势 运动发育的相关知识点，考试多以 A1、B1 型题为主。

金题直击

7. 小儿能独走的时间一般是

A. 8 个月　　B. 10 个月

C. 12 个月　　D. 16 个月

E. 18 个月

【答案】C

【解题思路】

12 个月后能独走；18 个月时可跑步和倒退行走；24 个月时可双足并跳。

（2）细动作：小儿细动作发育年龄及生理情况见表 1-19。

表 1-19 小儿细动作发育年龄及生理情况

年龄	生理情况
新生儿	双手握拳
3～4 个月	可自行玩手，并企图抓东西

续表

年龄	生理情况
5 个月	眼与手的动作取得协调，能有意识地抓取面前的物品
5～7 个月	出现换手与捏、敲等探索性的动作
9～10 个月	可用拇指、示指拾东西
12～15 个月	学会用匙，乱涂画
18 个月	能摆放 2～3 块方积木
2 周岁时	会粗略地翻书页
3 周岁时	会穿简单的衣服

命题趋势 运动发育的相关知识点，考试多以 A1、B1 型题为主。

金题直击

8. 小儿细动作的发育，正常会拇指、示指拾东西的年龄是

A. 5～6 个月　　B. 7～8 个月

C. 9～10 个月　　D. 11～12 个月

E. 13～14 个月

【答案】C

【解题思路】

9～10 个月可用拇指、示指拾东西。

3. 语言发育　小儿语言发育要经过发音、理解与表达三个阶段。小儿语言发育年龄及生理情况见表 1-20。

表 1-20　小儿语言发育年龄及生理情况

年龄	生理情况
新生儿	会哭叫
2 个月	能发出和谐喉音
3 个月	发出咿呀之声
4 个月	能发出笑声
7～8 个月	会发复音，如“妈妈”“爸爸”等
1 周岁时	能说出简单的生活用语
1 周岁半时	能用语言表达自己的要求
2 周岁后	能简单地交谈
5 周岁后	能用完整的语言表达自己的意思

命题趋势 语言发育特点的相关知识点，考试多以 A1、B1 型题为主。

金题直击

9. 小儿能发复音的时间是

A. 6 个月　　B. 8 个月

C. 10 个月　　D. 12 个月

E. 14 个月

【答案】B

【解题思路】

小儿语言发育要经过发音、理解和表达 3 个阶段。7～8 个月会发复音，如“爸爸”“妈妈”，所以本题选 B。

4. 性格发育 小儿性格发育年龄及生理情况见表 1-21。

表 1-21 小儿性格发育年龄及生理情况

年龄	生理情况
婴儿期	一切生理需要必须依赖于成人的照顾，建立以相依情感为突出表现的性格
幼儿期	表现为相依情感与自主情感或行为交替出现的性格特征。如果家长对小儿批评过多，小儿易产生羞耻感或自卑感
学龄前期	具有一定的独立性、主动性，如果家长经常嘲笑儿童的活动，就会令他们对自己的活动产生内疚感
学龄期	学习上，如果得到表扬，会变得越来越勤奋上进；如果遭到失败，受到批评，则易形成厌学、自卑感
青春期	如果在感情问题、伙伴关系、职业选择、道德价值等问题上处理不当，则易产生身份紊乱

第三节 小儿生理、病因、病理特点

一、生理特点及临床意义

1. 脏腑娇嫩，形气未充（“稚阴稚阳”） 脏腑娇嫩，是指小儿五脏六腑的形态发育不成熟，尤其表现出“肺常不足”“脾常不足”“肾常虚”的特点。形气未充，是指五脏六腑的功能不够稳定、尚未完善。小儿五脏异常情况及其临床表现见表 1-22。

表 1-22 小儿五脏异常情况及其临床表现

五脏异常情况	临床表现
肺脏娇嫩	易发感冒、咳喘
脾的运化力弱	易出现食积、吐泻
肾精未充	青春期前的女孩无“月事以时下”，男孩无“精气溢泻”，婴幼儿二便不能自控或自控能力较弱
心气未充	表现为脉数，易受惊吓，思维及行为的约束能力较差
肝气未实	表现为好动，易发惊惕、抽风等症

2. 生机蓬勃，发育迅速 小儿在形态结构和生理功能活动方面，都是在迅速地、不断地发育完善。“纯阳”学说：“纯”指小儿初生，未经太多的外界因素影响，胎元之气尚未耗散；“阳”指以阳为用，即生机。“纯阳”学说高度概括了小儿在生长发育、阳充阴长的过程中，表现为生机旺盛，发育迅速，犹如旭日之初升、草木之方萌，蒸蒸日上、欣欣向荣的生理现象。“纯阳”并不等于“盛阳”，也不是有阳无阴的“独阳”。

命题趋势 小儿生理特点的相关知识点，考试多以 A1、B1 型题为主。

金题直击

1. “纯阳”学说是指小儿

A. 发育迅速
B. 脏腑娇嫩
C. 有阳无阴
D. 阳亢阴亏
E. 形气未充

【答案】A

【解题思路】

“纯阳”学说最早见于《颅囟经》，表述小儿时期的体质特点，即阳相对偏盛，生机比较旺盛，发育迅速。

【易错点】

“纯阳”不等于“盛阳”，也不是有阳无阴的“独阳”。

二、病因特点及临床意义（助理不考）

小儿病因以外感、食伤和先天因素居多，情志、意外和其他因素也值得注意，先天因素是儿科特有的病因。年龄越小，对六淫邪气的易感程度越高，因乳食而伤的情况越多。

1. 外感因素 外感因素导致的病证见表 1-23。

表 1-23 外感因素导致的病证

病机	病证
小儿卫外功能较成人为弱，寒温不知自调，易被“六淫”所伤	产生肺系疾病
脏腑娇嫩，又易被燥邪、暑邪所伤	形成肺胃阴津不足、气阴两伤等病证
纯阳之体，六气易从火化	伤于外邪以热性病证为多
疫疠是具有强烈传染性的病邪	引发的疾病有起病急骤、病情较重、症状相似、易于流行等特点

命题趋势 小儿病理特点的相关知识点，考试多以 A1、B1 型题为主。

金题直击

2. 由于小儿为“纯阳之体”“稚阴之体”，临床上易表现出的

A. 热证　　B. 寒证

C. 实证　　D. 虚证

E. 瘀证

【答案】A

【解题思路】

小儿为纯阳之体，六气易从火化，小儿伤于外邪以热性病证为多。

2. 乳食因素 小儿“脾常不足”，且饮食不知自调，易于为乳食所伤。常见原因有家长喂养不当，初生缺乳，或未能按期添加辅食，或任意纵儿所好，挑食、偏食，或饮食不洁。

3. 先天因素 先天因素即胎产因素，是指小儿出生之前已作用于胎儿的致病因素。先天因素及致病特点见表 1-24。

表 1-24 先天因素及致病特点

因素	特点
遗传病因	是小儿先天因素中的主要病因
其他因素	妇女受孕以后，不注意养胎护胎，可能损伤胎儿而为病

4. 情志因素 小儿心怯神弱，最常见的情志所伤是惊恐。惊伤心神，易出现夜啼、心悸、惊惕、抽风等病证；长时间忧思、思虑损伤心脾，出现厌食、呕吐、腹痛、孤独忧郁等病证；家长过于溺爱，使儿童心理承受能力差，或者学习负担过重、家长期望值过高，都易于产生精神行为障碍类疾病。

5. 意外因素 小儿没有或者缺少生活自理能力，没有或者缺乏对周围环境安全或危险状况的判断能力，因而容易受到意外伤害。

6. 其他因素 环境污染，食品污染，或农药、激素含量超标等，已成为当前普遍关心的致病因素。放射性物质损伤，医源性损害，有增多的趋势，需要特别引起儿科工作者的注意。

三、病理特点及临床意义

1. 发病容易，传变迅速

（1）发病容易：突出表现在肺、脾、肾系疾病及外感时行疾病方面。肺系疾病成为儿科发病率最高的一类疾病。脾系疾病发病率居第二位。小儿“肾常虚”，若先天肾气虚弱，加上后天脾气失调，影响小儿的生长发育，可见解颅、五迟、五软等先天禀赋不足之病；若肾阳虚亏，下元虚寒，膀胱闭藏失职，不能制约小便，则发生遗尿、尿频等病证。

（2）传变迅速：小儿疾病的寒热虚实容易相互转化演变或同时并见，具有“易虚易实，易寒易热”的特点。

2. 脏气清灵，易趋康复

（1）小儿体禀纯阳，生机蓬勃，脏气清灵，活力充沛，对各种治疗反应灵敏。

（2）宿疾较少，病因相对单纯，疾病过程中情志因素的干扰和影响相对较少。因此，只要辨证准确，治疗及时，护理适宜，疾病容易治愈。

第四节　儿科四诊特点

一、儿科四诊应用特点

小儿诊法既主张四诊合参，又特别重视望诊。

命题趋势　小儿望诊的相关知识点，考试多以A1、B1型题为主。

金题直击

1. 历代儿科医家对于小儿诊法，特别重视

A. 望诊　　B. 闻诊

C. 问诊　　D. 切诊

E. 四诊合参

【答案】A

【解题思路】

因乳婴儿不会说话，较大儿童虽已会说话，也不能正确叙述自己的病情，加上就诊时常啼哭吵闹，影响气息脉象，故小儿诊法既主张四诊合参，又特别重视望诊。

二、望诊

1. 望神色

（1）望神：望神的表现及临床意义见表1-25。

表1-25　望神的表现及临床意义

表现	临床意义
精神振作，两目有神	气血调和、神气充沛为健康或病情轻浅之象
精神委顿，两目无神	反应迟钝，谓之无神为体弱有病之表现，或病情较重之象

命题趋势　望诊内容的相关知识点，考试多以A1、B1型题为主。

金题直击

2. 小儿望诊最重要的内容是

A. 望神色　　B. 望形态

C. 审苗窍　　D. 察指纹

E. 察斑疹

【答案】A

【解题思路】

凡精神振作，两目有神，为气血调和、神气充沛的表现，是健康或病情轻浅之象；反之，若精神萎顿，两目无神，为体弱有病或病情较重之象。因此望神色是小儿望诊最重要的内容。

【易错点】

容易错选成C，审苗窍可以测知脏腑病情。

（2）望面色：五色主病的内容见表1-26。

表 1-26　五色主病的内容

表现	病机	临床意义
面呈白色	气血不荣，络脉空虚	多为虚证、寒证
面色红赤	血液充盈脉络皮肤	多为热证
面色黄	脾虚失运，水谷、水湿不化	多为虚证或湿证
面色青	气血不畅，经脉阻滞	多为寒证、痛证、瘀证、惊痫
面色黑	阳气虚衰，水湿不化，气血凝滞	多为寒证、痛证、瘀证、水饮证

望诊的相关知识点，考试多以 A1、B1 型题为主。

金题直击

3. 面呈青色不属于

A. 寒证　　B. 痛证

C. 瘀证　　D. 水饮证

E. 惊痫

【答案】D

【解题思路】

面呈青色，多为寒证、痛证、瘀证、惊痫，题干中水饮不属于青色主病。

【易错点】

面色黑，多为寒证、痛证、瘀证、水饮证。注意面色青与面色黑二者的区别。

2. 望形态

（1）望形体：形体的表现及临床意义见表 1-27。

表 1-27　形体的表现及临床意义

表现	临床意义
发育正常，筋骨强健，肌丰肤润，毛发黑泽，姿态活泼	胎禀充足，营养良好，属健康表现
生长迟缓，筋骨软弱，肌瘦形瘠，皮肤干枯，毛发萎黄，囟门逾期不合，姿态呆滞	胎禀不足，营养不良，多属有病

（2）望头颅：头颅的表现及临床意义见表 1-28。

表 1-28　头颅的表现及临床意义

表现	临床意义
头小顶尖，颅缝闭合过早	头小畸形
头方发稀，囟门宽大，当闭不闭	见于五迟证
头大颌缩，前囟宽大，头缝开解，目睛下垂	见于解颅
前囟及眼窝凹陷，皮肤干燥	可见于婴幼儿泄泻阴伤液脱

（3）望头发：头发的表现及临床意义见表 1-29。

表 1-29　头发的表现及临床意义

表现	临床意义
头发稀细，色枯无泽	多是肾气亏虚或阴血内亏
发细结穗，色黄不荣	多是气血亏虚，积滞，血瘀
头发脱落，见于枕部	为气虚多汗之枕秃
脱落成片，界限分明	为血虚血瘀之斑秃

（4）望面容：面容的表现及临床意义见表 1-30。

表 1-30　面容的表现及临床意义

表现	临床意义
面容瘦削，气色不华	为气血不足
面部浮肿，睑肿如蚕	为水湿泛溢
耳下腮部肿胀	为邪毒窜络之痄腮或发颐
颌下肿胀热痛	为热毒壅结之臖核肿大
五官不正，眼距缩小，鼻梁扁平，口张舌伸	见于先天禀赋异常之痴呆
口角歪斜，眼睑不合，偏侧流涎，表情不对称	见于风邪留络之面瘫
面呈苦笑貌	风毒从创口内侵之破伤风
面肌抽搐	风邪走窜经络之惊风或痫症
小儿面部表情异常，或眨眼，或搐鼻，或咧嘴，或龇牙，或多咽	多属抽动障碍

（5）望胸腹：胸腹的表现及临床意义见表 1-31。

表 1-31　胸腹的表现及临床意义

表现	临床意义
胸廓前凸形如鸡胸	见于佝偻病、哮喘
腹部膨大，肢体瘦弱，发稀，额上青筋显现	属于疳积

3. 审苗窍

（1）察舌：正常小儿舌体柔软、淡红润泽、伸缩自如，舌面有干湿适中的薄苔，舌质较成人红嫩。新生儿舌红无苔和哺乳婴儿的乳白苔，均属正常舌象。小儿舌病变的病机及临床表现见表 1-32。

表 1-32　小儿舌病变的病机及临床表现

病机	临床表现
心火上炎	导致舌质红，甚则生疮
心血瘀阻	导致舌质紫暗或有瘀斑
心阳不足	导致舌质淡白胖嫩
心阴不足	导致舌质红绛瘦瘪

①察舌体：舌体的表现及临床意义见表 1-33。

表 1-33　舌体的表现及临床意义

表现	临床意义
舌体胖嫩，舌边齿痕显著	为脾肾阳虚或水饮痰湿内停
舌体肿大，色泽青紫	气血瘀滞
舌体强硬	热盛伤津
急性热病出现舌体短缩，舌干绛	热盛津伤，经脉失养而挛缩

②察舌质：舌质的表现及临床意义见表 1-34。

表 1-34　舌质的表现及临床意义

表现	临床意义
舌质淡白	气血虚亏
舌质绛红，舌面红刺	温热病邪入营入血
舌质红少苔，甚则无苔而干	阴虚火旺
舌质紫暗或紫红	气血瘀滞
舌起粗大红刺，状如草莓	丹痧、皮肤黏膜淋巴结综合征

③ 察舌苔：舌苔的表现及临床意义见表 1-35。

表 1-35　舌苔的表现及临床意义

表现	临床意义
舌苔色白	寒
舌苔色黄	热
舌苔白腻	寒湿内滞或寒痰与积食所致
舌苔黄腻	湿热内蕴或乳食积滞化热
热性病后而见剥苔	阴伤津亏
舌苔花剥，状如地图	胃之气阴不足所致
舌苔厚腻垢浊	宿食内滞，见于积滞、便秘等

命题趋势　望诊的相关知识点，考试多以 A1、B1 型题为主。

金题直击

4. 下列疾病，表现为草莓舌的是

A. 丹痧、皮肤黏膜淋巴结综合征　　B. 流行性腮腺炎

C. 百日咳　　D. 风疹

E. 麻疹

【答案】A

【解题思路】

回答望诊的问题，首先按大纲原文背诵，其次可以结合中医诊断学，选出答案。

（2）察目：目的表现及临床意义见表 1-36。

表 1-36　目的表现及临床意义

表现	临床意义
黑睛等圆，目珠灵活，目光有神，开阖自如	肝肾气血充沛
眼睑浮肿	水肿之象
眼睑开阖无力	元气虚惫
寐时眼睑张开而不闭	脾虚气弱之露睛
平时眼睑不能开阖自如	气血两虚之睑废
两目呆滞，转动迟钝	肾精不足或为惊风之先兆
两目直视，瞪目不活	肝风内动
白睛黄染	黄疸
目赤肿痛	风热上攻
目眶凹陷，啼哭无泪	阴津大伤

（3）察鼻：鼻的表现及临床意义见表 1-37。

表 1-37　鼻的表现及临床意义

表现	临床意义
鼻塞流清涕	风寒感冒
鼻流黄浊涕	风热客肺
长期鼻流浊涕，气味腥臭	肺经郁热
鼻孔干燥	肺经燥热伤阴
鼻衄鲜红	肺热迫血妄行
气急喘促，鼻翼扇动	肺气郁闭

（4）察口：口的表现及临床意义见表1-38。

表1-38　口的表现及临床意义

表现	临床意义
唇色淡白	气血不足
唇色淡青	风寒束表
唇色红赤	热
唇色红紫	瘀热互结
唇色樱红	暴泻伤阴
唇白而肿	唇风
面颊潮红，唯口唇周围苍白	丹痧
口腔破溃糜烂	心脾积热之口疮
口内白屑成片	鹅口疮
两颊黏膜有针头大小的白色小点，周围红晕	麻疹黏膜斑
上下臼齿间腮腺管口红肿如粟粒	按摩肿胀腮部无脓水流出者为痄腮，有脓水流出者为发颐
牙龈红肿，齿缝出血而疼痛	胃火上炎
牙齿萌出延迟	肾气不足
新生儿牙龈上有白色斑点斑块	马牙
咽红，恶寒发热	外感之象
咽红，乳蛾肿痛	外感风热或肺胃之火上炎
乳蛾，红肿溢脓	热壅肉腐
乳蛾，大而不红	瘀热未尽，或气虚不敛
咽痛微红，有灰白色假膜，不易拭去	白喉之症

命题趋势　望诊的相关知识点，考试多以A1、B1型题为主。

金题直击

5. 在望诊中，唇色红紫提示什么证候

A. 外感风热　　B. 暴泻伤阴

C. 瘀热互结　　D. 气血不足

E. 热炽气营

【答案】C

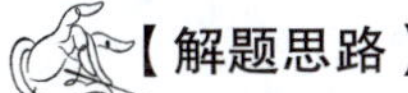【解题思路】

唇色红紫，为瘀热互结之象，结合中医诊断学，选出答案。

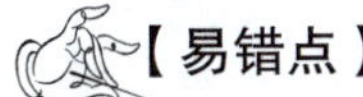【易错点】

容易错选成暴泻伤阴，其唇色为樱红。

（5）察耳：耳的表现及临床意义见表1-39。

表1-39　耳的表现及临床意义

表现	临床意义
小儿耳壳丰厚，颜色红润	先天肾气充沛
耳壳薄软，耳舟不清	先天肾气未充
耳内疼痛流脓	肝胆火盛
以耳垂为中心的腮部漫肿疼痛	痄腮

（6）察二阴：二阴的表现及临床意义见表 1-40。

表 1–40　二阴的表现及临床意义

表现	临床意义
男孩阴囊紧缩，颜色沉着	先天肾气充足的表现
阴囊肿大透亮，状如水晶	水疝
阴囊中有物下坠，时大时小，上下可移	小肠下坠之狐疝
腹痛啼哭而将睾丸收引入腹	俗称“走肾”，多为厥阴受寒
阴囊、阴茎均现水肿	常见于阳虚阴水
女孩前阴部潮红灼热瘙痒	湿热下注或蛲虫病
婴儿肛门周围潮湿红痛	尿布皮炎
便后直肠脱出者是脱肛	色鲜红有血渗出者，属肺热下迫
	色淡而无血者，多属气虚下陷
肛门开裂出血	多因大便秘结，热迫大肠所致

4. 辨斑疹　斑疹的表现及临床意义见表 1-41。

表 1–41　斑疹的表现及临床意义

表现	临床意义
发热 3 ～ 4 天出疹，疹形细小，状如麻粒，口腔黏膜出现“麻疹黏膜斑”	麻疹
低热出疹，分布稀疏，色泽淡红，出没较快	风痧
发热三四天后热退疹出，疹细稠密如玫瑰红色	奶麻
壮热，肤布疹点，舌绛如草莓	丹痧或皮肤黏膜淋巴结综合征
斑丘疹大小不一，如云出没，瘙痒难忍	瘾疹
丘疹、疱疹、结痂并见，疱疹内有水液色清	水痘
疱疹相对较大，疱液浑浊，疱壁薄而易破，流出脓水	脓疱疮

5. 察二便　二便的表现及临床意义见表 1-42、表 1-43。

表 1–42　大便的表现及临床意义

表现	临床意义
大便呈暗绿色或赤褐色，黏稠无臭	初生婴儿的胎粪
大便呈卵黄色，稠而不成形，酸臭气	母乳喂养
大便呈淡黄白色，质地较硬，有臭气	牛奶、羊奶喂养
大便燥结	内有实热或津伤内热
大便稀薄，夹有白色凝块	内伤乳食
大便稀薄，色黄秽臭	肠腑湿热
下利清谷，洞泄不止	脾肾阳虚
大便赤白黏冻	为湿热积滞，常见于痢疾
婴幼儿大便呈果酱色，伴阵发性哭闹	肠套叠
大便色泽灰白不黄	胆道阻滞

命题趋势　望诊的相关知识点，考试多以 A1、B1 型题为主。

金题直击

6. 大便呈卵黄色，稠而不成形，常发酸臭气

A. 内伤乳食　　B. 牛奶喂养
C. 肠腑湿热　　D. 母乳喂养
E. 以上都不是

【答案】D

【解题思路】

母乳喂养儿大便卵黄色，稠而不成形，酸臭气，结合中医诊断学，选出答案。

【易错点】

容易选错成内伤乳食，其大便稀薄，夹有白色凝块。

表 1-43　小便的表现及临床意义

表现	临床意义
小便黄褐如浓茶，伴身黄、目黄	湿热黄疸
小便色红如洗肉水，或镜检红细胞增多	尿血
尿血鲜红色	血热妄行
尿血淡红色	气不摄血
尿血红褐色	瘀热内结
尿血暗红色	阴虚内热
小便浑浊如米泔水	脾胃虚弱，饮食不调所致的积滞与疳证

命题趋势　望诊的相关知识点，考试多以 A1、B1 型题为主。

金题直击

7. 在望诊中，小便颜色为暗红色，代表下列哪种证候

A. 血热妄行　　B. 瘀热内结
C. 湿热黄疸　　D. 气不摄血
E. 阴虚内热

【答案】E

【解题思路】

尿血暗红色为阴虚内热。A 选项尿血鲜红色，为血热妄行；B 选项尿血红褐色，为瘀热内结；C 选项小便黄褐如浓茶，伴身黄、目黄，为湿热黄疸；D 选项尿血淡红色，为气不摄血。结合中医诊断学，选出答案 E。

6. **察指纹**　辨证纲要为“浮沉分表里，红紫辨寒热，淡滞定虚实，三关测轻重”。

（1）察小儿指纹的相关内容（表 1-44）

表 1-44　察小儿指纹的相关内容

要素	内容
位置	小儿指纹是指食指桡侧的浅表静脉
分部	指纹分三关。自虎口向指端，第 1 节为风关，第 2 节为气关，第 3 节为命关
正常表现	正常小儿的指纹大多淡紫隐隐而不显于风关以上
适合年龄	察指纹适用于 3 岁以下小儿

（2）察小儿指纹颜色（表 1-45）

表 1–45　小儿指纹颜色及临床意义

表现	临床意义
指纹色鲜红浮露	外感风寒
指纹色紫红	邪热郁滞
指纹色淡红	内有虚寒
指纹色青紫	瘀热内结
指纹色深紫	瘀滞络闭，病情深重
指纹色淡，推之流畅	气血亏虚
指纹色紫，推之滞涩，复盈缓慢	实邪内滞如瘀热、痰湿、积滞

（3）小儿指纹三关的意义（表 1-46）

表 1–46　三关的意义

三关	临床意义
纹在风关	病邪初入，病情轻浅
纹达气关	病邪入里，病情较重
纹进命关	病邪深入，病情加重
纹达指尖，称透关射甲	若非一向如此，则示病情重危

命题趋势　望指纹特点的相关知识点，考试多以 A1、B1 型题为主。

金题直击

8. 小儿风寒表实证应见的指纹是

A. 浮红而滞涩　　B. 沉紫而滞涩

C. 浮紫而滞涩　　D. 浮红而色淡

E. 沉而青紫

【答案】A

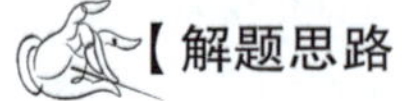【解题思路】

指纹的辨证纲要归纳为“浮沉分表里，红紫辨寒热，淡滞定虚实，三关测轻重”。风属表属浮，寒属红，实证属滞，所以选 A。

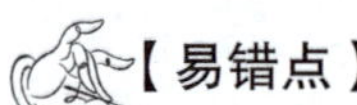【易错点】

在望指纹中，红主寒，紫主热，需要与望色主病相区别。

三、闻诊

1. 听声音

（1）闻啼哭声：啼哭声的表现及临床意义见表 1-47。

表 1–47　啼哭声的表现及临床意义

表现	临床意义
啼哭声音洪亮有力	实证
啼哭声细弱无力	虚证
哭声尖锐，阵作阵缓，弯腰曲背	腹痛
啼哭声嘶，呼吸不利	急喉风
夜卧啼哭，睡卧不宁	夜啼或积滞

（2）闻呼吸声：呼吸声的表现及临床意义见表 1-48。

表 1-48　呼吸声的表现及临床意义

表现	临床意义
呼吸气粗有力	外感实证，肺蕴痰热
呼吸急促，喉间哮鸣	风痰束肺，哮喘
呼吸急迫，甚则鼻扇，咳嗽频作	肺气郁闭
呼吸窘迫，面青呛咳	异物堵塞气道

（3）闻咳嗽声：咳嗽声的表现及临床意义见表 1-49。

表 1-49　咳嗽声的表现及临床意义

表现	临床意义
干咳无痰或痰少黏稠	燥邪犯肺，或肺阴受损
咳声清高，鼻塞声重	外感
干咳无痰，咳声响亮	咽炎所致
咳嗽频频，痰稠难咳，喉中痰鸣	肺蕴痰热，或肺气闭塞
咳声嘶哑如犬吠	白喉、急喉风
连声咳嗽，夜咳为主，咳而呕吐，伴鸡鸣样回声	顿咳

命题趋势 闻诊的相关知识点，考试多以 A1、B1 型题为主。

金题直击

9. 呼吸窘迫，面青呛咳，常是

A. 异物堵塞气道　　B. 肺气闭郁

C. 肺蕴痰热　　D. 顿咳

E. 急喉风

【答案】A

【解题思路】

咳嗽频频，痰稠难咳，喉中痰鸣为肺蕴痰热，或肺气闭塞；咳声嘶哑如犬吠为白喉、急喉风；连声咳嗽，夜咳为主，咳而呕吐，伴鸡鸣样回声为顿咳。

（4）闻语言声：语言声的表现及临床意义见表 1-50。

表 1-50　语言声的表现及临床意义

表现	临床意义
呻吟不休	身体不适
妄言乱语，语无伦次声音粗壮	称为谵语，多属心气大伤
语声低弱，多语无力	气虚心怯
语声重浊，伴有鼻塞	风寒束肺
语声嘶哑，呼吸不利	毒结咽喉
小儿惊呼尖叫	剧痛、惊风
语声謇涩	热病高热伤津或痰湿蒙蔽心包

2. 嗅气味

（1）口气：口气异常的表现及临床意义见表 1-51。

（2）便臭：便臭异常的表现及临床意义见表 1-52。

表 1-51 口气异常的表现及临床意义

表现	临床意义
口气臭秽	胃热
嗳气酸腐	伤食
口气腥臭	血证，如齿衄
口气如烂苹果味	酸中毒

表 1-52 便臭异常的表现及临床意义

表现	临床意义
大便臭秽	湿热积滞
大便酸臭而稀	伤食
下利清谷，无明显臭味	脾肾两虚

（3）尿臭：尿臭异常的表现及临床意义见表 1-53。

表 1-53 尿臭异常的表现及临床意义

表现	临床意义
小便短赤，气味臊臭	湿热下注
小便清长少臭	脾肾虚寒

（4）呕吐物气味：呕吐物异常的表现及临床意义见表 1-54。

表 1-54 呕吐物异常的表现及临床意义

表现	临床意义
吐物酸臭	食滞化热
吐物臭秽如粪	肠结气阻，秽粪上逆

四、问诊

1. 问年龄 问年龄的相关内容见表 1-55。

表 1-55 问年龄的相关内容

年龄	内容
新生儿	应问明出生天数
2 岁以内的小儿	应问明实足月龄
2 岁以上的小儿	应问明实足岁数及月数

2. 问病情

（1）问寒热：寒热的表现及临床意义见表 1-56。

表 1-56 寒热的表现及临床意义

表现	临床意义
恶寒发热无汗	外感风寒
发热有汗	外感风热
寒热往来	邪郁少阳
但热不寒	里热
但寒不热	里寒
大热、大汗、口渴不已	阳明热盛
发热持续，热势鸱张，身热不扬，午后热盛，面黄苔腻	湿热内蕴
夜间发热，腹壁及手足心热，胸满不食者	内伤乳食

（2）问出汗：出汗的表现及临床意义见表 1-57。

表 1–57　出汗的表现及临床意义

表现	临床意义
婴儿睡时头额有微微汗出	正常现象
白天不活动或稍动即汗出	自汗，是气虚所致
入睡后汗出，醒后汗止	盗汗，是阴虚或气阴两虚
热病中汗出热不解者	表邪入里
口渴、烦躁、脉洪、大汗	里热实证

（3）问头身：头身的表现及临床意义见表 1-58。

表 1–58　头身的表现及临床意义

表现	临床意义
头痛而兼发热恶寒	外感风寒
头痛呕吐，高热抽搐	邪热入营，属急惊风
头晕而兼发热	外感
头晕而兼面白乏力	气血不足
头痛如刺，痛有定处	瘀阻脑络
关节疼痛，屈伸不利	痹证
肢体瘫痪不用，强直，屈伸不利为硬瘫	风痰入络，血瘀气滞
肢体痿软，屈伸不能为软瘫	肝肾亏虚，筋骨失养

（4）问二便：二便的表现及临床意义见表 1-59。

表 1–59　二便的表现及临床意义

表现	临床意义
大便酸臭，或如败卵，完谷不化，或腹痛则泻，泻后痛减	内伤乳食
大便溏薄不化，或先干后溏，次数较多，或食后欲便	脾虚运化失职
便泻日久，形瘦脱肛	中气下陷
便次多而量少，泻下黏冻，或见脓血，并伴里急后重	痢疾
小便频数短赤，伴尿急尿痛	湿热下注膀胱之热淋
排尿不畅或突然中断，或见尿血鲜红，或排出砂石	湿热煎熬之石淋

命题趋势 问诊的相关知识点，考试多以 A1、B1 型题为主。

金题直击

10. 若大便酸臭，或腹痛则泻，泻后痛减

A. 肝气乘脾　　B. 脾虚失运

C. 内伤乳食　　D. 中气下陷

E. 肠腑湿热

【答案】C

【解题思路】

内伤乳食者，大便酸臭，或如败卵，完谷不化，或腹痛则泻，泻后痛减；大便溏薄不化，或先干后溏，次数较多，或食后欲便者为脾虚运化失职；便泻日久，形瘦脱肛者为中气下陷。结合中医诊断学，选出答案。

（5）问饮食：饮食的表现及临床意义见表 1-60。

表 1-60　饮食的表现及临床意义

表现	临床意义
食欲不振，腹部胀满，嗳气吞酸	伤乳伤食
多吃多便，形体消瘦	疳证中之胃强脾弱者
渴欲饮水，口舌干燥	胃热津伤
渴不欲饮，或饮亦不多	湿热内蕴

（6）问睡眠：睡眠的表现及临床意义见表 1-61。

表 1-61　睡眠的表现及临床意义

表现	临床意义
小儿白天如常，夜不能寐，啼哭不休，或定时啼哭者	夜啼
睡卧不安，烦躁不宁	邪热内蕴，心经郁热
睡中齘齿	胃热兼风或虫积
寐而不宁，肛门瘙痒	蛲虫病
睡中露睛	脾气虚弱

3. 问个人史　包括胎产史、喂养史、生长发育史、预防接种史等。

命题趋势　问诊的相关知识点，考试多以 A1、B1 型题为主。

金题直击

11. 怀疑小儿患时行疾病时，特别要注意询问

A. 家族史　　B. 生产史

C. 喂养史　　D. 生长发育史

E. 预防接种史

【答案】E

【解题思路】

小儿时行疾病属流行性疾病，具有传染性，通过预防接种可以控制时行疾病的流行。

五、切诊

1. 脉诊

（1）生理脉象：健康小儿脉象平和，较成人软而稍数，年龄越小，脉搏越快。

（2）病理脉象：浮、沉、迟、数、无力、有力六种基本脉象。浮主表证，沉主里证；迟脉主寒，数脉主热；有力为实，无力为虚。

命题趋势　儿科切诊特点的相关知识点，考试多以 A1、B1 型题为主。

金题直击

12. 正常小儿脉象平和，与成人比较具有的特点是

A. 浮而稍数　　B. 软而稍数

C. 软而稍缓　　D. 浮而稍缓

E. 软而稍细

【答案】B

【解题思路】

小儿正常脉象较成人软而稍数，年龄越小，脉搏至数越快。

2. 按诊

（1）按头囟：头囟的表现及临床意义见表 1-62。

表 1-62　头囟的表现及临床意义

表现	临床意义
囟门凹陷者为囟陷	多见于阴伤液竭之失水或极度消瘦者
囟门隆凸，按之紧张为囟填	热炽气营之脑炎、脑膜炎等
颅骨开解，头缝四破，头大颌缩，囟门宽大者为解颅	先天肾气不足，或后天髓热膨胀

（2）按颈腋：颈腋的表现及临床意义见表 1-63。

表 1-63　颈腋的表现及临床意义

表现	临床意义
耳下腮部肿胀疼痛，咀嚼障碍	痄腮
触及质地较硬之圆形肿块，推之可移，头面口咽有炎症感染	痰热壅结之臀核肿痛
若淋巴结仅见增大，按之不痛，质坚成串	瘰疬

（3）按胸腹：胸腹的表现及临床意义见表 1-64。

表 1-64　胸腹的表现及临床意义

表现	临床意义
胸骨高突，按之不痛	“鸡胸”
脊背高突，弯曲隆起，按之不痛	“龟背”
胸胁触及串珠，两肋外翻	佝偻病
剑突下疼痛	胃脘痛
脐周疼痛，按之痛减，并可触及条索状包块	蛔虫症
腹部胀满，叩之如鼓者	气胀
腹部胀满，叩之音浊，按之有液体波动之感	腹水
右下腹按之疼痛，兼发热，右下肢拘急	肠痈

（4）按四肢：四肢的表现及临床意义见表 1-65。

表 1-65　四肢的表现及临床意义

表现	临床意义
四肢厥冷	阳虚
手足心热	阴虚内热或内伤乳食
高热时四肢厥冷	热深厥甚
四肢厥冷，面白唇淡	虚寒
四肢厥冷，唇舌红赤	真热假寒

命题趋势　按诊的相关知识点，考试多以 A1、B1 型题为主。

金题直击

13. 在按诊中，四肢厥冷，面白唇淡者，所主证候是什么

A. 真热假寒　　B. 阳虚

C. 虚寒　　D. 阴虚内热

E. 热深厥甚

【答案】C

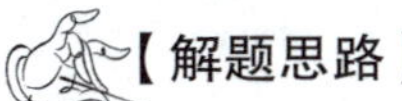

【解题思路】

四肢厥冷为阳虚；手足心热者为阴虚内热或内伤乳食；高热时四肢厥冷为热深厥甚；四肢厥冷，唇舌红赤者为真热假寒。

（5）按皮肤：皮肤的表现及临床意义见表 1-66。

表 1-66　皮肤的表现及临床意义

表现	临床意义
肤热无汗	热炽所致
肌肤肿胀，按之随手而起	阳水水肿
肌肤肿胀，按之凹陷难起	阴水水肿

第五节　儿科辨证概要

儿科常用的辨证方法有脏腑辨证、八纲辨证、卫气营血辨证、气血津液辨证、病因辨证。

一、脏腑辨证

脏腑辨证以五脏、六腑、奇恒之腑的生理功能、病理特点为依据，以“心主惊”“肝主风”“脾主困”“肺主喘”“肾主虚”为辨证纲领，对儿科疾病进行辨证。

二、八纲辨证

八纲辨证时一般首先分清寒热，危急重证当辨识虚、实。寒热之辨，主要从唇、舌、咽部颜色及二便的变化来分。虚实之辨，多注意了解病情的缓急、病程的久暂、神色变化、体温、脉搏、呼吸、血压、哭声、先后天情况等。

三、卫气营血辨证

卫气营血辨证，适用于多种温病，是小儿温病病机辨证的基本方法。

四、气血津液辨证

气血津液辨证是八纲辨证在气血津液不同层面的深化和具体化，也是对病因辨证的不可或缺的补充，常与脏腑辨证结合应用。

五、病因辨证

中医学病因的内容，除外邪致病的六淫疠疫，内伤致病的七情、饮食不节、劳倦过度等因素外，还包括疾病过程中的病理产物如痰饮、瘀血、积滞等，对儿科亦有重要的意义。

其他辨证方法还有三焦辨证、六经辨证等。

第六节　儿科治法概要

一、内治法

1. 用药原则　小儿用药剂量常随年龄大小、个体差异、病情轻重、医者经验而不同。小儿用药原则的相关内容见表 1-67。

表 1-67　小儿用药原则的相关内容

原则	内容
治疗及时准确	要辨证准确，掌握时机，及时采取措施，争取主动
方药精简灵巧	“药味少、剂量轻、疗效高”为儿科处方原则。不得妄用攻伐，对于大苦、大寒、大辛、大热、峻下、毒烈之品，均当慎用
重视先证而治	应见微知著，先证而治，挫病势于萌芽，挽病机于未成
注意顾护脾胃	不论病中和病后，合理调护均有利于康复，其中以调理脾胃为主
掌握用药剂量	小儿中药的用量相对较大，尤其是药性平和的药物，更是如此。但对辛热、苦寒、攻伐和药性较猛烈的药物，在应用时则需控制剂量

2. 用药剂量　各年龄段小儿用药剂量见表 1-68。

表 1–68　各年龄段小儿用药剂量

年龄	用药剂量
新生儿	用成人量的 1/6
乳婴儿	用成人量的 1/3
幼儿	用成人量的 1/2
学龄期儿童	用成人量的 2/3 或接近成人量

命题趋势　药物剂量的相关知识点，考试多以 A1、B1 型题为主。

金题直击

1. 乳婴儿服用中药汤剂的剂量是

A. 成人量的 1/6　　B. 成人量的 1/3

C. 成人量的 1/2　　D. 成人量的 2/3

E. 成人量的 3/4

【答案】B

【解题思路】

新生儿用成人量的 1/6；幼儿用成人量的 1/2；学龄期儿童用成人量的 2/3 或接近成人量。

3. 给药方法

（1）口服给药法：口服给药法的各年龄段用量见表 1-69。

表 1–69　口服给药法的各年龄段用量

年龄	用量
新生儿	10 ～ 30mL
婴儿	50 ～ 100mL
幼儿及学龄前期儿童	120 ～ 240mL
学龄期儿童	250 ～ 300mL

（2）其他给药法：其他给药法及适应证见表 1-70。

表 1–70　其他给药法及适应证

方法	适应证
鼻饲给药法	重危昏迷患儿反应差，无吞咽动作，可鼻饲给药
蒸汽及气雾吸入法	用于肺炎喘嗽、咳嗽、哮喘、感冒、鼻渊等肺系疾病
直肠给药法	治疗便秘，外感发热，肠胃疾病，水毒内闭等
注射给药法	使用便捷，给药准确，作用迅速，是儿科比较理想的一种给药方法

二、儿科常用内治法及适应病证（助理不考）

儿科常用内治法及适应病证见表 1-71。

表 1–71　儿科常用内治法及适应病证

方法	适应病证
疏风解表法	感冒、咳嗽、咽喉肿痛
止咳平喘法	咳嗽、哮喘、肺炎喘嗽
清热解毒法	温热病、湿热病、斑疹、血证、丹毒、疮痈、痄腮、黄疸、痢疾

续表

方法	适应病证
消食导滞法	积滞、伤食吐泻、疳证、厌食
利水消肿法	水肿、小便不利，以及泄泻、痰饮
驱虫安蛔法	蛔虫病、蛲虫病
镇惊息风法	惊风、痫证、小儿暑温
健脾益气法	治疗脾胃气、血、阴、阳不足病证
调脾助运法	脾运胃纳功能失健病证
培元补肾法	胎怯、五迟、五软、遗尿、解颅、哮喘
凉血止血法	鼻衄、齿衄、紫癜、血尿、便血等
活血化瘀法	各种血瘀之证
回阳救逆法	小儿元阳虚衰之危重证候

命题趋势 儿科内治法及适应病证的相关知识点，考试多以 A1、B1 型题为主。

金题直击

2. 解颅、五迟五软、遗尿的共同治法是

A. 益气养血法

B. 温补肾阳法

C. 培元补肾法

D. 益气养阴法

E. 滋补肾阴法

【答案】C

【解题思路】

肾主生长发育，主骨，主水液代谢。培元补肾法适用于小儿胎禀不足，肾气虚弱，及肾不纳气之证，如胎怯、五迟、五软、遗尿、解颅、哮喘等。所以本题选 C。

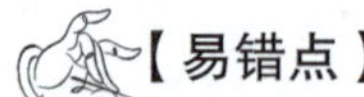【易错点】

容易错选成 E 滋补肾阴法。

三、外治法

儿科常用外治法及适应证见表 1-72。

表 1-72 儿科常用外治法及适应证

方法	适应证
熏洗法	熏蒸法用于麻疹、感冒的治疗及呼吸道感染的预防等
涂敷法	用鲜马齿苋、青黛、鲜丝瓜叶等任选一种，调敷于腮部，治疗痄腮
罨包法	用五倍子粉醋调罨包脐内治疗盗汗
热熨法	炒热食盐熨腹部治疗寒证腹痛
敷贴法	用丁香、肉桂等药粉，撒于普通膏药上贴于脐部，以治婴儿泄泻
擦拭法	用金银花、甘草煎汤，或用野菊花煎汤，洗涤口腔，治疗口疮和鹅口疮
药袋疗法	用茴香、艾叶、官桂、丁香等制成的暖脐兜肚治疗脾胃虚寒性腹痛吐泻
推拿疗法	用于治疗脾系疾病、肺系疾病、杂病等

命题趋势 儿科外治法及其临床应用的相关知识点，考试多以 A1、B1 型题为主。

3. 小儿过食冷饮后又受寒凉侵袭，导致腹痛的外治法用

A. 熏洗法　　B. 罨包法

C. 热熨法　　D. 敷贴法

E. 擦拭法

【答案】C

【解题思路】

热熨法是将药物炒热后，用布包裹以熨患部，借助热力，使药物直达病所，有温中散寒的作用，常在寒证、虚证或气滞引起的多种痛证中使用。如炒热食盐熨腹部，治疗中寒腹痛。

高频考点速递

1. 小儿各年龄段体重计算公式

（1）＜6个月：体重（kg）＝3＋0.7×月龄。

（2）7～12个月：体重（kg）＝6＋0.25×月龄。

（3）1岁以上：体重（kg）＝8＋2×年龄。

2. 前后囟门闭合时间

（1）前囟闭合时间：出生后12～18个月闭合。

（2）后囟闭合时间：生后2～4个月内闭合。

3. 小儿血压与年龄的关系　年龄越小，血压越低。

4. 小儿生理特点　脏腑娇嫩，形气未充（“稚阴稚阳”）；生机蓬勃，发育迅速。

5. 小儿病理特点　发病容易，传变迅速；脏气清灵，易趋康复。

第二单元　儿童保健

考情分析

单元	年份 级别	2019	2020	2021	2022	2023
儿童保健	执业	1	2	4	2	1
	助理	1	1	2	1	1

第一节　胎儿期保健（助理不考）

养胎护胎的主要内容

养胎护胎的原则及内容见表2-1。

表2-1　养胎护胎的原则及内容

原则	内容
饮食调养，嗜好有节	孕妇的饮食，以富于营养、清淡可口、易于消化为宜，禁忌过食生冷、辛热、肥甘等食物，戒除烟酒
调适寒温，防感外邪	孕妇要顺应四时气温的变化，适时增减衣服，注意居室环境卫生，保持空气新鲜，少去公共场所，避免各种感染性疾病的发生

续表

原则	内容
劳逸结合，适当活动	过逸会影响孕妇气血流畅，使胎儿得不到充足的气血供养，胎禀怯弱，以及母体体质下降，多致产难；过劳会损伤胎元，引起流产或早产
精神内守，调畅情志	喜怒哀乐适可而止，避免强烈的精神刺激，怡养性情，陶冶情操
避免外伤，节制房事	防止各种有形和无形的外伤，谨防跌仆损伤，注意保护腹部，避免受到挤压和冲撞。妊娠期间要控制房事，节欲保胎
审慎用药，避其药毒	妊娠禁忌中药分为3类：毒性药类，破血药类，攻逐药类

保健相关知识点，考试多以A1、B1型题为主。

金题直击

关于孕妇饮食，下列说法中正确的是

A. 大冷之物　　B. 大热之物

C. 肥甘厚味　　D. 营养丰富

E. 辛辣烧烤

【答案】D

【解题思路】

孕妇的饮食，以富于营养、清淡可口、易于消化为宜，禁忌过食生冷、辛热、肥甘等食物，戒除烟酒。

第二节　婴儿期保健

一、新生儿的特殊生理现象

新生儿的特殊生理表现及意义见表2-2。

表2-2　新生儿的特殊生理表现及意义

生理表现	意义
螳螂子	新生儿两侧颊部各有一个脂肪垫隆起，有助吮乳，不能挑割
马牙	新生儿上腭中线和齿龈部位有散在黄白色、碎米大小隆起颗粒，会于数周或数月后自行消失，不需挑刮
乳房隆起	女婴生后3～5天，乳房隆起如蚕豆到鸽蛋大小，可在2～3周后消退，不应处理或挤压
假月经	女婴生后5～7天，阴道有少量流血，持续1～3天自止者，是为假月经，一般不必处理
新生儿生理性黄疸	属于新生儿的特殊生理状态

命题趋势

新生儿的特殊生理现象的相关知识点，考试多以A1、B1型题为主。

金题直击

1. 新生女婴乳房隆起如蚕豆大小的处理方法是

A. 供给足够能量和液体　　B. 及早给氧

C. 针灸疗法　　D. 药物外治

E. 不予处理

【答案】E

【解题思路】

女婴生后3～5天，乳房出现蚕豆到鸽蛋大小的隆起，可在2～3周后消退，属于新生儿期的特殊生理状态，不需特殊处理。

二、新生儿护养的主要措施

新生儿护养的主要措施及内容见表 2-3。

表 2–3　新生儿护养的主要措施及内容

主要措施	内容
拭口洁眼	新生儿刚出生，在其开始呼吸前清除其口腔内黏液，拭去其眼睛、耳朵中的污物
断脐护脐	新生儿娩出 1～2 分钟，就要结扎脐带后剪断，处理时必须无菌操作，脐带残端要用干法无菌处理，然后用无菌敷料覆盖。避免脐部污染，预防脐风、脐湿、脐疮等疾病
洗浴衣着	新生儿出生后，当时用消毒纱布将其体表污物、血渍揩拭干净，稍后即可用温开水洗澡。注意保暖，尤其是寒冷季节更需做好防寒保暖
祛除胎毒	胎毒重者，易发生丹毒、痈疖、湿疹、胎黄、胎热、口疮等病证

临床常用的祛胎毒法有多种（表 2-4），可结合小儿体质情况选用。

表 2–4　常用祛胎毒法及适应证

方法	药物及用法	适应证
银花甘草法	金银花 6g，甘草 2g，煎汤	用此药液给初生儿拭口，并以少量喂服初生儿
豆豉法	豆豉 10g，浓煎取汁，频频饮服	适用于胎弱之初生儿
黄连法	黄连 2g，用水浸泡令汁出，取汁滴入小儿口中	适用于热毒重者，胎禀气弱者勿用
大黄法	生大黄 3g，以沸水适量浸泡或略煮，取汁滴入小儿口中	胎粪通下后停服，脾虚气弱者勿用

三、喂养方式及选择原则

婴儿喂养方法分为母乳喂养、人工喂养和混合喂养三种。母乳喂养最适合婴儿需要，故大力提倡母乳喂养。

四、母乳喂养的方法及断乳适宜时间

母乳喂养的原则为按需喂哺。小儿 4～6 个月起应逐渐添加辅食，12 个月左右可以完全断乳。若遇婴儿患病或正值酷暑、严冬，可延至婴儿病愈、秋凉或春暖季节断乳。

命题趋势　母乳喂养的相关知识点，考试多以 A1、B1 型题为主。

金题直击

2. 母乳喂养的原则是

A. 昼夜均　　B. 定次喂给

C. 定量喂给　　D. 按需喂给

E. 按时喂给

【答案】D

【解题思路】

母乳喂养时，应由母亲细心观察婴儿的个体需要，按其所需哺乳。

五、人工喂养方法

4 个月以内的婴儿由于各种原因不能进行母乳喂养，完全采用配方乳或牛乳、羊乳等喂养婴儿，称为人工喂养。

六、混合喂养方法

混合喂养的方法有两种：补授法与代授法。

七、添加辅食的原则

添加辅助食品的原则：由少到多，由稀到稠，由细到粗，由一种到多种。

高频考点速递

1. 喂养方式分为母乳喂养、人工喂养和混合喂养三种。
2. 添加辅助食品的原则为由少到多，由稀到稠，由细到粗，由一种到多种。
3. 新生儿生理现象有马牙、乳房隆起、假月经（女婴）、新生儿生理性黄疸。

第三单元　新生儿疾病

◆考情分析

单元	年份/级别	2019	2020	2021	2022	2023
新生儿疾病	执业	1	2	3	2	2
	助理	1	2	1	2	1

第一节　胎怯（助理不考）

一、发病特点

胎怯，是指新生儿体重低下，身材短小，脏腑形气均未充实的一种病证。又称“胎弱”。以出生低体重为特点，低于2500g为客观指标，包括早产儿和小于胎龄儿。患儿出生后难以适应出生后的变化，易并发硬肿症、败血症、新生儿窒息、黄疸等疾病。

二、病因病机

1. **病因**　先天禀赋不足。
2. **病变脏腑**　肾与脾。
3. **发病机制**　先天禀赋不足，化源未充，涵养不足，肾脾两虚，五脏失养。

命题趋势　胎怯的病因病机相关知识点，考试多以A1、B1型题为主。

金题直击

1. 胎怯的主要病变脏腑是

A. 肾与脾　　B. 肺与脾

C. 肝与肾　　D. 肺与心

E. 心与脾

【答案】A

【解题思路】

胎怯的病因为各种原因导致的先天禀赋不足，病变脏腑主要在肾与脾，发病机理为化源未充，涵养不足，肾脾两虚。

三、诊断与鉴别诊断

1. **诊断要点**

（1）有早产、多胎、孕妇体弱等造成先天不足的各种病因，以及胎盘、脐带异常等。

（2）新生儿出生时形体瘦小，肌肉瘠薄，面色无华，精神委软，气弱声低，吮乳无力，筋弛肢软。一般体重低于 2500g，身长少于 46cm。

2. 鉴别诊断 胎怯常见于早产儿和小于胎龄儿，两者的鉴别诊断见表 3-1。

表 3-1 早产儿与小于胎龄儿的鉴别诊断

名称	年龄	表现
早产儿	胎龄未满 37 周，大多数体重低于 2500g，身长不足 46cm	皮肤薄，甚至水肿，皮肤发亮，有毳毛，胎脂多，头发乱如绒线头，耳壳软、缺乏软骨，耳舟不清，指（趾）甲软，多未达到指（趾）端
小于胎龄儿	又称足月小样儿，胎龄满 37 ～ 42 周，体重低于 2500g，身长、头围大多在正常范围内	皮肤极薄、干燥、脱皮，无毳毛，胎脂少，头发细丝状，清晰可数，耳软骨已发育，耳舟已形成，指（趾）甲稍软，已达到指（趾）端

四、辨证论治

1. 辨证要点 胎怯以脏腑辨证为纲，重在辨五脏禀受不足之轻重。胎怯的辨证要点见表 3-2。

表 3-2 胎怯的辨证要点

脏腑	表现
肺虚者	气弱声低，皮肤薄嫩，胎毛细软
心虚者	神萎面黄，唇爪淡白，虚里动疾
肝虚者	筋弛肢软，目无光彩，易作瘛疭
脾虚者	肌肉瘠薄，痿软无力，吮乳量少，呛乳溢乳，便下稀薄，日肤黄染
肾虚者	形体矮小，肌肤欠温，耳郭软，指甲软短，骨弱肢柔，睾丸不降

命题趋势 疾病临床表现的相关知识点，考试多以 A1、B1 型题为主。

金题直击

2. 患儿，出生 9 天。诊断为胎怯，症见气弱声低，皮肤薄嫩，胎毛细软，其病机是

A. 心虚　　B. 肺虚

C. 肝虚　　D. 脾虚

E. 肾虚

【答案】B

【解题思路】

根据中医基础理论，肺主皮毛，可知正确答案为 B。

2. 治疗原则 关键病机是肾脾两虚，治疗以补肾培元为基本原则。

3. 分证论治 胎怯的分证论治见表 3-3。

表 3-3 胎怯的分证论治

证型	证候	治法	方药
肾精薄弱证	体短形瘦，头大囟张，头发稀黄，耳郭软，哭声低微，肌肤不温，指甲软短，骨弱肢柔，指纹淡	益精充髓，补肾温阳	补肾地黄丸
脾肾两虚证	啼哭无力，肌肉瘠薄，四肢不温，吮乳乏力，呛乳溢乳，腹胀腹泻，甚而水肿，指纹淡	健脾益肾，温运脾阳	保元汤

命题趋势 辨证论治相关知识点，考试多以 A2 型题为主。

金题直击

3. 治疗胎怯之肾精薄弱证首选方剂是

A. 保元汤　　B. 归脾汤

C. 金匮肾气丸　　D. 补肾地黄丸

E. 六味地黄丸　　【答案】D

【解题思路】

胎怯大纲中只有两个证型，对应两个方剂，脾肾两虚时选 A，单纯肾精不足时选 D。

第二节　硬肿症（助理不考）

一、发病特点

1. 定义　硬肿症是由于寒冷或和多种疾病引起的皮肤和皮下脂肪组织硬化及水肿，常伴有低体温及多器官功能损伤的综合征，亦称新生儿寒冷损伤综合征。

2. 好发季节　主要发生在寒冷季节。若由早产或感染所引起，也可发生于夏季和南方地区。

3. 发病年龄　出生后 7～10 天的新生儿，以胎怯儿多见。

4. 主要表现　低体温和皮肤硬肿。

5. 并发症　重症预后较差，病变过程中可并发肺炎和败血症，严重者常合并肺出血、休克及多脏器功能衰竭等而引起死亡。

命题趋势　发病年龄的相关知识点，考试多以 A1、B1 型题为主。

金题直击

1. 易发生硬肿的是

A. 新生儿　　B.1 岁小儿

C.2 岁小儿　　D.3 岁小儿

E. 青少年　　【答案】A

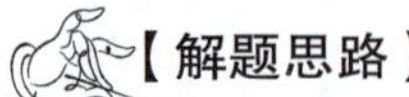
【解题思路】

硬肿症多发于寒冷地区和寒冬季节，以出生后 7～10 天的新生儿多见，尤其以胎怯儿为多见，受寒、早产、感染、窒息等原因都可引起发病。

二、病因病机

内因是肾阳虚衰，外因是感受寒邪。同时，脾阳不振，水湿不化，则见水肿；严重者血络瘀滞，可致血不循经而外溢，导致肺出血等重症；阳气虚极而渐衰亡，可见气息微弱、全身冰冷、脉微欲绝之危症。

三、诊断与鉴别诊断

1. 诊断要点　硬肿症的诊断要点见表 3-4。

表 3-4　硬肿症的诊断要点

要点	临床表现
病史	寒冷季节，环境温度低，保温不够，早产儿或足月小样儿，或有感染、窒息、产伤、热量摄入不足史等
表现	低体温，全身或手足冰凉，体温＜35℃，严重者＜30℃，腋 - 肛温差由正值变为负值。硬肿为对称性，依次为双下肢、臀、面颊、双上肢、背、腹、胸部等，可有凹陷性水肿。患儿不吃、不哭、少动，严重者可伴有休克、肺出血及多脏器功能衰竭等
实验室检查	血常规红细胞比容增高，血小板减少。由于缺氧与酸中毒，血气分析 pH 降低、PaO_2 降低、$PaCO_2$ 增高。由于心肌损害，心电图呈低电压、Q-T 间期延长、T 波低平或 S-T 段下移

2. 病情分度　新生儿硬肿症的诊断分度标准见表 3-5。

表 3-5　新生儿硬肿症的诊断分度标准

分度	体温		硬肿范围	器官功能改变
	肛温	腋－肛温差		
轻度	≥ 35℃	正值	＜ 20%	无或轻度功能低下
中度	＜ 35℃	0 或正值	20% ～ 50%	功能损害明显
重度	＜ 30℃	负值	＞ 50%	功能衰竭、DIC、肺出血

注：硬肿范围估算为头颈部 20%，双上肢 18%，前胸及腹部 14%，背部及腰骶部 14%，臀部 8%，双下肢 26%。

3. 鉴别诊断

（1）新生儿水肿：可由先天性心脏病、心功能不全等引起。生后任何时候均可发生。表现为凹陷性浮肿，但不硬，常见于眼睑、足背、外阴等处，皮肤不红，无体温下降。

（2）新生儿皮下坏疽：常由金黄色葡萄球菌、链球菌感染引起。多见于背、骶、臀等受压部位。局部皮肤变硬、发红、边缘不清，病变中央初期较硬，以后软化，先呈暗红色，以后变为黑色，重者可有出血和溃疡形成。

四、辨证论治

1. **辨证要点**　本病临床主要从虚、实、寒、瘀辨证（表 3-6）。轻症多属寒凝血涩证，重症多属阳气虚衰证。

表 3-6　硬肿症的辨证要点

要素	临床表现
寒证	全身欠温，僵卧少动，肌肤硬肿，是多数患儿共同的临床表现
实证	以外感寒邪为主，有保温不当病史，体温下降较少，硬肿范围较小
虚证	以阳气虚衰为主，常伴胎怯，体温常不升，硬肿范围大
血瘀证	在本病普遍存在，辨证要点为肌肤质硬色紫暗

2. **治疗原则**　以温阳散寒、活血化瘀为治疗原则。

3. **分证论治**　硬肿症的分证论治见表 3-7。

表 3-7　硬肿症的分证论治

证型	证候	治法	方药
阳气虚衰证	全身冰冷，僵卧少动，反应极差，气息微弱，肌肤板硬而肿，范围波及全身，指纹淡红不显	益气温阳，通经活血	参附汤加减
寒凝血瘀证	全身欠温，四肢发凉，肌肤硬肿，难以捏起，精神萎靡，反应尚可，指纹紫滞	温经散寒，活血通络	当归四逆汤加减

命题趋势　辨证论治相关知识点，考试多以 A2 型题为主。

金题直击

2. 患儿，生后 3 天。现症见全身冰冷，全身肌肤板硬而肿，气息微弱，僵卧少动，哭声低怯，吸吮困难，反应极差，皮肤暗红，少尿，面色苍白，唇舌色淡，指纹淡红不显，其证候是

A. 寒凝血涩　　B. 阳气虚衰

C. 脾肾虚衰　　D. 肺脾气虚

E. 气滞血瘀

【答案】B

【解题思路】

硬肿症大纲中只有两个证型，对应两个方剂，重症时选 B，轻症时选 A，此题根据全身冰冷，反应极差，诊断为重症。

【易错点】

轻症表现为全身欠温，四肢发凉，肌肤硬肿，难以捏起，精神萎靡，反应尚可。轻症与重症二者的严重程度明显不同，注意抓住关键词予以鉴别。

五、其他疗法

1. 中药外敷

（1）生葱、生姜、淡豆豉等，用于寒凝血涩证。

（2）当归、红花、川芎等，用于阳气虚衰证。

2. 推拿疗法　万花油，功效为消肿散瘀，舒筋活络。施术者先洗净双手，手涂万花油，在患儿安静时用温暖双手推拿硬肿部位。

3. 复温疗法　远红外线辐射台、暖箱等。

第三节　胎　黄

一、发病特点

胎黄以婴儿出生后皮肤、面目出现黄染为特征，故称“胎黄”或“胎疸”。胎黄相当于西医学新生儿黄疸，包括了新生儿生理性黄疸和病理性高胆红素血症，如溶血性黄疸、肝细胞性黄疸、阻塞性黄疸、新生儿溶血症、胆汁淤阻、母乳性黄疸等。发病多见于早产儿、多胎儿、素体虚弱的新生儿。

二、病因病机

1. 病因　胎禀湿蕴，如湿热郁蒸、寒湿阻滞，久则气滞血瘀。

2. 病变脏腑　肝胆、脾胃。

3. 发病机制　脾胃湿热或寒湿内蕴，肝失疏泄，胆汁外溢而致发黄，日久则气滞血瘀而黄疸日深难退。

命题趋势　疾病病机的相关知识点，考试多以 A1、B1 型题为主。

金题直击

1. 下列病机中，不属于胎黄病机的是

A. 脾胃湿热　　B. 寒湿内蕴

C. 肺失通调　　D. 肝失疏泄

E. 气滞血瘀

【答案】C

【解题思路】

黄疸的病机包括脾胃湿热或寒湿内蕴，肝失疏泄，胆汁外溢而致发黄，日久则气滞血瘀而黄疸日深难退。肺主气，司呼气，为水之上源，与黄疸无关。

三、诊断与鉴别诊断

1. 诊断要点

（1）生理性黄疸的临床表现（表 3-8）

表 3-8　生理性黄疸的临床表现

要素	临床表现
出现时间	生后第 2 ～ 3 日出现黄疸，第 4 ～ 6 日达高峰
消退时间	足月儿在生后 2 周消退，早产儿可延迟至 3 ～ 4 周消退
胆红素	黄疸程度轻（足月儿血清总胆红素≤ 221μmol/L，早产儿≤ 257μmol/L）
其他症状	小儿一般情况良好，偶有轻微食欲不振，不伴有其他临床症状

（2）病理性黄疸的临床表现（表 3-9）

表 3–9　病理性黄疸的临床表现

要素	临床表现
出现时间	黄疸出现早（生后 24 小时以内）
进展速度	发展快（血清总胆红素每日上升幅度＞ 85.5μmol/L，或每小时上升幅度＞ 8.5μmol/L）
胆红素	程度重（足月儿血清总胆红素＞ 221μmol/L，早产儿＞ 257μmol/L）
消退时间	消退迟（黄疸持续时间足月儿＞ 2 周，早产儿＞ 4 周）或黄疸退而复现
其他症状	伴随各种临床症状

2. 实验室检查　胎黄的实验室检查项目及具体内容见表 3-10。

表 3–10　胎黄的实验室检查项目及具体内容

检查项目	具体内容
血清学检查	血清总胆红素（TBIL）升高，直接胆红素（DBIL）和 / 或间接胆红素（IBIL）升高，血清总胆汁酸（TBA）升高
尿常规	尿胆红素、尿胆原阳性
肝功能	丙氨酸氨基转移酶（ALT）、γ- 谷氨酰转肽酶（γ-GT）、碱性磷酸酶（ALP）等可升高

命题趋势　疾病临床表现的相关知识点，考试多以 A1、B1 型题为主。

金题直击

2. 下列各项，新生儿生理性黄疸到达高峰期的时间是

A. 2 ～ 3 天　　B. 4 ～ 6 天

C. 7 ～ 10 天　　D. 11 ～ 15 天

E. 16 ～ 20 天

【答案】B

【解题思路】

生理性黄疸生后第 2 ～ 3 日出现，第 4 ～ 6 日达高峰。足月儿在生后 2 周消退，早产儿可延迟至 3 ～ 4 周消退。

3. 鉴别诊断

（1）溶血性黄疸：多见于母婴 ABO 血型不合和 Rh 血型不合溶血病、葡萄糖 -6- 磷酸脱氢酶缺乏症、遗传性球形红细胞增多症、地中海贫血等。

（2）新生儿感染性黄疸：细菌感染是一个重要原因，以金黄色葡萄球菌、大肠杆菌引起的败血症多见；病毒所致感染多为宫内感染，如巨细胞病毒、乙肝病毒等。

（3）阻塞性黄疸：常见原因为先天性胆道畸形，大便颜色渐变浅黄或白陶土色。

（4）母乳性黄疸：纯母乳喂养，生长发育好；除外其他引起黄疸的因素；试停母乳喂养 48 ～ 72 小时，胆红素下降 30% ～ 50%。

四、辨证论治

1. 辨证要点　辨生理性黄疸和病理性黄疸，从三个方面进行分析辨别，黄疸出现、持续、消退时间，黄疸程度及伴随症状。常证辨阴阳及虚实；变证辨胎黄动风和胎黄虚脱。

2. 治疗原则　生理性黄疸能自行消退，一般不需治疗。病理性黄疸以利湿退黄为基本原则。

3. 分证论治

（1）常证的分证论治（表 3-11）

表 3-11 胎黄常证的分证论治

证型	证候	治法	方药
湿热郁蒸证	面目皮肤发黄，色泽鲜明如橘；大便秘结，小便深黄，舌质红，苔黄腻	清热利湿退黄	茵陈蒿汤加减
寒湿阻滞证	面目皮肤发黄，色泽晦暗，持续不退；四肢欠温，纳呆，大便溏薄、色灰白，小便短少，舌质淡苔白腻	温中化湿退黄	茵陈理中汤加减
气滞血瘀证	面目皮肤发黄，颜色逐渐加深，晦暗无华；右胁下痞块质硬，肚腹膨胀，青筋显露，唇色暗红舌见瘀点，苔黄	行气化瘀消积	血府逐瘀汤加减

（2）变证的分证论治（表 3-12）

表 3-12 胎黄变证的分证论治

证型	证候	治法	方药
胎黄动风证	黄疸迅速加重，嗜睡，神昏，抽搐，舌质红，苔黄腻	平肝息风，利湿退黄	羚角钩藤汤
胎黄虚脱证	黄疸迅速加重，伴面色苍黄，浮肿，气促，神昏，四肢厥冷，胸腹欠温，舌质淡，苔白	大补元气，温阳固脱	参附汤合生脉散

命题趋势 辨证论治相关知识点，考试多以 A2 型题为主。

金题直击

3. 患儿，生后 1 天。现症见面目皮肤发黄，色泽鲜明如橘，哭声响亮，不欲吮乳，口渴唇干，大便秘结，小便深黄，舌质红，苔黄腻，其治法是

A. 行气化瘀消积　　B. 温中化湿退黄

C. 清热利湿退黄　　D. 平肝息风，利湿退黄

E. 大补元气

【答案】C

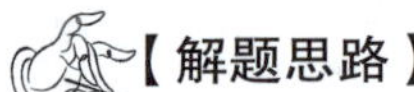

【解题思路】

此题根据面目皮肤发黄，确定是黄疸；根据苔黄腻，确定证型是湿热郁蒸证。对症治疗即可，有热就清热，有湿就要化湿，有黄就要退黄。

五、其他疗法（助理不考）

1. **中药成药** 茵栀黄口服液，茵栀黄注射液，用于湿热郁蒸证。
2. **药物外治** 灌肠疗法，泡浴疗法。
3. **西医治疗** 光照治疗，病因治疗。

高频考点速递

1. 生理性黄疸与病理性黄疸的鉴别

（1）生理性黄疸：出生后 2 ～ 3 日出现黄疸，足月儿在生后 2 周消退，早产儿 3 ～ 4 周消退。

（2）病理性黄疸：黄疸出现早，消退迟，症状重；生后 24 小时以内出现，消退迟（足月儿＞ 2 周，早产儿＞ 4 周）。

2. 胎黄病变脏腑为肝胆、脾胃。

3. 病理性黄疸以利湿退黄为基本原则。

第四单元　肺系病证

考情分析

单元	年份 级别	2019	2020	2021	2022	2023
肺系病证	执业	4	4	3	3	4
	助理	2	2	2	2	2

第一节　感　冒

一、发病特点

1. 定义　感冒感受外邪引起的一种疾病，以发热、鼻塞流涕、喷嚏、咳嗽为主要临床特征。小儿感冒后易出现夹痰、夹滞、夹惊的兼夹证。

2. 发病季节　气候骤变及冬春时节发病率较高。

3. 发病年龄　任何年龄皆可发病，婴幼儿更为多见。

二、病因病机

1. 病因　感受风邪为主，常兼杂寒、热、暑、湿、燥邪等，亦有感受时邪疫毒所致者。

2. 病位　在肺，可累及肝脾。

3. 病机　肺卫失宣。

三、诊断与鉴别诊断

1. 诊断要点　感冒的诊断要点见表 4-1。

表 4-1　感冒的诊断要点

要点	内容
病史	气候骤变，冷暖失调，感受外邪，或有与感冒患者接触史
症状	以发热、恶风寒、鼻塞流涕、喷嚏、咳嗽等为主症
兼症	可见咳嗽加剧，喉间痰鸣；或脘腹胀满，不思饮食，呕吐酸腐，大便失调；或睡卧不宁，惊惕抽搐
血常规检查	病毒感染者白细胞总数正常或偏低；细菌感染者白细胞总数及中性粒细胞均增高
病原学检查	鼻咽分泌物病毒分离、咽拭子培养等可明确病原

2. 鉴别诊断　多种急性传染病的早期都有类似感冒的症状，如麻疹、奶麻、丹痧、水痘等，应根据流行病学史、临床特点、实验室检查等加以鉴别。

命题趋势　疾病鉴别诊断的相关知识点，考试多以 A1、B1 型题为主。

金题直击

1. 小儿风热感冒与风寒感冒的鉴别要点有

A. 恶风发热　　B. 恶寒发热

C. 咽红肿痛　　D. 咳嗽不爽

E. 咳嗽频作

【答案】C

【解题思路】

题干中问鉴别点，首先二者都是感冒，恶风发热与恶寒发热都是代表感冒，只是程度不同，不能说明是风寒还是风热；咳嗽只是感冒的一个伴随症状，不是主诉；咳嗽不爽与频作不能鉴别出风寒还是风热；只有咽红肿痛可以作为鉴别要点，风热者肿痛，风寒者则无。

【易错点】

容易错选成A，把恶风发热当成鉴别点。

四、辨证论治

1. **辨证要点** 根据发病季节及流行特点辨证；根据全身及局部症状辨证。
2. **治疗原则** 以疏风解表为基本治疗原则。
3. **分证论治** 感冒的分证论治见表4-2、表4-3。

表4-2 感冒主证的分证论治

主证	证候	治法	方剂
风寒感冒证	发热轻，恶寒重，无汗，流清涕，喷嚏，舌质淡红苔薄白，脉浮紧或指纹浮红	辛温解表，疏风散寒	荆防败毒散
风热感冒证	发热重，恶风，鼻塞，流浊涕，喷嚏，咳嗽，痰稠、色黄或白，咽红肿痛，口渴，舌质红，苔薄黄，脉浮数或指纹浮紫	辛凉解表，疏风清热	银翘散
暑邪感冒证	发热，无汗或汗出热不解，鼻塞，身重困倦，胸闷泛恶，口渴心烦，舌质红，苔黄腻，脉数或指纹紫滞	清暑解表，化湿和中	新加香薷饮
时邪感冒证	起病急骤，全身症状重，高热，恶寒，无汗或汗出热不解，目赤咽红，肌肉酸痛，腹痛，舌质红，苔黄，脉数	清瘟解毒	银翘散合普济消毒饮

表4-3 感冒兼证的分证论治

兼证	证候	治法	方剂
风寒夹痰证	感冒兼见咳嗽较剧，痰多，喉间痰鸣	辛温解表，宣肺化痰	在疏风解表的基础上加三拗汤、二陈汤
风热夹痰证	感冒兼见咳嗽较剧，痰多，喉间痰鸣	辛凉解表，清肺化痰	在疏风解表的基础上加桑菊饮、黛蛤散
感冒夹滞证	感冒兼见脘腹胀满，不思饮食，呕吐酸腐，口气秽浊，大便酸臭，或腹痛泄泻，或大便秘结，舌苔厚腻，脉滑	解表兼以消食导滞	在疏风解表的基础上加保和丸
感冒夹惊证	感冒兼见惊惕哭闹，睡卧不宁，甚至骤然抽风，舌质红，脉浮弦	解表兼以清热镇惊	在疏风解表的基础上加用镇惊丸

命题趋势 辨证论治相关知识点，考试多以A2型题为主。

金题直击

2.患儿，7岁。发热，无汗，头晕，头痛，鼻塞，身重困倦，胸闷泛恶，口渴心烦，食欲不振，恶心呕吐，泄泻，舌质红，苔黄腻，脉数，其治法是

A. 辛温解表，疏风散寒
B. 辛凉解表，疏风清热
C. 清暑解表，化湿和中
D. 辛温解表，宣肺化痰
E. 清瘟解表消毒

【答案】C

【解题思路】

此题根据发热无汗鼻塞，确定是感冒；根据苔黄腻，确定是暑邪感冒证。可对症治疗，治法为清暑解表。

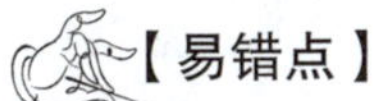【易错点】

容易错选成 B 风热感冒，根据舌苔脉象加以鉴别。

第二节 乳 蛾

一、发病特点

1. 定义 乳蛾为小儿常见肺系疾病，因喉核红肿，形似乳头或蚕蛾，故称乳蛾，溃烂化脓为烂乳蛾，临床以咽痛、喉核红肿，甚则溃烂化脓为特征。本病属西医学“扁桃体炎”范畴，常由链球菌感染引起。据病程，分为急性扁桃体炎和慢性扁桃体炎。

2. 发病年龄 多见于 4 岁以上小儿。

3. 发病季节 一年四季均可发病。

二、病因病机

1. 病因 外感风热，或平素过食辛辣炙馎之品，脾胃蕴热所致。

2. 病位 肺、胃。

3. 病机 热毒蕴结咽喉。

三、诊断与鉴别诊断

1. 诊断要点 乳蛾的诊断要点见表 4-4。

表 4–4 乳蛾的诊断要点

要点	内容
主要症状	咽痛、吞咽困难。急乳蛾有发热，慢乳蛾不发热或有低热
病程	急乳蛾起病较急，病程较短；反复发作则转化为慢乳蛾，病程较长
咽部检查	急乳蛾可见扁桃体充血呈鲜红或深红色，肿大，表面可有脓点，严重者有小脓肿；慢乳蛾可见扁桃体肿大，充血呈暗红色，或不充血，表面或有脓点，或挤压后有少许脓液溢出
实验室检查	急乳蛾及部分慢乳蛾者可见血白细胞总数及中性粒细胞增高

2. 鉴别诊断 乳蛾与感冒鉴别：感冒以发热恶、寒、鼻塞流涕、喷嚏、咳嗽为主要表现，也可有咽喉红赤；若以咽红、喉核红肿疼痛，甚至溃烂化脓等局部表现为主者，则诊断为乳蛾。

四、辨证论治

1. 辨证要点 主要根据喉核局部表现及伴随症状进行辨证。

2. 治疗原则 以清热解毒、利咽消肿为基本治疗原则。

命题趋势 治疗基本原则相关知识点，考试多以 A1、B1 型题为主。

金题直击

1. 乳蛾的治疗原则是

A. 辛温解表，疏风散寒　　B. 疏风清热，利咽消肿

C. 养阴清热，软坚利咽　　D. 清热解毒，利咽消肿

E. 清热解毒，软坚散结

【答案】D

【解题思路】

乳蛾的表现为咽红、喉核红肿疼痛，皆是火热之邪的表现，包括虚火与实火。故治疗原则是清热解毒，利咽消肿。

3. 分证论治 乳蛾的分证论治见表 4-5。

表 4–5　乳蛾的分证论治

证型	证候	治法	方剂
风热搏结证	喉核赤肿，咽喉疼痛，吞咽不利，发热重，恶寒轻，鼻塞流涕，舌质红苔薄白或黄，脉浮数或指纹浮紫	疏风清热，利咽消肿	银翘马勃散
热毒炽盛证	喉核赤肿明显，甚至溃烂化脓，吞咽困难，壮热不退，口干口臭，大便干结，小便黄少，舌质红苔黄，脉数或指纹青紫	清热解毒，利咽消肿	牛蒡甘桔汤
肺胃阴虚证	喉核肿大暗红，咽干咽痒，日久不愈、干咳少痰，大便干结，小便黄少，舌质红苔少，脉细数或指纹淡紫	养阴润肺，软坚利咽	养阴清肺汤

命题趋势　辨证论治相关知识点，考试多以 A2 型题为主。

金题直击

2. 患儿，5 岁。高热不退，喉核赤肿，溃烂化脓，吞咽困难，口干口臭，大便干结，小便黄少，舌质红，苔黄，脉数，应首选的方剂是

A. 银翘马勃散　　B. 牛蒡甘桔汤
C. 养阴清肺汤　　D. 普济消毒饮
E. 荆防败毒散

【答案】B

【解题思路】

本题根据喉核赤肿、溃烂化脓、吞咽困难，诊断为乳蛾；根据舌质红，苔黄，脉数，辨证为热毒炽盛证，方剂是牛蒡甘桔汤。

【易错点】

容易错选成风热搏结证的银翘马勃散，但题干中无表证，故可以排除。

第三节　咳　嗽

一、发病特点

1. **定义**　有声无痰为咳，有痰无声为嗽，有声有痰谓之咳嗽。
2. **发病季节**　以冬春二季发病率高。
3. **年龄**　以婴幼儿为多见。
4. **特点**　临床上小儿的外感咳嗽多于内伤咳嗽。

二、病因病机

1. **病因**　外因为感受风邪，内因为肺脾虚弱。
2. **病位**　肺，常涉及脾。
3. **病机**　肺失宣肃。

命题趋势　疾病病因的相关知识点，考试多以 A1、B1 型题为主。

金题直击

1. 小儿咳嗽的主要内因是

A. 肺脾虚弱　　B. 肝肾阴虚
C. 肺肾两虚　　D. 肝脾不和
E. 心脾两虚

【答案】A

【解题思路】

小儿咳嗽分外感和内伤，内伤咳嗽中，脾为生痰之源，肺为贮痰之器，所以选 A。

【易错点】

容易错选成 C，哮喘时与肾不纳气有关。

三、辨证论治

1. **辨证要点** 辨外感内伤，辨寒热虚实。
2. **治疗原则** 基本治疗原则为宣通肺气。
3. **分证论治**

（1）外感咳嗽的分证论治（表 4-6）

表 4–6 外感咳嗽的分证论治

证型	证候	治法	方剂
风寒咳嗽证	咳嗽频作，痰白清稀，鼻塞流涕，恶寒无汗，发热头痛，全身酸痛，舌苔薄白，脉浮紧或指纹浮红	疏风散寒，宣肺止咳	金沸草散、杏苏散
风热咳嗽证	咳嗽不爽，痰黄黏稠、不易咳出，口渴咽痛，鼻流浊涕，伴有发热恶风、头痛、微汗出，舌质红，苔薄黄，脉浮数或指纹浮紫	疏风解热，宣肺止咳	桑菊饮
风燥咳嗽证	咳嗽痰少，或痰黏难咳，或干咳无痰，鼻燥咽干，伴发热、鼻塞、咽痛等表证，大便干，舌质红，苔少乏津，脉浮数或指纹浮紫	疏风清肺，润燥止咳	清燥救肺汤、桑杏汤

（2）内伤咳嗽的分证论治（表 4-7）

表 4–7 内伤咳嗽的分证论治

证型	证候	治法	方剂
痰热咳嗽证	咳嗽痰多、色黄黏稠、难以咳出，甚则喉间痰鸣，舌质红，苔黄腻，脉滑数或指纹青紫	清热化痰，宣肺止咳	清金化痰汤、清气化痰汤
痰湿咳嗽证	咳嗽重浊，痰多壅盛、色白而稀，胸闷纳呆，神乏困倦，舌质淡红，苔白腻，脉滑	化痰燥湿，宣肺止咳	二陈汤
气虚咳嗽证	咳嗽反复无力，痰白清稀，面白无华气短懒言，语声低微，自汗畏寒，舌质淡嫩、边有齿痕，脉细无力	健脾补肺，益气化痰	六君子汤
阴虚咳嗽证	干咳无痰，或痰少而黏，或痰中带血，不易咳出，口渴咽干，喉痒，声音嘶哑，午后潮热、手足心热，舌质红，少苔，脉细数	滋阴润燥，养阴清肺	沙参麦冬汤

命题趋势 辨证论治相关知识点，考试多以 A2 型题为主。

金题直击

2. 患儿，5 岁。咳嗽 1 周，现症见咳嗽痰多，痰黄黏稠、难咳，喉间时有痰鸣，发热口渴，尿少色黄，舌质红，苔黄腻，脉滑数。治疗宜选方

A. 清金化痰汤　　B. 桑菊饮
C. 沙参麦冬汤　　D. 麻杏石甘汤
E. 黄连解毒汤合三拗汤

【答案】A

【解题思路】

本题根据主诉咳嗽一周，诊断为咳嗽；根据舌质红、苔黄腻、脉滑数，辨证为内伤咳嗽中的痰热咳嗽证，方剂为清金化痰汤。

第四节　肺炎喘嗽

一、发病特点

1. 临床表现　肺炎喘嗽临床以发热、咳嗽、痰壅、气喘，肺部闻及中细湿啰音，X 线胸片见炎性阴影为主要表现，重者可见张口抬肩、呼吸困难、面色苍白、口唇青紫等症。

2. 发病季节　多见于冬春季节。

3. 年龄　好发于婴幼儿。

4. 特点　容易合并心阳虚衰及邪陷心肝等严重变证。

命题趋势　疾病临床表现的相关知识点，考试多以 A1、B1 型题为主。

金题直击

1. 下列哪项不是肺炎喘嗽的临床表现

A. 发热　　B. 咳嗽

C. 气喘　　D. 水肿

E. 痰壅

【答案】D

【解题思路】

肺炎喘嗽临床以发热、咳嗽、痰壅、气喘为主要表现。

二、病因病机

1. 发病原因　外因为感受风邪，或由其他疾病传变而来；内因为小儿肺脏娇嫩，卫外不固。

2. 病变部位　肺。

3. 病机关键　肺气郁闭。

4. 病理产物　痰热。

命题趋势　疾病病机的相关知识点，考试多以 A1、B1 型题为主。

金题直击

2. 小儿肺炎喘嗽的基本病机是

A. 风寒闭肺　　B. 风热闭肺

C. 毒热闭肺　　D. 肺气闭郁

E. 肺脾气虚

【答案】D

【解题思路】

咳嗽的基本病机为肺气郁闭，故本题选 D。

三、诊断与鉴别诊断

1. 诊断要点

（1）肺炎喘嗽的临床表现（表 4-8）

表 4-8　肺炎喘嗽的临床表现

要点	具体表现
症状	起病急，有气喘、咳嗽、痰鸣、发热等症
听诊	肺部听诊可闻及中、细湿啰音
新生儿的表现	新生儿患肺炎时，常以不乳、精神萎靡、口吐白沫等症状为主，而无上述典型表现

（2）肺炎喘嗽实验室检查表现（表 4-9）

表 4–9　肺炎喘嗽实验室检查表现

检查	表现
X 线全胸片	小斑片状阴影，也可出现不均匀的大片状阴影，或为肺纹理增多、紊乱，肺部透亮度增强或降低
病原学检查	细菌培养、病毒学检查、肺炎支原体检测等可获得相应的病原学诊断
血常规检查	细菌性肺炎，白细胞总数可升高，中性粒细胞增多；病毒性肺炎，白细胞总数正常或偏低

2. 鉴别诊断　儿童哮喘：呈反复发作的喘息、气促、胸闷或咳嗽，发作时双肺可闻及呼气相为主的哮鸣音，呼气相延长，支气管舒张剂有显著疗效。

四、辨证论治

1. 辨证要点　本病辨证，重在辨常证和变证。常证重在辨表里、寒热、虚实及痰重热重。初期辨风寒风热，极期辨痰重热重，后期辨气虚阴伤，重症辨常证变证。

2. 治疗原则　以开肺化痰、止咳平喘为基本原则。

命题趋势　治疗基本原则相关知识点，考试多以 A1、B1 型题为主。

金题直击

3. 小儿肺炎喘嗽的主要治疗原则是

A. 辛凉宣肺，清热化痰　　B. 辛温宣肺，化痰止咳

C. 清热涤痰，肃肺定喘　　D. 开肺化痰，止咳平喘

E. 清热宣肺，止咳化痰

【答案】D

【解题思路】

肺炎喘嗽典型的表现为热、咳、痰、喘、扇，所以对症治疗即可，有痰化痰，有咳止咳，有喘平喘，肺气郁肺就开肺。

3. 分证论治

（1）常证的分证论治（表 4-10）

表 4–10　肺炎喘嗽常证的分证论治

证型	证候	治法	方剂
风寒闭肺证	恶寒发热，头身痛，无汗，鼻塞流清涕，呛咳频作，呼吸气急，痰稀色白，咽不红，口不渴，面色淡白，舌质淡红，苔薄白，脉浮紧，指纹浮红	辛温宣肺，化痰止咳	华盖散
风热闭肺证	发热恶风，头痛有汗，鼻塞流浊涕，咳嗽气急，痰多，痰稠黏色黄，口渴咽红，苔薄黄，脉浮数，指纹浮紫	辛凉宣肺，化痰止咳	麻杏石甘汤
毒热闭肺证	壮热不退，咳嗽剧烈，气急喘憋，呼吸困难，鼻翼扇动，张口抬肩，鼻孔干燥，面色红赤，涕泪俱无，甚至神昏谵语，便秘，小便黄少，舌质红少津，苔黄腻或黄燥，脉洪数，指纹紫滞	清热解毒，泻肺开闭	黄连解毒汤合麻杏石甘汤
痰热闭肺证	发热烦躁，咳嗽喘促，呼吸困难，气急鼻扇，咳痰黄稠或喉间痰鸣，面赤口渴，舌质红苔黄，脉象弦滑，指纹紫滞，显于气关	清热涤痰，开肺定喘	麻杏石甘汤合葶苈大枣泻肺汤
阴虚肺热证	咳喘持久，低热盗汗，手足心热，干咳无痰，面色潮红，舌质红乏津，苔少或花剥，脉细数，指纹淡紫	养阴清肺，润肺止咳	沙参麦冬汤
肺脾气虚证	久咳、咳痰无力，痰稀白易咳，多汗，易感冒，纳呆便溏，面白少华，神疲乏力，舌质淡红，舌体胖嫩，苔薄白，脉细无力，指纹淡	补肺益气，健脾化痰	人参五味子汤

（2）变证的分证论治（表 4-11）

表 4-11 肺炎喘嗽变证的分证论治

证型	证候	治法	方剂
心阳虚衰证	面色苍白，唇指发绀，呼吸浅促、困难，四肢不温，多汗，胁下痞块，心悸动数，虚烦不安，舌质淡紫，脉细弱疾数，指纹紫滞，可达命关	温补心阳，救逆固脱	参附龙牡救逆汤
邪陷厥阴证	壮热不退，口唇发绀，气促，喉间痰鸣，烦躁不安，神昏谵语，双目上视，四肢抽搐，舌质红，苔黄，脉细数，指纹青紫，可达命关，或透关射甲	清心开窍，平肝息风	羚角钩藤汤合牛黄清心丸汤

命题趋势 辨证论治相关知识点，考试多以 A2 型题为主。

金题直击

4. 患儿，2 岁。发热咳嗽 3 天，症见高热持续不退，咳嗽剧烈，气急鼻扇，烦躁喘憋，涕泪俱无，面赤唇红，大便秘结，舌质红苔黄，指纹紫滞，其治法是

A. 辛凉宣肺，清热化痰

B. 辛温宣肺，化痰止咳

C. 清热涤痰，开肺定喘

D. 清热解毒，泻肺开闭

E. 养阴清肺，润肺止咳

【答案】D

【解题思路】

本题根据热咳喘扇，诊断为肺炎喘嗽；根据涕泪俱无，诊断证型为毒热闭肺证。即可对症治疗，有毒有热，就清热解毒，有肺热就要泻肺热，闭肺就要开肺，所以选 D。

【易错点】

容易错选成痰热闭肺证，但该病例中无明显痰的症状，故可排除。

五、肺炎合并心力衰竭的诊断与治疗

（一）肺炎合并心力衰竭的诊断

1. 临床表现

（1）心率突然加快，超过 180 次 / 分。

（2）呼吸突然加快，超过 60 次 / 分。

（3）突然发生极度烦躁不安。

（4）面色明显发绀，皮肤苍白、发灰、发花、发凉，指（趾）甲微血管再充盈时间延长，尿少或无尿。

（5）心音低钝，有奔马律，颈静脉怒张，X 线检查示心脏扩大。

（6）肝脏迅速扩大。

（7）颜面、眼睑或下肢水肿。

2. 诊断 具有临床表现前 5 项者即可诊断心力衰竭。

（二）肺炎合并心力衰竭的治疗

肺炎合并心力衰竭的治疗方法及用药见表 4-12。

表 4-12 肺炎合并心力衰竭的治疗方法及用药

方法	用药
一般处理	给氧、祛痰、止咳、镇静及病因治疗
洋地黄类药物的使用	首选西地兰或毒毛旋花子苷 K 或地高辛
其他药物	必要时可使用利尿剂及血管扩张剂

命题趋势 西医治疗相关知识点，考试多以 A1 型题为主。

金题直击

5. 哪项不属于肺炎合并心力衰竭的一般处理方式

A. 祛痰　　B. 吸氧

C. 止咳　　D. 利尿

E. 镇静

【答案】D

【解题思路】

一般处理包括给氧、祛痰、止咳、镇静及病因治疗。

【易错点】

利尿属于必要时的处理方式，非一般的处理方式。

第五节　哮　喘

一、发病特点

1. 定义　哮指声响言，喘指气息言，哮必兼喘，故通称哮喘。临床以反复发作，发作时喘促气急、喉间哮鸣、呼吸困难、张口抬肩、摇身撷肚为主要特征。本病包括了西医学所称喘息性支气管炎、儿童哮喘等。

2. 发病年龄　以 1 ～ 6 岁为多见，大多在 3 岁以内初次发作。

3. 发病季节　有明显的季节性，冬春二季及气候骤变时易于发作。

二、病因病机

1. 病因　内因责之于肺、脾、肾三脏功能不足，导致痰饮内伏，成为哮喘之夙根；外因责之于感受外邪，接触异物、异味以及嗜食咸酸等。

2. 病机　痰伏于肺，形成夙根，遇触即发。

3. 发作机制　外因引动伏痰，痰气相合。

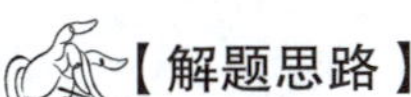
命题趋势　疾病病因的相关知识点，考试多以 A1、B1 型题为主。

金题直击

1. 小儿哮喘反复发作的主要内在因素是

A. 肺脾气虚　　B. 脾肾阳虚

C. 肺肾阴虚　　D. 痰饮留伏

E. 气滞血瘀

【答案】D

【解题思路】

哮喘的发作机制是外因引动伏痰，痰气相合。病机关键是痰伏于肺，形成夙根，遇触即发。所以内在因素是痰饮留伏，如果痰饮祛除，病根也不复存在，再如法调理，哮喘也即治愈。

三、诊断与鉴别诊断

1. 诊断要点

（1）病史：多有婴儿期湿疹史、过敏史、家族哮喘史；有反复发作的病史，发作多与某些诱发因素有关，如气候骤变，进食或接触某些过敏物质。

（2）症状：发作之前多有喷嚏、鼻塞、咳嗽等先兆。然后突然发作，发作时咳嗽阵作，喘促，气急，喉间痰鸣，甚至不能平卧，烦躁不安，口唇青紫。

（3）听诊：两肺可闻及哮鸣音，以呼气时明显，呼气延长。若支气管哮喘有继发感染，可闻及湿啰音。

（4）实验室检查：外周血嗜酸粒细胞增高。肺功能测定显示换气率和潮气量降低，残气容量增加。

2. 鉴别诊断

（1）哮喘与咳嗽变异性哮喘鉴别（表 4-13）

表 4-13　哮喘与咳嗽变异性哮喘的鉴别

要点	哮喘	咳嗽变异性哮喘
临床表现	典型哮喘发作表现（突然发作，咳嗽阵作，喘促，气急，喉间痰鸣，两肺以呼气为主的哮鸣音）	咳嗽持续＞ 4 周，常在夜间和 / 或清晨及运动后发作或加重，以干咳为主
家族史	有家族史	无家族史

（2）哮喘与毛细支气管炎鉴别（表 4-14）

表 4-14　哮喘与毛细支气管炎的鉴别

要点	哮喘	毛细支气管炎
致病病原体	无	多由呼吸道合胞病毒感染所致
听诊	两肺可闻及哮鸣音，以呼气时明显，呼气延长。若继发感染，可闻及湿啰音	肺部听诊可闻及多量哮鸣音、呼气性喘鸣，当毛细支气管接近完全梗阻时，呼吸音可明显减低，往往听不到湿啰音
胸部 X 线	发作时可见两肺透亮度增加，呈过度通气状态，缓解期多无明显异常	见不同程度梗阻性肺气肿和支气管周围炎，有时可见小点片状阴影或肺不张

（3）哮喘与支气管肺炎（肺炎喘嗽）鉴别（表 4-15）

表 4-15　哮喘与支气管肺炎的鉴别

要点	哮喘	支气管肺炎
典型表现	突然发作，咳嗽阵作，喘促，气急，喉间痰鸣，两肺以呼气为主的哮鸣音	以发热、咳嗽、痰壅、气急、鼻扇为主症
听诊	两肺可闻及哮鸣音，以呼气时明显，呼气延长。若继发感染，可闻及湿啰音	肺部听诊可闻及细湿啰音，以脊柱两旁及肺底部为多
胸部 X 线	发作时可见两肺透亮度增加，呈过度通气状态，缓解期多无明显异常	可见斑点状或片状阴影

四、辨证论治

1. 辨证要点

（1）哮喘临床分发作期与缓解期，辨证主要从寒热虚实和肺脾肾三脏入手。

（2）发作期以邪实为主，重点辨寒热。

（3）缓解期以正虚为主，重点辨脏腑，再辨气血阴阳。

2. 治疗原则　发作期当攻邪以治其标，治肺为主，分辨寒热虚实而随证施治；缓解期当扶正以治其本，调其肺脾肾等脏腑功能，消除伏痰夙根。

3. 分证论治

（1）发作期的分证论治（表 4-16）

表 4-16　哮喘发作期的分证论治

证型	证候	治法	方剂
寒性哮喘	气喘，喉间哮鸣，咳嗽，胸闷，痰稀色白有泡沫，喷嚏鼻塞，流清涕，形寒肢凉，无汗，咽不红，口不渴，小便清长，大便溏薄，舌质淡红，苔薄白或白滑，脉浮紧，指纹红	温肺散寒，涤痰定喘	小青龙汤合三子养亲汤
热性哮喘	气喘，声高息涌，喉间哮鸣，痰黏色黄难咳，呼吸困难，鼻塞，流涕黄稠，身热，面红唇干，咽红，口渴，小便黄赤，大便干，舌质红，苔薄黄或黄腻，脉滑数，指纹紫	清肺涤痰，止咳平喘	麻杏甘石汤合苏葶丸

续表

证型	证候	治法	方剂
外寒内热证	气喘，喉间哮鸣，咳嗽痰黏、色黄难咳，胸闷，喷嚏，鼻塞，流清涕，恶寒，发热，面色红赤，夜卧不安，无汗，口渴，小便黄赤，大便干，咽红，舌质红，苔薄白或黄，脉浮紧或滑数，指纹浮红或沉紫	解表清里，定喘止咳	大青龙汤
肺实肾虚证	气喘，喉间哮鸣，持续较久，喘促胸满，动则喘甚，咳嗽，痰稀色白易咳，形寒肢冷，面色苍白或晦滞少华，神疲倦怠，小便清长，舌质淡苔薄白或白腻，脉细弱或沉迟，指纹淡滞	泻肺平喘，补肾纳气	偏于肺实者，用苏子降气汤；偏于肾虚者，用都气丸合射干麻黄汤

（2）缓解期的分证论治（表 4-17）

表 4–17　哮喘缓解期的分证论治

证型	证候	治法	方剂
肺脾气虚证	反复感冒，气短自汗，咳嗽无力，形体消瘦，神疲懒言，面白少华或萎黄，纳差，便溏，舌质淡胖，苔薄白，脉细软，指纹淡	补肺固表，健脾益气	玉屏风散合人参五味子汤
脾肾阳虚证	喘促乏力，动则气喘，气短心悸，咳嗽无力，形体消瘦，形寒肢冷，腰膝酸软，面白少华，腹胀，纳差，夜尿多，便溏，发育迟缓，舌质淡，苔薄白，脉细弱，指纹淡	温补脾肾，固摄纳气	金匮肾气丸
肺肾阴虚证	喘促乏力，动则气喘，干咳少痰，痰黏难咳，咳嗽无力，盗汗，形体消瘦，腰膝酸软，面色潮红，午后潮热，口咽干燥，手足心热，便秘，舌质红少津，苔花剥，脉细数，指纹淡红	养阴清热，敛肺补肾	麦味地黄丸

疾病具体证型临床表现的相关知识点，考试多以 A1、B1 型题为主。

金题直击

2. 下列各项，属于哮喘中痰热阻肺证的特征是

A. 咳喘畏寒，痰多清稀，舌苔白滑　　B. 咳喘痰黄，身热面赤，口干舌红

C. 喘促乏力，动则气喘，面色潮红　　D. 喘促乏力，动则气喘，形寒肢冷

E. 咳喘无力，气短多汗，易感冒

【答案】B

【解题思路】

痰热阻肺证可见有痰的表现，结合身热面赤等热象，可以定位正确答案为 B。

第六节　反复呼吸道感染

一、发病特点

1. 临床表现　反复呼吸道感染是以感冒、乳蛾、咳嗽、肺炎喘嗽在一段时间内反复感染经久不愈为主要临床特征。容易发生咳喘、水肿、痹证等病证，严重影响小儿的生长发育与身心健康。

2. 发病季节　冬春气候变化剧烈时。

3. 发病年龄　多见于 6 个月～ 6 岁的小儿，1 ～ 3 岁的婴幼儿最为常见。

二、病因病机

1. 病因　内因是禀赋虚弱，肺脾肾三脏功能不足，卫外不固；外因是喂养不当，调护失宜，用药不当，疾病所伤。

2. 病机　主要在于正虚邪伏。

3. 病位　在肺，常涉及脾肾。

三、诊断与鉴别诊断

1. 诊断要点

（1）按不同年龄每年呼吸道感染的次数诊断（表 4-18）。

表 4–18　不同年龄段每年呼吸道感染的次数

年龄 / 岁	每年呼吸道感染总次数 / 年	包含下呼吸道感染（气管炎、肺炎）
0～2	10 次以上（上 7，下 3）	3 次以上
3～5	8 次以上（上 6，下 2）	2 次以上
6～14	7 次以上（上 5，下 2）	2 次以上

注：两次感染间隔时间至少 7 日以上，确定次数需连续观察 1 年，两次肺炎诊断期间肺炎体征和影像学改变应完全消失。

（2）按半年内呼吸道感染的次数诊断：半年内呼吸道感染≥ 6 次，其中下呼吸道感染≥ 3 次（其中肺炎≥ 1 次）。

疾病临床表现的相关知识点，考试多以 A1、B1 型题为主。

金题直击

1. 诊断 3～5 岁的小儿反复呼吸道感染，其中 1 年发生上呼吸道感染的次数是

A. 5　　B. 6

C. 7　　D. 8

E. 10

【答案】B

【解题思路】

题干中给出 3～5 岁，呼吸道感染次数，总次数是 8 次以上，其中上呼吸道 6 次、下呼吸道 2 次。

2. 鉴别诊断　反复呼吸道感染需与哮喘及咳嗽变异性哮喘相鉴别（表 4-19）。

表 4–19　反复呼吸道感染的鉴别诊断

疾病	临床表现
哮喘	反复发作，但发作时呼吸困难，呼气延长，伴有哮鸣音，其发作多由异物过敏引起，也可因呼吸道感染而诱发，或病程中兼有感染
咳嗽变异性哮喘	咳嗽经久不愈，以干咳为主，常在夜间和（或）清晨及运动后发作或加重；常伴有过敏性鼻炎、湿疹等过敏性疾病；抗生素治疗无效，但抗哮喘药物治疗有效

四、辨证论治

1. 辨证要点　重在明察邪正消长变化。感染期以邪实为主，迁延期正虚邪恋，恢复期则以正虚为主。初起时多有外感表证，当辨风寒、风热、外寒里热之不同，夹积、夹痰之差异，本虚标实之病机。迁延期邪毒渐平，虚象显露，热痰、积未尽，肺脾肾虚显现。恢复期正暂胜而邪暂退，当辨肺脾肾何脏虚损为主，肺虚者气弱，脾虚者运艰，肾虚者骨弱。

2. 治疗原则　发作期，应按不同的疾病治疗。迁延期以扶正为主，兼以祛邪。恢复期当固本为要。

3. 分证论治　反复呼吸道感染的分证论治见表 4-20。

表 4–20　反复呼吸道感染的分证论治

证型	证候	治法	方剂
肺脾气虚证	反复外感，面黄少华，形体消瘦，肌肉松软，少气懒言，气短，自汗多汗，食少纳呆，大便不调，舌质淡，苔薄白，脉无力，指纹淡	补肺固表，健脾益气	玉屏风散合六君子汤
营卫失和证	反复外感，恶风、恶寒，面色少华，四肢不温，多汗易汗，舌质淡红，苔薄白，脉无力，指纹淡红	调和营卫，益气固表	黄芪桂枝五物汤

续表

证型	证候	治法	方剂
脾肾两虚证	反复外感，面白少华，形体消瘦，肌肉松软，鸡胸龟背，腰膝酸软，形寒肢冷，发育落后，动则气喘，食少纳呆，大便稀溏，舌质淡，苔薄白，脉沉细无力	温补肾阳，健脾益气	金匮肾气丸合理中丸
肺脾阴虚证	反复外感，颧红少华，食少纳呆，口渴，盗汗自汗，手足心热，大便干结，舌质红，苔少或花剥，脉细数，指纹淡红	养阴润肺，益气健脾	生脉散合沙参麦冬汤
肺胃实热证	反复外感，咽微红，口臭，口舌易生疮，汗多而黏，夜寐欠安，大便干，舌质红，苔黄，脉滑数	清泻肺胃	凉膈散加减

命题趋势 辨证论治相关知识点，考试多以A2型题为主。

金题直击

2. 患儿，3岁。平素反复外感，面白少华，形体消瘦，肌肉松软，鸡胸龟背，腰膝酸软，形寒肢冷，发育落后，动则气喘，少气懒言，多汗易汗，食少纳呆，大便稀溏，舌质淡，苔薄白，脉沉细无力，应首选的方剂是

A. 黄芪桂枝五物汤　　B. 玉屏风散合六君子场

C. 金匮肾气丸合理中丸　　D. 生脉散合沙参麦冬汤

E. 补中益气汤合生脉饮

【答案】C

【解题思路】

本题根据平素反复外感、腰膝酸软、食少纳呆、脉沉细无力，诊断为反复呼吸道感染中的脾肾两虚证，方剂选金匮肾气丸合理中丸。

高频考点速递

1. 感冒病机关键为肺卫失宣。以疏风解表为基本治疗原则。
2. 乳蛾的诊断要点为咽痛、吞咽困难。以清热解毒、利咽消肿为基本治疗原则。
3. 有声无痰为咳，有痰无声为嗽，有声有痰谓之咳嗽。
4. 肺炎喘嗽，临床以发热、咳嗽、痰壅、气喘为主要表现。
5. 哮指声响言，喘指气息言，哮必兼喘，喘未必兼哮。
6. 哮喘的发作机制为外因引动伏痰，痰气相合。

第五单元　脾系病证

考情分析

单元	年份 级别	2019	2020	2021	2022	2023
脾系病证	执业	4	4	5	5	6
	助理	2	2	2	2	4

第一节 鹅口疮

一、发病特点

1. **定义** 鹅口疮是以口腔、舌上满布白屑为主要临床特征的一种口腔疾病。
2. **发病季节** 一年四季均可发生。
3. **发病年龄** 多见于初生儿，以及久病体虚婴幼儿。

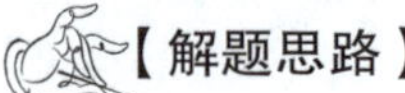

疾病好发年龄段的相关知识点，考试多以 A1、B1 型题为主。

金题直击

1. 鹅口疮好发于

A. 新生儿　　B. 婴儿

C. 学龄前儿童　　D. 学龄儿童

E. 青春期儿童

【答案】A

【解题思路】

鹅口疮的发病年龄多见于初生儿，以及久病体虚婴幼儿。

二、病因病机

1. **病因** 胎热内蕴，口腔不洁，感受秽毒。
2. **病位** 心脾。
3. **病机** 火热之邪循经上炎，熏灼口舌。

三、诊断与鉴别诊断

1. **诊断要点** 鹅口疮的诊断要点见表 5-1。

表 5-1 鹅口疮的诊断要点

要点	内容
好发人群	新生儿，久病体弱者，长期使用抗生素、激素患者
表现	舌上、颊内、牙龈或上腭散布白屑，可融合成片
实验室检查	取白屑少许涂片，加 10% 氢氧化钠溶液，置显微镜下，可见白色念珠菌芽孢及菌丝

2. **鉴别诊断** 鹅口疮需与白喉及残留奶块相鉴别（表 5-2）。

表 5-2 鹅口疮的鉴别诊断

疾病	表现
白喉	传染病。白喉假膜多起于扁桃体，渐次蔓延于咽或鼻腔等处，其色灰白，不易擦去，强力擦去则易出血，多有发热、喉痛、疲乏等症状，病情严重
残留奶块	其状与鹅口疮相似，但以温开水或棉签轻拭，即可除去奶块

四、辨证论治

1. **辨证要点** 重在辨别实证、虚证。
2. **治疗原则** 总属邪火上炎，治当清火。病在口腔局部，除内服药物外，当配合外治法治疗。
3. **分证论治** 鹅口疮的分证论治见表 5-3。

表 5-3 鹅口疮的分证论治

证型	证候	治法	方剂
心脾积热证	口腔满布白屑，周围黏膜鲜红较甚，面赤，唇红，口干或渴，大便干结，小便黄赤，舌质红苔薄白，脉滑或指纹青紫	清心泻脾	清热泻脾散
虚火上浮证	口腔内白屑散在，周围红晕不著，形体瘦弱，颧红，手足心热，口干不渴，舌质红苔少，脉细或指纹紫	滋阴降火	知柏地黄丸

五、其他疗法

1. 外治法

（1）生石膏、青黛、黄连、乳香、没药、冰片等，共研细末，涂患处。适用于心脾积热证。

（2）冰硼散、青黛散、珠黄散等，涂敷患处。适用于心脾积热证。

（3）吴茱萸、胡黄连、大黄、生南星等，共研细末，用醋调成糊状，涂于足心，适用于各种证型。

2. 西医疗法 用 2% 碳酸氢钠溶液于哺乳前后清洗口腔，用制霉菌素甘油涂患处，1 日 3 ～ 4 次。

六、预防与调护

1. 孕妇注意个人卫生，患阴道霉菌病者要及时治愈。
2. 注意口腔清洁，婴儿奶具要消毒。
3. 注意小儿营养，积极治疗原发病。长期用抗生素或肾上腺皮质激素者，尽可能暂停使用。
4. 注意观察口腔黏膜白屑变化，如发现患儿吞咽或呼吸困难，应立即处理。

命题趋势 预防调护的相关知识点，考试多以 A1、B1 型题为主。

金题直击

2. 下列各项，有关鹅口疮的预防与调护，错误的是

A. 孕妇注意个人卫生，患阴道霉菌病者要及时治愈

B. 注意口腔清洁，婴儿奶具要消毒

C. 注意小儿营养，积极治疗原发病

D. 注意观察口腔黏膜白屑变化，如发现患儿吞咽或呼吸困难，应立即处理

E. 可长期应用抗生素或肾上腺皮质激素辅助治疗 【答案】E

【解题思路】

儿科学疾病预防调护，按照发病原因和症状，结合临床，容易选择，本病本身就是因为长期应用抗生素或肾上腺皮质激素，引起菌群失调，所以不能再用。

第二节 口 疮

一、发病特点

1. 临床表现 以齿龈、舌体、两颊、上腭等处出现黄白色溃疡，疼痛流涎，或伴发热为特征。

2. 发病年龄 以 2 ～ 4 岁为多见。

命题趋势 疾病具体证型临床表现的相关知识点，考试多以 A1、B1 型题为主。

金题直击

1. 小儿口疮，其溃疡一般不见于

A. 齿龈　　B. 舌体

C. 两颊　　D. 上腭

E. 咽喉 【答案】E

【解题思路】

小儿口疮典型表现以齿龈、舌体、两颊、上腭多见。

二、病因病机

1. **病因** 外感风热之邪；或饮食不节，蕴积生热；或禀赋不足，气阴两虚。
2. **病位** 心脾胃肾。
3. **病机** 心、脾、胃、肾素蕴积热或阴虚火旺，复感邪毒熏蒸口舌。

三、诊断与鉴别诊断

1. **诊断要点** 口疮的诊断要点见表 5-4。

表 5–4 口疮的诊断要点

要点	内容
病史	有喂养不当、过食炙煿或外感发热史
表现	齿龈、舌体、两颊、上腭等处出现黄白色溃疡点，大小不等，可伴发热或颌下淋巴结肿大、疼痛。若满口糜烂，色红作痛者，称为口糜；溃疡只发生在口唇两侧，称为燕口疮
血常规检查	白细胞总数及中性粒细胞偏高或正常

2. **鉴别诊断** 口疮需与鹅口疮及手足口病相鉴别（表 5-5）。

表 5–5 口疮的鉴别诊断

疾病	年龄	表现
鹅口疮	初生儿或体弱多病的婴幼儿	口腔及舌上满布白屑，周围有红晕，其疼痛、流涎一般较轻
手足口病	4 岁以下小儿，春夏季流行	除口腔黏膜溃疡之外，伴手、足、臀部皮肤疱疹

四、辨证论治

1. **辨证要点** 本病以八纲辨证结合脏腑辨证。口疮有实火与虚火之分。
2. **治疗原则** 实证治以清热解毒，泻心脾积热。虚证治以滋阴降火，引火归原。配合口腔局部外治。
3. **分证论治** 口疮的分证论治见表 5-6。

表 5–6 口疮的分证论治

证型	证候	治法	方剂
风热乘脾证	以口颊、上腭、齿龈、口角溃烂为主，甚则满口糜烂，周围黏膜焮红，疼痛拒食，口臭，涎多，小便短赤，大便干结，舌质红苔薄黄，脉浮数，指纹紫	疏风散火，清热解毒	银翘散
心火上炎证	舌上、舌边溃烂，色赤疼痛，心烦不安，口干欲饮，小便短黄，舌尖红，苔薄黄，脉细数，指纹紫	清心凉血，泻火解毒	泻心导赤汤
虚火上浮证	口腔溃疡或糜烂，周围色不红或微红，疼痛不甚，反复发作或迁延不愈，神疲颧红，口干不渴，舌质红苔少或花剥，脉细数，指纹淡紫	滋阴降火，引火归原	六味地黄丸合肉桂

命题趋势 辨证论治相关知识点，考试多以 A2 型题为主。

金题直击

2. 治疗口疮虚火上浮证，应首选的方剂是

A. 六味地黄丸加吴茱萸　　B. 六味地黄丸加肉桂

C. 知柏地黄丸加附子　　D. 右归丸

E. 大补阴丸

【答案】B

【解题思路】

题干中给出病证，口疮的虚火上浮证，治法为滋阴降火，引火归原，方剂用六味地黄丸加肉桂。

【易错点】

用吴茱萸引热下行时，为外用敷涌泉穴。

五、药物外治法

口疮的药物外治法及适应证见表 5-7。

表 5-7 口疮的药物外治法及适应证

药物	适应证
冰硼散（涂敷患处）	风热乘脾证、心火上炎证
锡类散（涂敷患处）	心火上炎证、虚火上浮证
吴茱萸（醋调敷涌泉穴）	虚火上浮证

第三节 泄 泻

一、发病特点

1. **临床表现** 以大便次数增多，粪质稀薄或如水样为特征。久泻迁延不愈者，易转为疳证。
2. **发病季节** 以夏秋季节发病率为高。
3. **发病年龄** 2 岁以下小儿发病率高。

二、病因病机

1. **病因** 感受外邪、伤于饮食、脾胃虚弱，脾肾阳虚。
2. **病位** 脾胃。
3. **病机** 脾虚湿困。

三、诊断与鉴别诊断

1. **诊断要点** 泄泻的诊断要点见表 5-8。

表 5-8 泄泻的诊断要点

要点	内容
病史	有乳食不节、饮食不洁，或冒风受寒、感受时邪病史
表现	大便次数较平时明显增多，重症达 10 次以上。粪便呈淡黄色或清水样；或夹奶块、不消化物，如同蛋花汤；或黄绿稀溏，或色褐而臭，夹少量黏液。重症泄泻，可见小便短少、皮肤干瘪、囟门凹陷、目眶下陷、啼哭无泪等脱水征，以及口唇樱红、呼吸深长、腹胀等酸碱平衡失调和电解质紊乱的表现
大便镜检	可有脂肪球或少量白细胞、红细胞
大便病原学检查	可有轮状病毒等病毒检测阳性，或致病性大肠杆菌等细菌培养阳性

2. **鉴别诊断** 泄泻需与痢疾相鉴别。

痢疾（细菌性痢疾）：急性起病，便次频多，大便稀，有黏冻脓血，腹痛明显，里急后重。大便常规检查脓细胞、红细胞多，可找到吞噬细胞；大便培养有痢疾杆菌生长。

四、辨证论治

1. **辨证要点** 本病以八纲辨证为纲。常证重在辨寒、热、虚、实，变证重在辨阴、阳。
2. **治疗原则** 以运脾化湿为基本原则。

命题趋势 治疗基本原则相关知识点，考试多以 A1、B1 型题为主。

金题直击

1. 泄泻的基本治疗原则是

A. 清肠化湿　　B. 消食化积

C. 健脾化湿　　D. 祛风散寒

E. 运脾化湿

【答案】E

【解题思路】

泄泻的证型中，有的为实邪，如湿热、寒湿、伤食，有的为正虚不能运化，如脾虚和肾阳虚，所以基本治则要包含双方面，都是脾失运化，治以运脾化湿。

3. 分证论治

（1）常证的分证论治（表 5-9）

表 5-9　泄泻常证的分证论治

证型	证候	治法	方剂
湿热泻证	大便水样或如蛋花汤样，泻下急迫、量多次频、气味秽臭，口渴，小便短黄，舌质红，苔黄腻，脉滑数，指纹紫	清肠解热，化湿止泻	葛根黄芩黄连汤
风寒泻证	大便清稀，夹有泡沫，臭气不甚，肠鸣腹痛，伴恶寒发热，鼻流清涕，咳嗽，苔薄白，脉浮紧，指纹淡红	疏风散寒，化湿和中	藿香正气散
伤食泻证	大便稀溏、夹有乳凝块或食物残渣、气味酸臭，或如败卵，脘腹胀满，便前腹痛，泻后痛减，腹痛拒按，嗳气酸馊，舌苔厚腻，或微黄，脉滑实，指纹滞	运脾和胃，消食化滞	保和丸
脾虚泻证	大便稀溏、色淡不臭，多于食后作泻，面色萎黄，形体消瘦，神疲倦怠，舌质淡，苔白，脉缓弱，指纹淡	健脾益气，助运止泻	参苓白术散
脾肾阳虚泻证	久泻不止，大便清稀、澄澈清冷、完谷不化，或见脱肛，形寒肢冷，面色㿠白，精神萎靡，睡时露睛，舌质淡，苔白，脉细弱，指纹色淡	温补脾肾，固涩止泻	附子理中汤合四神丸

（2）变证的分证论治（表 5-10）

表 5-10　泄泻变证的分证论治

证型	证候	治法	方剂
气阴两伤证	泻下过度，质稀如水，目眶及囟门凹陷，皮肤干燥或枯瘪，啼哭无泪，口渴引饮，小便短少，甚至无尿，舌质红少津，苔少或无苔，脉细数	益气养阴	人参乌梅汤
阴竭阳脱证	泻下不止，次频量多，精神萎靡，表情淡漠，面色青灰或苍白，四肢厥冷，哭声微弱，啼哭无泪，尿少或无，舌质淡无津，脉沉细欲绝	回阳固脱	生脉散合参附龙牡救逆汤

命题趋势　辨证论治相关知识点，考试多以 A2 型题为主。

金题直击

2. 患儿，1 岁半。病起 1 天，发热，泄泻 9 次，大便稀薄如水，泻下急迫，恶心呕吐，阵阵啼哭，小便短黄，治疗应首选的方剂是

A. 参苓白术散　　B. 藿香正气散

C. 人参乌梅汤　　D. 附子理中丸

E. 葛根黄芩黄连汤

【答案】E

【解题思路】

本题根据主诉泄泻 9 次，诊断为泄泻；根据泻下急迫、小便短黄，辨证为湿热下注证，首选方剂为葛根黄芩黄连汤。

第四节 厌 食

一、发病特点

1. 临床表现 以较长时期厌恶进食、食量减少为特征。长期不愈者，可使气血生化乏源，转化为疳证。

2. 发病季节 夏季暑湿当令，症状加重。

3. 发病年龄 各年龄儿童均可发病，以 1 ～ 6 岁为多见。

二、病因病机

1. 病位 脾胃。

2. 病因 喂养不当、脾胃湿热、他病伤脾、禀赋不足、情志失调、邪毒犯胃等。

3. 病机 脾胃失和，纳化失职。

命题趋势 病机的相关知识点，考试多以 A1、B1 型题为主。

金题直击

1. 厌食的基本病机为

A. 脾胃虚弱，运化失健　　B. 脾胃虚弱，乳食停滞

C. 脾胃失和，纳化失职　　D. 脾胃不和，生化乏源

E. 脾胃受损，津液消亡

【答案】C

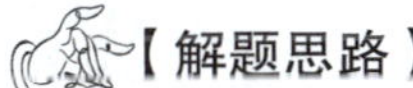

【解题思路】

厌食分为三个证型，其中一个证型为实证，其他两个证型为虚证，病机总归为脾胃失和，纳化失职。

三、诊断与鉴别诊断

1. 诊断要点 厌食的诊断要点见表 5-11。

表 5-11 厌食的诊断要点

要点	内容
病史	有喂养不当、病后失调、先天不足或情志失调史
表现	长期食欲不振，厌恶进食，食量明显少于同龄正常儿童
形体和精神状态	面色少华，形体偏瘦，但精神尚好，活动如常
排除其他疾病	除外其他外感、内伤慢性疾病

2. 鉴别诊断 厌食需与疰夏相鉴别。

疰夏：夏季季节性疾病，有“春夏剧，秋冬瘥”的发病特点。除食欲不振外，可见精神倦怠，大便不调，或有发热等症。

四、辨证论治

1. 辨证要点 以脏腑辨证为纲。

2. 治疗原则 以运脾开胃为基本原则。

3. 分证论治 厌食的分证论治见表 5-12。

表 5-12 厌食的分证论治

证型	证候	治法	方剂
脾失健运证	食欲不振，厌恶进食，食而乏味，大便不调，偶尔多食后则脘腹饱胀，形体尚可，精神正常，舌质淡红，苔薄白或薄腻，脉尚有力	调和脾胃，运脾开胃	不换金正气散
脾胃气虚证	不思进食，食而不化，大便溏薄夹不消化食物，面色少华，形体偏瘦，肢倦乏力，舌质淡，苔薄白，脉缓无力	健脾益气，佐以助运	异功散

续表

证型	证候	治法	方剂
脾胃阴虚证	不思进食，食少饮多，皮肤失润，大便干，小便短黄，手足心热，舌质红少津，苔少或花剥，脉细数	滋脾养胃，佐以助运	养胃增液汤

 辨证论治相关知识点，考试多以 A2 型题为主。

金题直击

2. 患儿，3 岁。自入幼儿园 2 个月来，食欲不振，面色少华，偶尔多食后则脘腹饱胀，恶心，精神尚可，二便调，舌苔薄腻，其治法是

A. 疏肝开郁，理气助运　　B. 健脾益气，开胃助运

C. 消食导滞，理气行滞　　D. 滋脾养胃，佐以助运

E. 调和脾胃，运脾开胃

【答案】E

【解题思路】

本题根据主诉食欲不振，诊断为厌食；根据精神尚可、二便调，辨证为脾失健运证。故治法为调和脾胃，运脾开胃。

第五节　积　滞

一、发病特点

1. 临床表现　以不思乳食、食而不化、脘腹胀满、嗳气酸腐、大便溏薄或秘结酸臭为特征。

2. 发病年龄　以婴幼儿多见。

二、病因病机

1. 病因　喂养不当，伤及脾胃，或脾胃虚损，复伤乳食所致。

2. 病位　脾胃。

3. 病机　乳食停聚中脘，积而不化，气滞不行。

三、诊断与鉴别诊断

1. 诊断要点　积滞的诊断要点见表 5-13。

表 5-13　积滞的诊断要点

要点	内容
病史	伤乳、伤食史
表现	以不思乳食、食而不化、脘腹胀满、嗳气酸腐、大便溏薄或便秘、气味酸臭为特征，可伴有烦躁不安、夜间哭闹或呕吐等症
大便化验检查	可见不消化食物残渣、脂肪滴

命题趋势　疾病的临床表现的相关知识点，考试多以 A1、B1 型题为主。

金题直击

1. 积滞的临床表现不包括下列哪项

A. 不思乳食　　B. 形体消瘦

C. 食而不化　　D. 脘腹胀满

E. 大便酸臭

【答案】B

【解题思路】

积滞的临床表现以不思乳食、食而不化、脘腹胀满、嗳气酸腐、大便酸臭为主。

【易错点】

如果积久不消，迁延失治，则可致气血生化乏源，营养及生长发育障碍，形体日渐消瘦。

2. 鉴别诊断 积滞需与厌食相鉴别。

厌食：长期食欲不振，厌恶进食，一般无脘腹胀满、大便酸臭等症。

四、辨证论治

1. 辨证要点 病位以胃脾为主，根据病史、伴随症状以及病程长短以辨别其虚、实、寒、热。

2. 治疗原则 以消食化积、理气行滞为基本原则。实证以消食导滞为主。虚实夹杂者，宜消补兼施。

3. 分证论治 积滞的分证论治见表 5-14。

表 5–14 积滞的分证论治

证型	证候	治法	方剂
乳食内积证	不思乳食，嗳腐酸馊或呕吐食物、乳片，脘腹胀满疼痛，大便酸臭，手足心热，舌质红，苔白厚或黄厚腻，脉弦滑，指纹紫滞	消乳化食，和中导滞	乳积者，选消乳丸；食积者，选保和丸
脾虚夹积证	面色萎黄，形体消瘦，神疲肢倦，不思乳食，食则饱胀，腹满喜按，大便稀溏酸臭、夹有乳片或不消化食物残渣，舌质淡，苔白腻，脉细滑，指纹淡滞	健脾助运，消食化滞	健脾丸

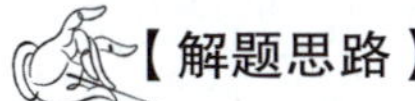

辨证论治相关知识点，考试多以 A2 型题为主。

金题直击

2. 患儿，2 岁 4 个月。平素形体消瘦，面色萎黄，乏力食少，近日过食甜点后，进食更少，且稍食则饱胀，腹满喜按，大便溏、酸臭、夹有不消化食物，舌质淡红，苔白腻，指纹淡滞，治疗应首选的方剂是

A. 消乳丸　　B. 八珍汤

C. 健脾丸　　D. 肥儿丸

E. 保和丸

【答案】C

【解题思路】

本题根据腹满喜按，大便溏、酸臭、夹有不消化食物，诊断为积滞；根据平素形体消瘦、面色萎黄、乏力食少，辨证为脾虚夹积证，方剂选健脾丸。

第六节 疳 证

一、发病特点

1. 临床表现 以形体消瘦、面色无华、毛发干枯、精神萎靡或烦躁、饮食异常为特征。

2. 发病年龄 5 岁以下小儿。

二、病因病机

1. 病因 以饮食不节、喂养不当、营养失调、疾病影响、药物过伤以及先天禀赋不足为常见。

2. 病位 脾胃。

3. 病机 脾胃受损、气血津液耗伤。若脾胃受损，纳化失健，生化乏源，气血津液亏耗，日久则形成疳证。干疳及疳积重症阶段，诸脏失养，必累及其他脏腑，出现各种兼证（表 5-15）。

表 5-15　疳证的兼证及其临床表现

表现	兼证
脾病及肝，而见视物不清，夜盲目翳	眼疳
脾病及心，而见口舌生疮	口疳
脾病及肺，而见咳喘、潮热	肺疳
脾病及肾，久致骨骼畸形	骨疳
脾虚不运，气不化水，水湿泛滥	疳肿胀

命题趋势　疾病病机的相关知识点，考试多以 A1、B1 型题为主。

金题直击

1. 疳证的基本病理改变为

A. 脾胃虚弱，运化失健　　B. 脾胃虚弱，乳食停滞

C. 脾失运化，水湿内停　　D. 脾胃不和，生化乏源

E. 脾胃受损，津液消亡

【答案】E

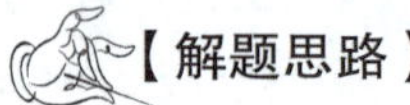
【解题思路】

脾胃受损，纳化失健，生化乏源，气血津液亏耗，则脏腑、肌肉、筋骨、皮毛无以濡养，日久则形成疳证。

三、诊断与鉴别诊断

1. 诊断要点　疳证的诊断要点见表 5-16。

表 5-16　疳证的诊断要点

要点	内容
病史	有喂养不当或病后饮食失调及长期消瘦史
表现	形体消瘦，体重低于正常同年龄儿童平均值 15% 以上，面色不华，毛发稀疏枯黄；严重者干枯羸瘦，体重低于 40% 以上。有饮食异常，大便干稀不调，或脘腹膨胀等明显脾胃功能失调症状、兼有精神不振，或好发脾气、烦躁易怒，或喜揉眉擦眼，或吮指磨牙等症
实验室检查	贫血者，血红蛋白及红细胞减少。出现肢体浮肿，属于疳肿胀（营养性水肿）者，血清总蛋白大多在 45g/L 以下，血清白蛋白常在 20g/L 以下

2. 鉴别诊断　疳证需与厌食及积滞相鉴别（表 5-17）。

表 5-17　疳证的鉴别诊断

疾病	表现
厌食	以长期食欲不振、食量减少、厌恶进食为主症，无明显消瘦，精神尚好；病在脾胃，不涉及他脏；一般预后良好
积滞	以不思乳食、食而不化、脘腹胀满、大便酸臭为特征；若积久不消，影响水谷精微化生，致形体日渐消瘦，可转化为疳证

四、辨证论治

1. 辨证要点　常证应以八纲辨证为纲，重在辨清虚、实，分为疳气、疳积、干疳三种证候；兼证宜以脏腑辨证为纲，以分清疳证所累及之脏腑。

2. 治疗原则　以健运脾胃为主。

3. 分证论治

（1）常证的分证论治（表 5-18）

表 5-18　疳证常证的分证论治

证型	证候	治法	方剂
疳气证	形体略瘦，面色少华，毛发稀疏，不思饮食，精神欠佳，性急易怒，大便干稀不调，舌质淡，苔薄微腻，脉细有力	调脾健运	资生健脾丸
疳积证	形体明显消瘦，面色萎黄，肚腹膨胀，甚则青筋暴露，毛发稀疏结穗，性情烦躁，或见揉眉挖鼻、吮指磨牙，或嗜食异物，舌质淡苔腻，脉沉细而滑	消积理脾	肥儿丸
干疳证	形体极度消瘦，皮肤干瘪起皱，大肉已脱，皮包骨头，貌似老人，毛发干枯，面色㿠白，精神萎靡，啼哭无力，腹凹如舟，杳不思食，大便稀溏或便秘，舌质淡嫩，苔少，脉细弱	补益气血	八珍汤

（2）兼证的分证论治（表 5-19）

表 5-19　疳证兼证的分证论治

证型	证候	治法	方剂
眼疳证	两目干涩，畏光羞明，眼角赤烂，甚则黑睛混浊，白翳遮睛	养血柔肝，滋阴明目	石斛夜光丸
口疳证	口舌生疮，甚或满口糜烂，秽臭难闻，面赤心烦，夜卧不宁，小便短黄，或吐舌、弄舌，舌质红，苔薄黄，脉细数	清心泻火，滋阴生津	泻心导赤散
疳肿胀证	足踝浮肿，甚或颜面及全身浮肿，面色无华，神疲乏力，四肢欠温，小便不利，舌质淡嫩，苔薄白，脉沉迟无力	健脾温阳，利水消肿	防己黄芪汤合五苓散

命题趋势　具体证型表现的相关知识点，考试多以 A1、B1 型题为主。

金题直击

2. 辨别疳证之有积无积，主要看是否有

A. 大便夹不消化物　　B. 恶心呕吐

C. 脘腹胀满　　D. 大便排出蛔虫

E. 食欲不振

【答案】C

【解题思路】

疳积证的表现为形体明显消瘦，面色萎黄，肚腹膨胀，甚则青筋暴露，毛发稀疏结穗。

第七节　腹　痛

一、发病特点

小儿腹痛是小儿时期常见的一种病证，是指小儿胃脘以下、脐周及耻骨以上部位发生的疼痛，具体可分为胃脘以下、脐部以上的大腹痛；脐周部位的脐腹痛；脐部以下正中部位的小腹痛；脐部以下小腹两侧或一侧的少腹痛。腹痛为一种临床症状，可在多种内科及外科疾病中出现，其发病无季节性，任何年龄都可发生。

二、病因病机

1. 病因　因腹部中寒，或因乳食积滞，或因胃肠结热，或因素体脾胃虚寒，或因瘀血内阻所致。

2. 病位　脾、胃、大肠，亦与肝有关。

3. 病机　气机不畅，气血运行受阻。病初多以实证为主，若因素体虚弱气滞血瘀者，则属虚实夹杂或虚多实少之证。

三、诊断要点与鉴别诊断

（一）诊断要点

1. 病史 患儿可有外感寒邪、伤于乳食、脾胃虚寒、情志不畅等病史或诱因。

2. 临床表现

（1）表现在胃脘部、脐周部位、小腹两侧或一侧部位、下腹部正中部位。

（2）腹痛时作时止、时轻时重，常有反复发作、发作后自行缓解的特点。

（3）疼痛的性质可有隐痛、钝痛、胀痛、刺痛、掣痛等。

（4）除外腹部器官器质性病变、全身性疾病及腹部以外器官疾病引起的腹痛。

3. 实验室及特殊检查 血、尿、便检查，腹部超声波检查、X 线检查等有助于临床诊断及鉴别诊断。腹腔穿刺、胃镜、腹腔镜、CT 等，根据病情及临床需要选择。

（二）鉴别诊断

1. 腹部器官与非腹部器官引起的腹痛鉴别 应排除肛门、尿道、四肢、腰背等疼痛；应注意全身查体；注意腹泻、呕吐等胃肠症状。此外，呼吸道感染、病毒性心肌炎、代谢性疾病以及腹型癫痫等均可致急性腹痛。

2. 腹部器质性病变腹痛与功能性腹痛鉴别 器质性病变指某器官有病理解剖上的变化，如阑尾炎、肠梗阻、腹膜炎、消化性溃疡等。器质性病变引起的腹痛比较持续，体征较固定，只要病变继续存在，腹痛也存在，有时还可由于肠蠕动或暂时的痉挛而引起阵发性腹痛加剧。

3. 急腹症的鉴别 包括腹腔内脏器急性炎症、腹膜炎、肠梗阻及腹部损伤等。腹腔内脏器急性炎症主要症状为腹痛，继之发热，白细胞升高，腹部出现局限范围的压痛、肌紧张、反跳痛。腹膜炎以腹部出现局限或全腹压痛、肌紧张、反跳痛，腹胀，肠鸣音减弱或消失为主要表现。肠梗阻的主要症状为阵发性腹绞痛、呕吐、无大便等。腹部损伤则多有外伤史及腹膜刺激征表现。

四、辨证论治

1. 辨证要点 本病辨证要考虑腹痛发生的部位、性质。

2. 治疗原则 本病以调理气机，和中缓急为基本治则。

3. 分证论治 腹痛的分证论治见表 5-20。

表 5-20 腹痛的分证论治

证型	证候	治法	方剂
腹部中寒证	腹部拘急疼痛、得温则舒，遇寒痛甚，痛处喜暖，面色苍白，痛甚者髓冷汗出，唇色紫暗，肢冷不温，或兼吐泻，小便清长，舌质淡，苔白滑，脉沉弦紧，指纹红	温中散寒，理气止痛	养脏汤
乳食积滞证	脘腹胀满、按之痛甚，嗳腐吞酸，不思乳食，矢气频作或腹痛欲泻，泻后痛减，或有呕吐，吐物酸嗖，大便秽臭，夜卧不安，时时啼哭，舌质红，苔厚腻，脉沉滑，指纹紫滞	消食导滞，行气止痛	香砂平胃散
胃肠结热证	腹痛胀满，疼痛拒按，大便秘结，烦躁口渴，手足心热，口唇舌红，舌苔黄燥，脉滑数或沉实，指纹紫滞	通腑泄热，行气止痛	大承气汤
脾胃虚寒证	腹痛绵绵、时作时止，痛处喜按、得温则舒，面白少华，精神倦怠，手足清冷，乳食减少，或食后腹胀，大便稀溏，舌质淡，苔白，脉沉缓，指纹淡红	温中理脾，缓急止痛	小建中汤合理中汤
气滞血瘀证	腹痛经久不愈，痛有定处，痛如针刺，或腹部癥块拒按，肚腹硬胀，青筋显露，舌质紫暗或有瘀点，脉涩，指纹紫滞	活血化瘀，行气止痛	少腹逐瘀汤

第八节 便 秘

一、发病特点

便秘是指大便干燥坚硬，秘结不通，排便时间间隔延长，或虽有便意但排出困难的一种病证。本病可发生于任何年龄，一年四季均可发病。

二、病因病机

1. 病因 饮食因素、情志因素、正虚因素及热病伤津。

2. 病位 大肠，与脾、肝、肾三脏相关。

3. 病机 关键是大肠传导功能失常。脾胃升降功能失常，或肝气失疏则胃失和降，或肾气失煦，脾胃升降无力，导致大肠传导失职而形成便秘。

三、诊断要点与鉴别诊断

（一）诊断要点

1. 病史 患儿可有喂养不当、挑食、偏食、外感时邪、情志不畅、脏腑虚损等病史。

2. 临床表现

（1）不同程度的大便干燥，轻者仅大便前部干硬，重者大便坚硬，状如羊屎。

（2）排便次数减少，间隔时间延长，常 2 ～ 3 日排便 1 次，甚者可达 6 ～ 7 日排便 1 次，或虽排便间隔时间如常，但排便艰涩或时间延长，或便意频频，难以排出或排净。

（3）伴有腹胀、腹痛、食欲不振、排便哭闹等症。可因便秘而发生肛裂、便血、痔疮。部分患儿左下腹部可触及粪块。

（二）鉴别诊断

1. 先天性巨结肠 主要表现为顽固性便秘，新生儿有胎便排出延迟，小儿便秘症状进行性加重，伴有严重腹胀、消瘦、生长发育落后等。钡剂灌肠检查显示近直肠 - 乙状结肠处狭窄，上段结肠异常扩大。

2. 机械性肠梗阻 主要表现为急性便秘，伴阵发性剧烈腹痛腹胀、恶心呕吐、肠鸣音亢进。腹部 X 线检查显示多个扩张肠袢及较宽液平面，结肠远端及直肠无气。

四、辨证论治

1. 辨证要点 本病辨证，应首辨虚实，继辨寒热。

2. 治疗原则 本证治疗，以润肠通便为基本法则。

3. 分证论治 便秘的分证论治见表 5-21。

表 5-21 便秘的分证论治

证型	证候	治法	方剂
食积便秘证	大便秘结，脘腹胀满，不思饮食，或恶心呕吐，或有口臭，手足心热，小便黄少，舌质红，苔黄厚，脉沉有力，指纹紫滞	消积导滞通便	枳实导滞丸
燥热便秘证	大便干结，排便困难，甚则便秘不通，面赤身热，腹胀或痛，小便短赤，或口干口臭，或口舌生疮，舌质红，苔黄燥，脉滑实，指纹紫滞	清热润肠通便	麻子仁丸
气滞便秘证	大便秘结，欲便不得，甚或胸胁痞满，腹胀疼痛，嗳气频作，舌质红，苔薄白，脉弦，指纹滞	理气导滞通便	六磨汤
气虚便秘证	时有便意，大便不干燥，仍努挣难下，排便时汗出气短，便后神疲乏力，面色少华，舌质淡，苔薄，脉虚弱，指纹淡红	益气润肠通便	黄芪汤
血虚便秘证	大便干结、艰涩难下，面白无华，唇甲色淡，心悸目眩，舌质淡嫩，苔薄白，脉细弱，指纹淡	养血润肠通便	润肠丸

第九节 营养性缺铁性贫血

一、发病特点

1. 定义 营养性缺铁性贫血，是由于体内铁缺乏致使血红蛋白合成减少而引起的一种小细胞低色素性贫血，属于中医学“血虚”范畴。

2. 发病年龄 多见于婴幼儿，尤以 6 个月～ 3 岁最常见。

3. 临床表现 轻度贫血可无自觉症状；中度以上的贫血，可出现头晕乏力、纳呆、烦躁等症，并有不同程度的面色苍白，以及指甲、口唇和睑结膜苍白。

二、病因病机及病位

1. 病因 先天禀赋不足，后天喂养不当，或感染诸虫、疾病损伤等，皆可导致贫血。
2. 病位 脾、肾、心、肝。
3. 病机 血虚不荣。

三、诊断与鉴别诊断

1. 诊断要点 营养性缺铁性贫血的诊断要点见表 5-22。

表 5-22 营养性缺铁性贫血的诊断要点

要点	内容
病史	有明确的缺铁病史，如铁供给不足、吸收障碍、需要增多或慢性失血等
表现	发病缓慢，皮肤黏膜逐渐苍白或苍黄，以口唇、口腔黏膜及甲床最为明显，神疲乏力，食欲减退。年长儿有头晕等症状。部分患儿可有肝脾肿大
实验室检查	贫血为小细胞低色素性，平均血红蛋白浓度（MCHC）＜ 31%，红细胞平均体积（MCV）＜ 80fL，平均血红蛋白（MCH）＜ 27pg；3 个月～ 6 岁血红蛋白＜ 110g/L，6 岁以上血红蛋白＜ 120g/L；血清铁、总铁结合力、运铁蛋白饱和度、红细胞原卟啉、血清铁蛋白等异常；铁剂治疗有效，用铁剂治疗 6 周后，血红蛋白上升 20g/L 以上

2. 病情分度 营养性缺铁性贫血的病情分度见表 5-23。

表 5-23 营养性缺铁性贫血的病情分度

分型	血红蛋白计数（g/L）	白细胞计数（$\times 10^{12}$/L）
轻度	90 ～ 110（6 个月～ 6 岁） 90 ～ 120（6 岁以上）	3 ～ 4
中度	60 ～ 90	2 ～ 3
重度	30 ～ 60	1 ～ 2
极重度	＜ 30	＜ 1

命题趋势 疾病的临床表现的相关知识点，考试多以 A1、B1 型题为主。

金题直击

1. 诊断 3 个月～ 6 岁小儿营养性缺铁性贫血的标准，其血红蛋白值应低于的数值是

A. 80g/L B. 90g/L
C. 100g/L D. 110g/L
E. 120g/L

【答案】D

【解题思路】

3 个月～ 6 岁小儿营养性缺铁性贫血的诊断标准是血红蛋白＜ 110g/L，故本题答案选 D。

3. 鉴别诊断 营养性缺铁性贫血需与再生障碍性贫血及营养性巨幼红细胞性贫血相鉴别（表 5-24）。

表 5-24 营养性缺铁性贫血的鉴别诊断

疾病	表现	检查
再生障碍性贫血（再障）	又称全血细胞减少症，临床以贫血、出血、感染等为特征	外周血象检查呈全血减低现象。骨髓象多部位增生减低

续表

疾病	表现	检查
营养性巨幼红细胞性贫血	维生素 B_{12} 缺乏和（或）叶酸缺乏为主要病因，临床除贫血表现外，并有神经系统表现，重则出现震颤、肌无力等	血象呈大细胞性贫血。骨髓象增生明显活跃，以红细胞系统增生为主，各期幼红细胞均出现巨幼变

四、辨证论治

1. 辨证要点 以气血阴阳辨证与脏腑辨证相结合。本病总有气血亏虚、阴阳不足，需进一步辨其轻重，主要根据临床表现结合实验室检查分度判断。

2. 治疗原则 补其不足、培其脾肾、化生气血。

治疗基本原则相关知识点，考试多以 A1、B1 型题为主。

金题直击

2. 营养性缺铁性贫血的治疗原则是

A. 健脾益气，滋生化源　　B. 健运脾胃，益气养血

C. 滋养肝肾，益精生血　　D. 补血养心，益气生血

E. 培补脾肾，化生气血

【答案】E

【解题思路】

营养性缺铁性贫血属于中医学“血虚”范畴，虚证治法，以补为主，强调补先天肾脏与后天脾脏，气血充足，则血虚自然好转。

3. 分证论治 营养性缺铁性贫血的分证论治见表 5-25。

表 5-25 营养性缺铁性贫血的分证论治

证型	证候	治法	方剂
脾胃虚弱证	长期纳食不振，神疲乏力，形体消瘦，面色苍黄，唇淡甲白，大便不调，舌质淡，苔白，脉细无力，指纹淡红	健运脾胃，益气养血	六君子汤
心脾两虚证	面色萎黄或苍白，唇淡甲白，发黄稀疏，时有头晕目眩，心悸心慌，夜寐欠安，语声不振甚至低微，体倦乏力，食欲不振，舌质淡红，脉细弱，指纹淡红	补脾养心，益气生血	归脾汤
肝肾阴虚证	面色、皮肤黏膜苍白，爪甲色白易脆，发育迟缓，头晕目涩，两颧潮红，潮热盗汗，毛发枯黄，四肢震颤抽动，舌质红，苔少或光剥，脉弦数或细数	滋养肝肾，益精生血	左归丸
脾肾阳虚证	面色㿠白，唇舌爪甲苍白，精神不振，纳谷不香，发育迟缓，毛发稀疏，四肢不温，舌质淡，苔白，脉沉细无力，指纹淡	温补脾肾，益阴养血	右归丸

五、西医治疗

使用铁剂治疗。同时口服维生素 C 有助吸收，服用至血红蛋白达正常水平后 2 个月左右再停药。

命题趋势
西医治疗相关知识点，考试多以 A1 型题为主。

金题直击

3. 患儿，2 岁。面色苍白，唇淡甲白，发黄稀疏，神疲乏力，形体消瘦 3 个月，诊断为“营养性缺铁性贫血”，西药选用铁剂治疗后，正确的停药时间为血红蛋白

A. 开始升高时　　B. 达正常时

C. 达正常后 2 个月左右　　D. 达正常后 4 个月左右

E. 达正常后 6 个月左右

【答案】C

【解题思路】

一般用硫酸亚铁口服，每次 5 ～ 10mg/kg，1 日 2 ～ 3 次，同时口服维生素 C 有助吸收，服用至血红蛋白达正常水平后 2 个月左右再停药。

高频考点速递

1. 鹅口疮　以口腔、舌上满布白屑为主要临床特征。
2. 口疮　以齿龈、舌体、两颊、上腭等处出现黄白色溃疡，疼痛流涎，或伴发热为特征。
3. 泄泻的病因　感受外邪、伤于饮食、脾胃虚弱。
4. 积滞　以消食化积、理气行滞为基本治疗原则。
5. 疳证基本病理改变　脾胃受损、气血津液耗伤。
6. 营养性缺铁性贫血病变涉及脏腑　脾、肾、心、肝。

第六单元　心肝病证

考情分析

单元	年份 级别	2019	2020	2021	2022	2023
心肝病证	执业	3	2	2	3	3
	助理	2	2	2	2	1

第一节　夜啼（助理不考）

一、发病特点

1. **定义**　小儿白天能安静入睡，入夜则啼哭不安，时哭时止，或每夜定时啼哭，甚则通宵达旦，称为夜啼。
2. **发病年龄**　多见于新生儿及婴儿。

二、病因病机

本病主要由脾寒、心热、惊恐所致。脾寒腹痛是导致夜啼的常见病因。心火上炎，心神不安而啼哭不止。心藏神而主惊，惊则伤神，恐则伤志，致使心神不宁，神志不安，寐中惊惕，因惊而啼。

三、诊断与鉴别诊断

1. **诊断要点**　婴儿难以查明原因的夜啼，临证必须详细询问病史，仔细检查身体，必要时辅以有关实验室检查，排除外感发热、口疮、肠套叠、寒疝等疾病，以免贻误患儿病情。
2. **鉴别诊断**　夜啼需与不适和拗哭相鉴别（表 6-1）。

表 6-1　夜啼的鉴别诊断

名称	表现
不适	小儿夜间若哺食不足或过食，尿布潮湿未及时更换，环境及衣被过冷或过热，襁褓中夹有硬件异物等，均可引起婴儿不适而啼哭，采取相应措施后则婴儿啼哭即止
拗哭	有些婴儿因不良习惯而致夜间啼哭，如夜间开灯方寐、摇篮中摇摆方寐、怀抱方寐、边走边拍方寐的习惯等，纠正不良习惯后啼哭可以停止

四、辨证论治

1. 辨证要点 辨证重在辨别轻重缓急，寒热虚实。虚实寒热的辨别要以哭声的强弱、持续时间的长短、兼症的属性来辨别。辨证要与辨病相结合，不可将他病引起的啼哭误作夜啼，延误病情。

2. 治疗原则 脾寒气滞，治以温脾行气；心经积热，治以清心导赤；惊恐伤神，治以镇惊安神。

3. 分证论治 夜啼的分证论治见表 6-2。

表 6-2 夜啼的分证论治

证型	证候	治法	方剂
脾寒气滞证	哭声低弱，时哭时止，睡喜蜷曲，腹喜摩按，四肢欠温，吮乳无力，胃纳欠佳，大便溏薄，小便色青，面色青白，唇淡红，舌苔薄白，指纹多淡红	温脾散寒，行气止痛	乌药散合匀气散
心经积热证	哭声较响、见灯尤甚，哭时面赤唇红，烦躁不宁，身腹俱暖，大便秘结，小便短赤，舌尖红，苔薄黄，指纹多紫	清心导赤，泻火安神	导赤散
惊恐伤神证	夜间突然啼哭，似见异物状，神情不安，时作惊惕，紧偎母怀，面色乍青乍白，哭声时高时低、时急时缓，舌苔正常，脉数，指纹色紫	定惊安神，补气养心	远志丸

命题趋势 具体证型表现的相关知识点，考试多以 A1、B1 型题为主。

金题直击

小儿夜啼之脾寒证的主症是

A. 哭声低弱，时哭时止，睡喜蜷曲，腹喜摩按，四肢欠温

B. 哭声较响，面赤唇红

C. 烦躁不宁，身腹俱暖

D. 夜间突然啼哭，似见异物

E. 哭声时高时低、时急时缓，神情不安，时作惊惕，紧偎母怀 【答案】A

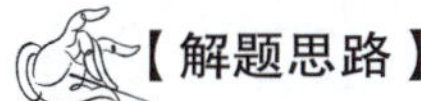
【解题思路】

夜啼分三个证型，脾寒气滞的表现为哭声低弱，时哭时止，睡喜蜷曲，腹喜摩按，四肢欠温，吮乳无力，胃纳欠佳，大便溏薄，小便色清。

第二节 汗 证

一、发病特点

1. 定义 指小儿在安静状态下，正常环境中，全身或局部出汗过多，甚则大汗淋漓的一种病证。

2. 发病年龄 多发生于 5 岁以内小儿。

二、病因

多由体虚所致，主要病因为禀赋不足，调护失宜。

命题趋势 疾病病因的相关知识点，考试多以 A1、B1 型题为主。

金题直击

1. 小儿汗证的常见病因是

A. 气虚　　B. 阴虚

C. 阳虚　　D. 血虚

E. 体虚 【答案】E

【解题思路】

小儿汗证病因主要为气虚和阴虚，都称为体虚。

【易错点】

容易错选成气虚，如果没有体虚这个选项，才可以选气虚。

三、诊断与鉴别诊断

1. 诊断要点 汗证的诊断要点见表6-3。

表6-3 汗证的诊断要点

要点	内容
表现	小儿在安静状态下及正常环境中，全身或局部出汗过多，甚则大汗淋漓
分类	寐则汗出，醒时汗止者，称为盗汗；不分寤寐而汗出过多者，称为自汗
排除其他疾病	排除因环境、活动等客观因素及风湿热、结核病等疾病引起的出汗

2. 鉴别诊断

（1）脱汗：发生于病情危笃之时，出现大汗淋漓，或汗出如油，伴肢冷、脉微、呼吸微弱，甚至神志不清等。

（2）战汗：在恶寒发热时全身战栗，随之汗出淋漓，或但热不寒，或汗出身凉，常出现在热病病程中。

（3）黄汗：汗色发黄，染衣着色如黄柏色，多见于黄疸及湿热内盛者。

四、辨证论治

1. 辨证要点 汗证多属虚证。自汗以气虚阳虚为主；盗汗以阴虚、血虚为主。其辨证要点见表6-4。

表6-4 汗证的辨证要点

证型	辨证要点
肺卫不固证	多汗以头颈胸背为主
营卫失调证	多汗而抚之不温
气阴亏虚证	汗出遍身而伴虚热征象
湿热迫蒸证	汗出肤热

2. 治疗原则 补虚是其基本治疗原则。

3. 分证论治 汗证的分证论治见表6-5。

表6-5 汗证的分证论治

证型	证候	治法	方剂
肺卫不固证	以自汗为主，或伴盗汗，以头部、肩背部汗出明显，活动尤甚，神疲乏力，面色少华，平时易患感冒，舌质淡，苔薄白，脉细弱	益气固表	玉屏风散合牡蛎散
营卫失调证	以自汗为主，或伴盗汗，汗出遍身而抚之不温，畏寒恶风，不发热或伴低热，精神疲倦，胃纳不振，舌质淡红，苔薄白，脉缓	调和营卫	黄芪桂枝五物汤
气阴亏虚证	以盗汗为主，也常伴自汗，形体消瘦，汗出较多，神萎不振，心烦少寐，寐后汗多，或伴低热、口干、手足心灼热，哭声无力，舌质淡，苔少或见剥苔，脉细弱或细数	益气养阴	生脉散、当归六黄汤
湿热迫蒸证	汗出过多，以额、心胸为甚，汗出肤热，汗渍色黄，口臭，口渴不欲饮，小便色黄，舌质红，苔黄腻，脉滑数	清热泻脾	泻黄散

命题趋势 辨证论治相关知识点，考试多以A2型题为主。

金题直击

2. 患儿，3岁。平时易患感冒，自汗，偶有盗汗，汗出以头部、肩背部汗出明显，动则尤甚，神疲乏力，面色少华，舌质淡，苔薄白，脉细弱，治疗应首选的方剂是

A. 桂枝汤　　B. 黄芪桂枝五物汤

C. 黄芪建中汤　　D. 玉屏风散合牡蛎散

E. 生脉散合当归六黄汤

【答案】D

【解题思路】

本题根据自汗，偶有盗汗，诊断为汗证；根据头部、肩背部汗出明显，动则尤甚，辨证为肺卫不固证，方剂选玉屏风散合牡蛎散。

第三节　病毒性心肌炎

一、发病特点

1. 定义　由病毒感染引起的以局限性或弥漫性心肌炎性病变为主的疾病。以神疲乏力、面色苍白、心悸、气短、肢冷、多汗为临床特征。

2. 发病年龄　以3～10岁小儿为多。

命题趋势　疾病好发年龄段的相关知识点，考试多以A1、B1型题为主。

金题直击

1. 病毒性心肌炎好发于

A. 新生儿　　B. 婴儿

C. 1～3岁小儿　　D. 3～5岁小儿

E. 3～10岁小儿

【答案】E

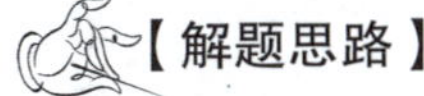
【解题思路】

病毒性心肌炎发病以3～10岁小儿为多。

二、病因病机

小儿素体正气亏虚是发病之内因，温热邪毒侵袭是发病之外因。病机以心脉痹阻，气阴耗伤为主要病理变化，瘀血、痰浊为本病病理产物。病程中或邪实正虚，或以虚为主，或虚中夹实，病机演变多端，可发生心阳暴脱的危证。

三、诊断要点

1. 病史　发病前有感冒、泄泻、风疹等病史。

2. 临床表现

（1）心功能不全、心源性休克或心脑综合征。有明显心悸、胸闷、乏力、气短、面色苍白、肢冷、多汗、脉结代等表现。

（2）心脏听诊可有心音低钝，心率加快，心律不齐，奔马律等。

3. 辅助检查　X线或超声心动图检查示心脏扩大；心电图示Ⅰ、Ⅱ、aVF、V_5导联中2个或2个以上ST-T改变持续4天以上，以及其他严重心律失常；血清肌酸激酶同工酶（CK-MB）升高，心肌肌钙蛋白（cTnI或cTnT）阳性。

4. 分期

（1）急性期：新发病，症状及体征明显且多变，一般病程在半年以内。

（2）迁延期：临床症状反复出现，客观检查指标迁延不愈，病程多在半年以上。

（3）慢性期：进行性心脏增大，反复心力衰竭或心律失常，病情时轻时重，病程在1年以上。

四、辨证论治

1. 辨证要点 首先需辨明虚实：急性期以实证为主；迁延期、慢性期以虚证为主；后遗症期常虚实夹杂。其次应辨别轻重。

2. 治疗原则 扶正祛邪，清热解毒，活血化瘀，温振心阳，养心固本。

3. 分证论治 病毒性心肌炎的分证论治见表6-6。

表6–6 病毒性心肌炎的分证论治

证型	证候	治法	方剂
风热犯心证	发热，低热缠绵，或不发热，鼻塞流涕，咽红肿痛，咳嗽有痰，肌痛肢楚，心悸气短，胸闷胸痛，舌质红，苔薄，脉数或结代	清热解毒，宁心复脉	银翘散
湿热侵心证	寒热起伏，全身肌肉酸痛，恶心呕吐，腹痛泄泻，心悸胸闷，肢体乏力，舌质红，苔黄腻，脉濡数或结代	清热化湿，宁心复脉	葛根黄芩黄连汤
气阴亏虚证	心悸不宁、活动后尤甚，少气懒言，神疲倦怠，烦热口渴，夜寐不安，舌光红少苔，脉细数或促或结代	益气养阴，宁心复脉	炙甘草汤合生脉散
心阳虚弱证	心悸怔忡，神疲乏力，畏寒肢冷，头晕多汗，甚则肢体浮肿，呼吸急促，舌质淡胖或淡紫，脉缓无力或结代	温振心阳，宁心复脉	桂枝甘草龙骨牡蛎汤
痰瘀阻络证	心悸不宁，胸闷憋气，心前区痛如针刺，脘闷呕恶，面色晦暗，唇甲青紫，舌体胖，舌质紫暗，或舌边尖见有瘀点，苔腻，脉滑或结代	豁痰化瘀，宁心通络	瓜蒌薤白半夏汤合失笑散

命题趋势 辨证论治相关知识点，考试多以A2型题为主。

金题直击

2. 患儿，8岁。患心肌炎2年，症见神疲乏力，畏寒肢冷，面色苍白，头晕多汗，舌质淡胖，脉缓无力，治疗应首选的方剂是

A. 银翘散　　B. 生脉散

C. 葛根芩连汤　　D. 失笑散

E. 桂枝甘草龙骨牡蛎汤　　【答案】E

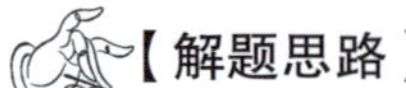
【解题思路】

本题根据患心肌炎2年，诊断为病毒性心肌炎；根据神疲乏力、畏寒肢冷，辨证为心阳虚弱证，方剂选桂枝甘草龙骨牡蛎汤。

五、西医治疗

病毒性心肌炎的西医治疗见表6-7。

表6–7 病毒性心肌炎的西医治疗

分类	临床治疗
重症患儿	重症患儿应卧床休息。心脏扩大及并发心力衰竭者，应延长卧床时间，至少3～6个月
针对心肌治疗	大剂量维生素C，免疫抑制剂。重症患儿可用地塞米松或氢化可的松静脉滴注
心力衰竭	可用强心剂如地高辛或毛花苷丙（西地兰）
严重心律失常	选用心律平、慢心律等抗心律失常药

命题趋势 西医治疗相关知识点，考试多以A1型题为主。

金题直击

3. 病毒性心肌炎伴严重心律失常时，可以选用哪种西药治疗

A. 强心剂　　B. 抗心律失常药
C. 止咳药　　D. 利尿药
E. 镇静药

【答案】B

【解题思路】

严重心律失常，选用心律平、慢心律等抗心律失常药即可。

【易错点】

A 选项为干扰选项，出现心力衰竭时，才需要用强心剂。

第四节　注意力缺陷多动障碍

一、发病特点

注意力缺陷多动障碍以注意力不集中，自我控制差，动作过多，情绪不稳，冲动任性，伴有学习困难，但智力正常或基本正常为主要临床特征，又称轻微脑功能障碍综合征。

命题趋势 疾病的临床表现的相关知识点，考试多以 A1、B1 型题为主。

金题直击

1. 下列各项中，与儿童注意力缺陷障碍密切相关的是

A. 智力较低　　B. 喜欢玩耍
C. 时常会有肢体的不自主抽动　　D. 喜欢玩游戏
E. 注意力不集中

【答案】E

【解题思路】

此类题结合疾病定义，注意力缺陷多动障碍又称轻微脑功能障碍综合征，是一种较常见的儿童时期行为障碍性疾病。以注意力不集中，自我控制差，动作过多，情绪不稳，冲动任性，伴有学习困难，但智力正常或基本正常为主要临床特征。

【易错点】

C 选项为抽动障碍的临床表现。

二、病因病机

1. **病因**　先天禀赋不足，或后天护养不当，外伤，病后，情志失调等。
2. **病位**　心、肝、脾、肾。
3. **病机**　脏腑功能失常，阴阳平衡失调。

三、诊断与鉴别诊断

1. **诊断要点**　注意力缺陷多动障碍的诊断要点见表 6-8。

表 6-8　注意力缺陷多动障碍的诊断要点

要点	内容
年龄	多见于学龄期儿童，男性多于女性
表现	注意力涣散，上课时思想不集中，情绪不稳，冲动任性，动作笨拙，学习成绩差，但智力正常
检查	翻手试验、指鼻试验、指指试验阳性

2. 鉴别诊断 注意力缺陷多动障碍需与正常顽皮儿童相鉴别。

正常顽皮儿童：大部分时间能正常学习，功课作业完成迅速。能遵守纪律，上课一旦出现小动作，经指出即能自我制约而停止。

四、辨证论治

1. 辨证要点 以脏腑、阴阳辨证为纲。

（1）脏腑辨证的辨证要点（表 6-9）

表 6-9 注意力缺陷多动障碍脏腑辨证的辨证要点

脏腑	表现
在心	注意力不集中，情绪不稳定，多梦烦躁
在肝	易于冲动，好动难静，容易发怒，常不能自控
在脾	兴趣多变，做事有头无尾，记忆力差
在肾	脑失精明，学习成绩低下，记忆力欠佳，或有遗尿、腰酸乏力等

（2）阴阳辨证的辨证要点（表 6-10）

表 6-10 注意力缺陷多动障碍阴阳辨证的辨证要点

属性	表现
阴静不足	注意力不集中，自我控制差，情绪不稳，神思涣散
阳亢躁动	动作过多，冲动任性，急躁易怒

2. 治疗原则 以调和阴阳为治疗原则。

3. 分证论治 注意力缺陷多动障碍的分证论治见表 6-11。

表 6-11 注意力缺陷多动障碍的分证论治

证型	证候	治法	方剂
肝肾阴虚证	多动难静，急躁易怒，冲动任性，难以自控，神思涣散，注意力不集中，或有遗尿、腰酸乏力，或有五心烦热、盗汗、大便秘结，舌质红，舌苔薄，脉细弦	滋养肝肾，平肝潜阳	杞菊地黄丸
心脾两虚证	神思涣散，注意力不能集中，神疲乏力，形体消瘦或虚胖，多动而不暴躁，言语冒失，做事有头无尾，睡眠不实，记忆力差，伴自汗盗汗，偏食纳少，面色无华，舌质淡，苔薄白，脉虚弱	养心安神，健脾益气	归脾汤合甘麦大枣汤
痰火内扰证	多动多语，烦躁不宁，冲动任性，难以制约，兴趣多变，注意力不集中，胸中烦热，懊恼不眠，纳少口苦，便秘尿赤，舌质红，苔黄腻，脉滑数	清热泻火，化痰宁心	黄连温胆汤

命题趋势 辨证论治相关知识点，考试多以 A2 型题为主。

金题直击

2. 男孩，8 岁。症见多动多语，冲动任性，难于制约，注意力不集中，胸中烦热，懊恼不眠，便秘尿赤，舌质红，苔黄腻，脉滑数，治疗应首选方剂是

A. 清心涤痰汤　　B. 泻心导赤散

C. 龙胆泻肝汤　　D. 泻心汤

E. 黄连温胆汤

【答案】E

【解题思路】

本题根据冲动任性、难于制约、注意力不集中，诊断为多动症；根据苔黄腻、脉滑数，辨证为痰火内扰证，方剂选黄连温胆汤。

第五节 抽动障碍（助理不考）

一、发病特点

1. 临床表现 主要表现为不自主、无目的、反复、快速的一个部位或多部位肌群运动抽动和发声抽动，并可伴发其他行为症状，包括注意力不集中、多动、自伤和强迫障碍等。

2. 发病年龄 2～12岁之间，男孩发病率较女孩约高3倍。

二、病因病机

1. 病因 与先天禀赋不足、产伤、窒息、感受外邪、情志失调等因素有关，多由五志过极、风痰内蕴而引发。

2. 病位 在肝，与心、脾、肾密切相关。

3. 病机 肝风内动。

疾病病因的相关知识点，考试多以A1、B1型题为主。

金题直击

1. 抽动障碍的病因是

A. 脏腑阴阳失调

B. 元气未充，心神怯弱

C. 五志过极，风痰内蕴

D. 脾虚肝旺，肝风扰动

E. 肝常有余，肝风内动

【答案】C

【解题思路】

题干中问抽动障碍的病因，参考痰病的证型，情志致病，气郁为主，郁而化火，脾虚生痰，阴虚风动，所以选C。

【易错点】

容易错选成E，E没有考虑脾虚和阴虚的证型，不够全面。

三、诊断要点

抽动障碍的诊断要点见表6-12。

表6-12 抽动障碍的诊断要点

要点	内容
年龄	2～12岁
病史	有痰病后及情志失调的诱因，或有家族史
表现	不自主的眼、面、颈、肩及上下肢肌肉快速收缩，以固定方式重复出现，无节律性，入睡后消失。在抽动时，可出现异常的发声，如咳声、呻吟声或粗言秽语；抽动能受意志遏制，可暂时不发作；病状呈慢性过程，但病程呈明显波动性
实验室检查	多无特殊异常，脑电图正常或非特异性异常。智力测试基本正常

四、辨证论治

1. 辨证要点 以八纲辨证为主，重在辨阴阳虚实。其标在风火痰湿；其本在肝脾肾三脏，尤与肝最为密切。往往三脏合病，虚实并见，风火痰湿并存，变异多端。

2. 治疗原则 以平肝息风为基本原则。

3. 分证论治 抽动障碍的分证论治见表6-13。

表 6-13　抽动障碍的分证论治

证型	证候	治法	方剂
外风引动证	喉中异声或秽语，挤眉眨眼，每于感冒后症状加重，常伴鼻塞流涕，咽红咽痛，或有发热，舌淡红，苔薄白，脉浮数	疏风解表，息风止动	银翘散
肝亢风动证	摇头耸肩，挤眉眨眼，噘嘴踢腿，抽动频繁有力，不时喊叫，声音高亢，急躁易怒，自控力差，伴头晕头痛，面红目赤，或腹动胁痛，便干尿黄，舌红苔黄，脉弦数	平肝潜阳，息风止动	天麻钩藤饮
痰火扰神证	肌肉抽动有力，喉中痰鸣，异声秽语，偶有眩晕，睡眠多梦，喜食肥甘，烦躁易怒，口干口苦，大便秘结，小便短赤，舌红苔黄，脉滑数	清热化痰，息风止动	黄连温胆汤
脾虚肝旺证	抽动无力，时轻时重，眨眼皱眉，噘嘴搐鼻，腹部抽动，喉出怪声，精神倦怠，面色萎黄，食欲不振，形瘦性急，夜卧不安，大便不调，舌质淡，苔薄白或薄腻，脉细或细弦	扶土抑木，调和肝脾	缓肝理脾汤
阴虚风动证	挤眉弄眼，摇头扭腰，肢体抖动，咽干清嗓，形体偏瘦，性情急躁，两颧潮红，五心烦热，睡眠不安，大便偏干，舌质红少津，苔少或花剥，脉细数或弦细无力	滋水涵木，柔肝息风	大定风珠

命题趋势　辨证论治相关知识点，考试多以 A2 型题为主。

金题直击

2. 患儿，男，11 岁。形体消瘦，3 年来经常挤眉眨眼，耸肩摇头，有时肢体震颤并口出秽语，时轻时重，手足心热，睡眠不安，舌质红绛，舌苔光剥，脉细数，治疗应首选的方剂是

A. 大补阴丸　　B. 地黄饮子

C. 镇肝息风汤　　D. 大定风珠

E. 三甲复脉汤

【答案】D

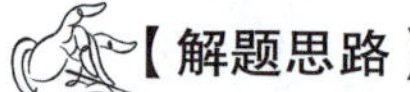【解题思路】

本题根据挤眉眨眼、耸肩摇头、肢体震颤，诊断为抽动障碍；根据舌苔光剥、脉细数，诊断为阴虚风动证，方剂选大定风珠。

第六节　惊　风

1. 定义　惊风是小儿时期常见的急重病证，可发生在许多疾病之中，临床以抽搐、神昏为主要症状。

2. 发病年龄　1～5 岁儿童发病率最高。

3. 主要表现　搐、搦、掣、颤、反、引、窜、视，古人称之为惊风八候。

急惊风

一、发病特点

急惊风为痰、热、惊、风四证俱备，临床以高热、抽风、神昏为主要表现，多由外感时邪、内蕴湿热和暴受惊恐而引发。

命题趋势　疾病的临床表现的相关知识点，考试多以 A1、B1 型题为主。

金题直击

1. 急惊风的“四证”是

A. 风、火、急、热　　B. 风、痰、热、惊

C. 痰、积、惊、热　　D. 惊、热、痰、火

E. 痰、火、积、热

【答案】B

【解题思路】

急惊风为痰、热、惊、风四证俱备。

二、病因病机

1. **病因** 外感时邪，内蕴湿热，暴受惊恐。
2. **病位** 心、肝。
3. **病机** 邪陷厥阴，蒙蔽心窍，引动肝风。

三、诊断要点

急惊风的诊断要点见表 6-14。

表 6-14 急惊风的诊断要点

要点	内容
病史	有接触疫疠之邪或暴受惊恐史
年龄	多见于 3 岁以下婴幼儿，5 岁以上则逐渐减少
表现	以四肢抽搐、颈项强直、角弓反张、神志昏迷为主要临床表现
原发疾病	有明显的原发疾病，如感冒、肺炎喘嗽、疫毒痢、流行性腮腺炎、流行性乙型脑炎等。中枢神经系统感染者，神经系统检查病理反射阳性
实验室检查	必要时可做大便常规、大便细菌培养、血培养、脑脊液等检查

四、辨证论治

1. **辨证要点** 急惊风的辨证要点见表 6-15。

表 6-15 急惊风的辨证要点

要点	内容
辨表热、里热	神昏、抽搐为一过性，热退后抽搐自止，为表热
	高热持续，反复抽搐，昏迷，为里热
辨痰热、痰火、痰浊	神志昏迷，高热痰鸣，为痰热上蒙清窍
	妄言谵语，狂躁不宁，为痰火上扰清窍
	深度昏迷，嗜睡不动，为痰浊内陷心包，蒙蔽心神
辨外风、内风	外风邪在肌表，清透宣解即愈，如高热惊厥，为一过性证候，热退惊风可止
	内风病在心肝，热、痰、风三证俱全，反复抽搐，神志不清，病情严重
辨外感惊风，区别时令、季节与原发疾病	六淫致病，春季以春温为主，兼夹火热，症见高热、抽风、神昏、呕吐、发斑
	夏季以暑热为主，暑必夹湿，暑喜归心，其症以高热、神昏为主，兼见抽风，常热、痰、风三证俱全
	夏季高热、抽风、昏迷，伴下痢脓血，则为湿热疫毒，内陷厥阴
辨轻重	一般说来，抽风发作次数较少（仅 1 次），持续时间较短（5 分钟以内），发作后无神志障碍者，为轻症
	发作次数较多（2 次以上），或抽搐时间较长，发作后神志不清者，为重症

2. **治疗原则** 急惊风以清热、豁痰、镇惊、息风为基本原则。

命题趋势 治疗基本原则相关知识点，考试多以 A1、B1 型题为主。

金题直击

2. 急惊风治疗原则不包括

A. 清热　　B. 镇惊

C. 息风　　　　D. 豁痰

E. 开窍　　　　【答案】E

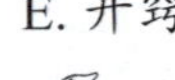【解题思路】

急惊风四证为痰、热、惊、风，对症治疗，即豁痰、清热、镇惊、息风。

3. 分证论治　急惊风的分证论治见表6-16。

表6-16　急惊风的分证论治

证型	证候	治法	方剂
风热动风证	起病急骤，发热，咳嗽，鼻塞，流涕，咳嗽，咽痛，随即出现烦躁、神昏、抽搐，舌苔薄白或薄黄，脉浮数	疏风清热，息风定惊	银翘散
气营两燔证	盛夏之季，起病急，壮热多汗，头痛项强，恶心呕吐，烦躁嗜睡，抽搐，口渴便秘，舌质红，苔黄，脉弦数；病情严重者高热不退，反复抽搐，神志昏迷，舌质红，苔黄腻，脉滑数	清热凉营，息风开窍	清瘟败毒饮
邪陷心肝证	起病急骤，高热不退，烦躁口渴，谵语，神志昏迷，反复抽搐，两目上视，舌质红，苔黄腻，脉数	平肝息风，清心开窍	羚角钩藤汤
湿热疫毒证	持续高热，频繁抽风，神志昏迷，谵语，腹痛呕吐，大便黏腻或夹脓血，舌质红，苔黄腻，脉滑数	清热化湿，解毒息风	黄连解毒汤合白头翁汤
惊恐惊风证	暴受惊恐后惊惕不安，身体战栗，喜投母怀，夜间惊啼，甚则惊厥、抽风，神志不清，大便色青，脉律不整，指纹紫滞	镇惊安神，平肝息风	琥珀抱龙丸

　辨证论治相关知识点，考试多以A2型题为主。

金题直击

3. 患儿，男，3岁。突然出现神昏惊厥，伴发热头痛，咳嗽流涕，咽红，舌苔薄黄，脉浮数，治疗首选方剂是

A. 柴葛解肌汤　　　　B. 银翘散

C. 羚角钩藤汤　　　　D. 桑菊饮

E. 紫雪　　　　【答案】B

【解题思路】

本题根据神昏惊厥，诊断为惊风；根据舌苔薄黄、脉浮数、辨证为风热动风证，方剂选银翘散。

五、西医治疗

尽快控制惊厥发作，确定发热的原因，退热和抗感染同时进行（表6-17）。

表6-17　急惊风西医治疗

方法	内容
退热	物理降温，药物降温
抗惊厥	地西泮（安定）静脉缓慢注射，水合氯醛保留灌肠，苯巴比妥钠肌内注射
预防脑损伤	减轻惊厥后脑水肿

慢惊风

一、发病特点

慢惊风来势缓慢，抽搐无力，时作时止，反复难愈，常伴昏迷、瘫痪等症。

二、病因病机

慢惊风的病因病机见表6-18。

表 6-18　慢惊风的病因病机

病因	病机
暴吐暴泻，或他病妄用汗、下之法	中焦受损，脾胃虚弱。脾土既虚，则脾虚肝旺，肝亢化风，致成慢惊之证
胎禀不足，脾胃素虚，复因吐泻日久，或误服寒凉，伐伤阳气	脾阳微弱，阴寒内盛，不能温煦筋脉，而致时时搐动之慢脾风证
急惊风迁延失治，或温热病后期，阴液亏耗	肝肾精血不足，阴虚内热，灼伤筋脉，以致虚风内动而成慢惊

三、诊断要点

慢惊风的诊断要点见表 6-19。

表 6-19　慢惊风的诊断要点

要点	内容
病史	有反复呕吐、长期泄泻、急惊风、解颅、佝偻病、初生不啼等病史
表现	多起病缓慢，病程较长。症见面色苍白，嗜睡无神，抽搐无力，时作时止，或两手颤动，筋惕肉瞤，脉细无力
实验室检查	血液生化、脑电图、脑脊液、头颅 CT 等检查

四、辨证论治

1. 辨证要点　辨证多属虚证，继辨脾、肝、肾及阴、阳。

命题趋势　疾病病位的相关知识点，考试多以 A1、B1 型题为主。

金题直击

4. 慢惊风的病变主要在

A. 心、肝、肺　　B. 肝、脾、肺

C. 心、脾、肾　　D. 肝、脾、肾

E. 心、肝、肾

【答案】D

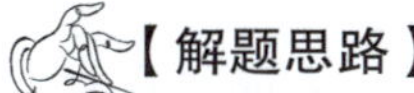

【解题思路】

题干中问慢惊风的病位，参考疾病的证型——脾虚肝亢和脾肾阳衰，即可选出答案。

2. 治疗原则　有虚寒和虚热之别，以补虚治本为主。常用的治法有温中健脾，温阳逐寒，育阴潜阳，柔肝息风。

3. 分证论治　慢惊风的分证论治见表 6-20。

表 6-20　慢惊风的分证论治

证型	证候	治法	方剂
脾虚肝亢证	精神萎靡，嗜睡露睛，面色萎黄，不欲饮食，大便稀溏、色带青绿，时有肠鸣，四肢不温，抽搐无力、时作时止，舌质淡，苔白，脉沉弱	温中健脾，缓肝理脾	缓肝理脾汤
脾肾阳衰证	精神委顿，昏睡露睛，面白无华或灰滞，口鼻气冷，额汗不温，四肢厥冷，溲清便溏，手足蠕动震颤，舌质淡，苔薄白，脉沉微	温补脾肾，回阳救逆	固真汤合逐寒荡惊汤
阴虚风动证	精神疲惫，形容憔悴，面色时有潮红，虚烦低热，手足心热，易出汗，大便干结，肢体拘挛或强直，抽搐时轻时重，舌质绛少津，苔少或无苔，脉细数	滋肾养肝，育阴潜阳	大定风珠

命题趋势　辨证论治相关知识点，考试多以 A2 型题为主。

金题直击

5. 患儿，3岁半。面色潮红，身热消瘦，手足心热，肢体拘挛或强直，时或抽搐，大便干结，舌光无苔，舌质绛少津，脉象细数，治疗应首选的方剂是

A. 大定风珠　　B. 理中汤
C. 地黄饮子　　D. 四逆汤
E. 大补阴丸

【答案】A

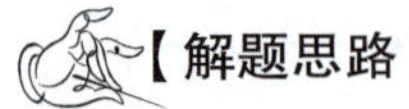【解题思路】

本题根据肢体拘挛或强直、时或抽搐，诊断为慢惊风；根据舌光无苔、舌质绛少津、脉象细数，辨证为阴虚风动证，方剂选大定风珠。

第七节　痫病（助理不考）

一、发病特点

1. 定义　痫病是以突然仆倒，昏不识人，口吐涎沫，两目上视，肢体抽搐，惊掣啼叫，喉中发出异声，片刻即醒，醒后一如常人为特征，具有反复发作特点的一种疾病。

2. 发病年龄　多发生于4岁以上的儿童，男女之比为（1.1～1.7）∶1。

二、病因病机

1. 病因　先天因素为胎禀不足、胎产损伤和胎中受惊；后天因素为顽痰内伏、暴受惊恐、惊风频发、外伤血瘀等。

2. 病位　心、肝、脾、肾。

3. 病机　痰气逆乱，蒙蔽心窍，引动肝风。

命题趋势　痰病病因的相关知识点，考试多以A1、B1型题为主。

金题直击

1. 痫病的病因是

A. 风、火、急、热　　B. 风、痰、热、惊
C. 痰、积、惊、热　　D. 惊、瘀、痰、风
E. 痰、火、积、热

【答案】D

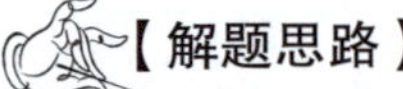【解题思路】

痫病发作的原因主要是顽痰内伏、暴受惊恐、惊风频发、外伤血瘀。注意与急惊风的痰、热、惊、风鉴别。

三、诊断与鉴别诊断

1. 诊断要点

（1）主症

①猝然仆倒，不省人事。
②四肢抽搐，项背强直。
③口吐涎沫，牙关紧闭。
④目睛上视。
⑤瞳仁散大，对光反射迟钝或消失。

（2）反复发作，可自行缓解。

（3）急性起病，经救治多可恢复，若日久频发，则可并发健忘、痴呆等症。

（4）病发前常有先兆症状，发病可有诱因。

（5）脑电图表现异常。

主症中有①、②、⑤，并具备（2）、（3）两项条件者，结合先兆、诱因、脑电图等方面的特点，即可确定诊断。

2. 鉴别诊断 痫病需与惊风相鉴别（表6-21）。

表6-21 痫病的鉴别诊断

疾病	表现
急惊风	急性起病，以高热、神昏、抽风为主要表现
慢惊风	来势缓慢，抽搐无力，有体质羸弱的明显征象
痫病	一般无发热，有反复发作史，发时抽搐、神昏，平时则如常人，脑电图检查可见癫痫波型

四、辨证论治

1. 辨证要点 发作期以病因辨证为主，有惊、风、痰、瘀等。痫病虚证的辨证，以病位为主，区分脾虚痰盛与脾肾两虚。

2. 治疗原则 实证以治标为主，着重豁痰顺气，息风开窍定痫；虚证以治本为重，宜健脾化痰，柔肝缓急。癫痫持续状态可用中西医配合抢救。

3. 分证论治 痫病的分证论治见表6-22。

表6-22 痫病的分证论治

证型	证候	治法	方剂
惊痫证	起病前常有惊吓史。发作时惊叫，吐舌，急啼，神志恍惚，面色时红时白，惊惕不安，如人将捕之状，四肢抽搐，舌质淡红，苔白，脉弦滑、乍大乍小，指纹色青	镇惊安神	镇惊丸
痰痫证	发作时痰涎壅盛，喉间痰鸣，瞪目直视，神志恍惚，状如痴呆、失神，或仆倒于地，手足抽搐不甚明显，或局部抽动，智力逐渐低下，骤发骤止，日久不愈，舌苔白腻，脉弦滑	豁痰开窍	涤痰汤
风痫证	发作时突然仆倒，神志不清，颈项及全身强直，继而四肢抽搐，两目上视或斜视，牙关紧闭，口吐白沫，口唇及面部色青，舌苔白，脉弦滑	息风止痉	定痫丸
瘀血痫证	发作时头晕眩仆，神志不清，单侧或四肢抽搐，抽搐部位及动态较为固定，头痛，大便干硬如羊屎，舌质红或见瘀点，舌苔少，脉涩，指纹沉滞	化瘀通窍	通窍活血汤
脾虚痰盛证	发作频繁或反复发作，神疲乏力，面色无华，时作眩晕，食欲欠佳，大便稀薄，舌质淡，苔薄腻，脉细软	健脾化痰	六君子汤
脾肾两虚证	发病年久，屡发不止，瘛疭抖动，时有眩晕，智力迟钝，腰膝酸软，神疲乏力，少气懒言，四肢不温，睡眠不宁，大便稀溏，舌质淡，苔白，脉沉细无力	补益脾肾	河车八味丸

命题趋势 辨证论治相关知识点，考试多以A2型题为主。

金题直击

2. 患儿，2岁。患有痫病，每次发作时惊叫，吐舌，急啼，面色时红时白，惊惕不安，四肢抽搐，大便黏稠，舌质淡红，舌苔白，指纹色青，治疗应首选的方剂是

A. 定魄丸　　B. 定痫丸
C. 远志丸　　D. 镇惊丸
E. 琥珀抱龙丸

【答案】D

【解题思路】

本题根据痫证病史和表现，诊断为痫病；根据面色时红时白、惊惕不安，辨证为惊痫证，方剂选镇惊丸。

高频考点速递

1. 汗证　多由体虚所致。主要病因为禀赋不足，调护失宜。

2. 病毒性心肌炎　素体正气亏虚是发病之内因，温热邪毒侵袭是发病之外因。

3. 急惊风　以痰、热、惊、风四证俱备，以清热、豁痰、镇惊、息风为基本原则。

4. 慢惊风　来势缓慢，抽搐无力，时作时止，反复难愈，常伴昏迷、瘫痪等症。多属虚证。

第七单元　肾系病证

考情分析

单元	年份/级别	2019	2020	2021	2022	2023
肾系病证	执业	3	2	2	3	3
	助理	2	1	2	2	1

第一节　水　肿

一、发病特点

1. 定义　水肿是由多种病证引起的体内水液潴留，泛滥肌肤，引起面目、四肢甚则全身浮肿及小便短少，严重的可伴有胸水、腹水为主要表现的常见病证。

2. 发病年龄　好发于 2 ～ 7 岁小儿。

二、病因病机

1. 病因　与小儿体质稚弱，不慎感受外邪，导致肺的通调、脾的传输、肾的开阖及三焦、膀胱的气化异常，不能输布水津有关。

2. 病机　水液泛滥。

命题趋势　疾病病位的相关知识点，考试多以 A1、B1 型题为主。

金题直击

1. 水肿涉及的病位主要是

A. 肺、脾、肾　　B. 脾、肝、肾

C. 心、脾、肾　　D. 脾、肾

E. 肺、脾

【答案】A

【解题思路】

题干中问水肿的病位，结合中医基础知识，水肿与肺的通调、脾的传输、肾的开阖及三焦、膀胱的气化异常，不能输布水津有关。

三、急性肾小球肾炎与肾病综合征的诊断与鉴别诊断

1. 诊断要点

（1）急性肾小球肾炎：急性肾小球肾炎的诊断要点见表 7-1。

急性肾小球肾炎重症早期可出现多种并发症（表 7-2）。

表 7-1　急性肾小球肾炎的诊断要点

要点	内容
病史	发病前 1 ～ 4 周多有呼吸道或皮肤感染、丹痧等链球菌感染或其他急性感染史
病程	急性起病，急性期一般为 2 ～ 4 周
水肿表现	浮肿及尿量减少。浮肿为紧张性，浮肿轻重与尿量有关
血尿	起病即有血尿，呈肉眼血尿或镜下血尿
血压	1/3 ～ 2/3 患儿病初有高血压，常为 120 ～ 150/80 ～ 110mmHg
非典型病例	可无水肿、高血压及肉眼血尿，仅发现镜下血尿
辅助检查	尿检均有红细胞增多，尿红细胞形态为肾小球性红细胞，尿蛋白增高，可伴有不同程度的血清总补体及 C3 的一过性明显下降，抗链球菌溶血素“O”抗体（ASO）可增高

表 7-2　急性肾小球肾炎重症早期的并发症

疾病	表现
高血压脑病	具有高血压伴视力障碍、惊厥、昏迷三项之一者即可诊断
严重循环充血	可见气急咳嗽，胸闷，不能平卧，肺底部湿啰音，肺水肿，肝大压痛，心率快、奔马律
急性肾功能衰竭	严重少尿或无尿患儿可出现血尿素氮及肌酐升高、电解质紊乱和代谢性酸中毒

命题趋势　疾病病因的相关知识点，考试多以 A1、B1 型题为主。

金题直击

2. 急性肾小球肾炎发病前有哪种前驱感染史

A. 病毒感染　　B. 链球菌感染

C. 金葡菌感染　　D. 支原体感染

E. 原虫感染

【答案】B

【解题思路】

急性肾小球肾炎，发病前 1 ～ 4 周多有呼吸道或皮肤感染、丹痧等链球菌感染或其他急性感染史。

（2）肾病综合征：分为单纯型肾病和肾炎型肾病。单纯型肾病具备四大特征，其中以大量蛋白尿和低白蛋白血症为必备条件。单纯型肾病和肾炎型肾病的诊断标准分别见表 7-3、表 7-4。

表 7-3　单纯型肾病的诊断标准

要点	具体表现
水肿	全身水肿
尿常规	大量蛋白尿（尿蛋白定性常在 +++ 以上，24 小时尿蛋白定量≥ 50mg/kg）
血常规	低白蛋白血症（血浆白蛋白，儿童＜ 30g/L，婴儿＜ 25g/L）
	高脂血症（血浆胆固醇，儿童≥ 5.7mmol/L，婴儿≥ 5.2mmol/L）

表 7-4　肾炎型肾病的诊断标准

要点	内容
诊断	除单纯型肾病四大特征外，还具有以下四项中之一项或多项
尿常规	明显血尿，尿中红细胞≥ 10 个 /HP（见于 2 周内 3 次离心尿标本）
血压	高血压持续或反复出现，学龄儿童血压≥ 130/90mmHg，学龄前儿童血压≥ 120/80mmHg，并排除激素所致者
检查情况	持续性氮质血症（血尿素氮≥ 10.7mmol/L），并排除血容量不足所致者
补体情况	血总补体量或血 C_3 反复降低

2. 鉴别诊断 肾病综合征与急性肾小球肾炎均以浮肿及尿改变为主要特征，但肾病综合征以大量蛋白尿为主，且伴低白蛋白血症及高脂血症，浮肿多为指陷性。急性肾小球肾炎则以血尿为主，浮肿多为非指陷性。

四、辨证论治

1. 辨证要点

（1）首重辨阴阳虚实：凡水肿起病急，病程短，以头面为重，按之凹陷即起，多为阳水，属实；凡水肿起病缓，病程长，以腰以下为重，皮肤色暗，按之凹陷难起者，多为阴水，属虚或虚中夹实。

（2）辨常证与变证：常证病情单纯，精神、食欲尚可；变证病情复杂，除水肿外，兼有胸满、咳喘、心悸，甚则尿闭、恶心呕吐。

2. 治疗原则 以利水消肿为总原则。

3. 分证论治

（1）常证的分证论治（表 7-5）

表 7–5 水肿常证的分证论治

证型	证候	治法	方剂
风水相搏证	水肿自眼睑开始，继而四肢，甚至全身浮肿，来势迅速，颜面为甚，皮色光亮，按之凹陷，随手而起，尿少或有尿血，微恶风寒或伴发热，咽红咽痛，苔薄白，脉浮	疏风宣肺，利水消肿	麻黄连翘赤小豆汤合五苓散
湿热内侵证	浮肿或轻或重，小便黄赤短少或见尿血，伴脓疱疮、疖肿、丹毒等，发热口渴，烦躁，头痛头晕，大便干结，舌质红，苔黄腻，脉滑数	清热解毒，凉血止血	五味消毒饮合小蓟饮子
肺脾气虚证	浮肿不著，或仅面目浮肿，面色少华，小便少，气短乏力，纳呆便溏，自汗出，易感冒，脉缓弱	益气健脾，利水消肿	参苓白术散合玉屏风散
脾肾阳虚证	全身浮肿明显，按之深陷难起，腰腹、下肢尤甚，面白无华，畏寒肢冷，神倦乏力，小便量少甚或无尿，纳少便溏，舌质淡胖，苔白滑，脉沉细	温肾健脾，利水消肿	真武汤
气阴两虚证	面色无华，腰膝酸软，或有浮肿，头晕耳鸣，口干咽燥，舌质红，苔少，脉细弱	益气养阴，利水消肿	六味地黄丸加黄芪

（2）变证的分证论治（表 7-6）

表 7–6 水肿变证的分证论治

证型	证候	治法	方剂
水凌心肺证	全身明显浮肿，尿少或无尿，频咳气急，胸闷心悸，烦躁夜间尤甚，喘息不能平卧，唇指青紫，苔白或白腻，脉沉细无力	泻肺宁心，温阳逐水	己椒苈黄丸合参附汤
邪陷心肝证	头痛眩晕，视物模糊，甚则抽搐、昏迷，舌质红，苔黄燥，脉弦	平肝息风，泻火利水	龙胆泻肝汤合羚角钩藤汤
水毒内闭证	全身浮肿，尿少或尿闭，头晕头痛，恶心呕吐，口中气秽，腹胀，甚则昏迷，苔腻，脉弦	辛开苦降，辟秽解毒	温胆汤合附子泻心汤

命题趋势 辨证论治相关知识点，考试多以 A2 型题为主。

金题直击

3. 患儿，4 岁。全身明显浮肿，频咳气急，胸闷心悸，不能平卧，烦躁不宁，面色苍白，唇指青紫，舌质暗红，舌苔白腻，脉沉细无力，治疗应首选的方剂是

A. 龙胆泻肝汤合羚角钩藤汤　　B. 五味消毒饮合小蓟饮子

C. 己椒苈黄丸合参附汤　　D. 真武汤合小蓟饮子

E. 参附龙牡救逆汤合小蓟饮子

【答案】C

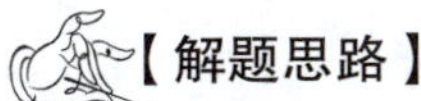【解题思路】

本题根据全身明显浮肿，诊断为水肿；根据频咳气急，病位在肺，心悸则病位在心，辨证为变证中的水凌心肺证，方剂选己椒苈黄丸合参附汤。

第二节 尿频

一、发病特点

1. 定义 尿频是以小便频数为特征的疾病。

2. 发病年龄 多发于学龄前儿童，尤以婴幼儿发病率最高，女孩多于男孩。

二、病因病机

1. 病因 湿热之邪蕴结下焦；脾肾气虚，膀胱气化功能失常；病久不愈，阴虚内热。

2. 病机 膀胱气化功能失常。

命题趋势 疾病病因的相关知识点，考试多以 A1、B1 型题为主。

金题直击

1. 引起小儿尿频的病因较多，其中最多见的是

A. 风热　　B. 湿热

C. 肾虚　　D. 脾虚

E. 肺虚

【答案】B

【解题思路】

尿频多由于湿热之邪蕴结下焦。

三、诊断与鉴别诊断

1. 诊断要点

（1）尿路感染的诊断要点（表 7-7）

表 7-7 尿路感染的诊断要点

要点	内容
病史	有外阴不洁或坐地嬉戏等湿热外侵病史
表现	起病急，以小便频数、淋沥涩痛，或伴发热、腰痛等为特征。小婴儿往往尿急、尿痛等局部症状不突出而表现为高热等全身症状
实验室检查	尿常规白细胞增多或见脓细胞，可见白细胞管型。中段尿细菌培养阳性

（2）白天尿频综合征（神经性尿频）的诊断要点（表 7-8）

表 7-8 白天尿频综合征的诊断要点

要点	内容
发病年龄	多发生在婴幼儿时期
表现	醒时尿频，次数较多，甚者数分钟 1 次，点滴淋沥，但入寐消失。反复发作，无明显其他不适
实验室检查	尿常规、尿培养无阳性发现

2. 鉴别诊断 尿路感染和白天尿频综合征相鉴别。除此之外，泌尿系结石和肿瘤也可导致尿频，临床可结合 B 超和 CT 或泌尿系造影等影像学检查进行鉴别。此外，尿频还需与消渴相鉴别。

四、辨证论治

1. **辨证要点** 关键在于辨虚实。

2. **治疗原则** 实证宜清热利湿；虚证宜温补脾肾或滋阴清热；本虚标实、虚实夹杂之候，要标本兼顾，攻补兼施。

3. **分证论治** 尿频的分证论治见表7-9。

表7–9 尿频的分证论治

证型	证候	治法	方剂
湿热下注证	起病急，小便频数短赤，尿道灼热疼痛，尿液淋沥浑浊，小腹坠胀，腰部酸痛，婴儿则时时啼哭不安，伴有发热、烦躁口渴、头痛身痛、恶心呕吐，舌质红，苔薄腻微黄或黄腻，脉数有力	清热利湿，通利膀胱	八正散
脾肾气虚证	病程日久，小便频数、滴沥不尽，尿液不清，神倦乏力，面色萎黄，食欲不振，甚则畏寒怕冷，手足不温，大便稀薄，眼睑浮肿，舌质淡有齿痕，舌苔薄腻，脉细弱	温补脾肾，升提固摄	缩泉丸
阴虚内热证	病程日久，小便频数或短赤，低热，盗汗，颧红，五心烦热，咽干口渴，唇干舌红，舌苔少，脉细数	滋阴补肾，清热降火	知柏地黄丸

命题趋势 辨证论治相关知识点，考试多以A2型题为主。

金题直击

2.患儿，3岁。患病日久，小便频数，滴沥不尽，尿液不清，神疲乏力，面色萎黄，食欲不振，畏寒怕冷，手足不温，大便稀薄，眼睑浮肿，舌质淡有齿痕，苔薄腻，脉细弱，其证候是

A. 下元虚寒证　　B. 肺脾气虚证

C. 脾肾气虚证　　D. 湿热下注证

E. 肝经湿热证

【答案】C

【解题思路】

本题根据小便频数，诊断为尿频；根据面色萎黄、食欲不振，病位在脾，眼睑浮肿则病位在肾，脉细弱主虚证，辨证为脾肾气虚证。

第三节　遗　尿

一、发病特点

遗尿又称尿床，是指5周岁以上的小儿睡中小便自遗，醒后方觉的一种病证。多见于10岁以下的儿童。

二、病因病机

1. **病因** 肾气不足、膀胱虚寒。

2. **病机** 膀胱失约。

命题趋势 疾病病机的相关知识点，考试多以A1、B1型题为主。

金题直击

1.小儿遗尿的病因主要是

A. 肾气不足，膀胱虚寒　　B. 肺脾气虚，水道失约

C. 心肾失交，水火不济　　D. 肝经郁热，疏泄失司

E. 脾肾气虚，下元不固

【答案】A

【解题思路】

遗尿多与膀胱和肾的功能失调有关，其中尤以肾气不足、膀胱虚寒为多见。

三、诊断与鉴别诊断

1. 诊断要点 遗尿的诊断要点见表 7-10。

表 7-10 遗尿的诊断要点

要点	内容
发病年龄	在 5 周岁以上
表现	寐中小便自出，醒后方觉；睡眠较深，不易唤醒，每夜或隔几天发生尿床，甚则每夜遗尿数次
实验室检查	尿常规及尿培养无异常发现
X 线检查	部分患儿腰骶部 X 线摄片显示隐性脊柱裂

2. 鉴别诊断 遗尿需与热淋相鉴别。

热淋（尿路感染）：尿频急、疼痛，白天清醒时小便也急迫难耐而尿出，裤裆常湿。小便常规检查有白细胞或脓细胞。

四、辨证论治

1. 辨证要点 重在辨其虚实寒热，虚寒者多，实热者少。

2. 治疗原则 温补下元、固摄膀胱。

3. 分证论治 遗尿的分证论治见表 7-11。

表 7-11 遗尿的分证论治

证型	证候	治法	方剂
肾气不足证	寐中数次多遗，面白少华，肢冷畏寒，神疲乏力，智力较同龄儿稍差，小便清长，舌质淡苔白滑，脉沉无力	温补肾阳，固涩膀胱	菟丝子散
肺脾气虚证	睡中遗尿，日间尿频而量多，常感冒，面色少华，神疲乏力，食欲不振，大便溏薄，舌质淡，苔薄白，脉沉无力	补肺益脾，固涩膀胱	补中益气汤合缩泉丸
心肾失交证	梦中遗尿，寐不安宁，白天多动少静，难以自制，或五心烦热，形体较瘦，舌质红，苔薄少津，脉沉细而数	清心滋肾，安神固涩	交泰丸合导赤散
肝经湿热证	寐中遗尿，小便量少色黄，性情急躁，夜梦纷纭或寐中龂齿，目睛红赤，舌质红，苔黄腻，脉滑数	清热利湿，泻肝止遗	龙胆泻肝汤

命题趋势 辨证论治相关知识点，考试多以 A2 型题为主。

金题直击

2. 患儿，6 岁。每晚尿床 1 次以上，小便清长，面白少华，神疲乏力，智力较同龄儿稍差，肢冷畏寒，舌质淡，苔白滑，脉沉无力，治疗应首选的方剂是

A. 桑螵蛸散　　B. 交泰丸

C. 补肾地黄丸　　D. 菟丝子散

E. 桂枝加龙骨牡蛎汤

【答案】D

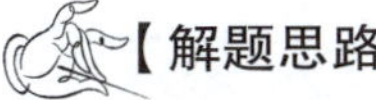【解题思路】

本题根据每晚尿床，诊断为遗尿；根据神疲乏力、智力较同龄儿稍差、肢冷畏寒，辨证为肾气不足证，方剂选菟丝子散。

第四节　五迟、五软（助理不考）

一、发病特点

五迟指立迟、行迟、齿迟、发迟、语迟；五软指头项软、口软、手软、足软、肌肉软。本病由于先天禀赋不足、后天调护失当引起。

二、病因病机

1. 病因　五迟、五软的病因见表 7-12。

表 7-12　五迟、五软的病因

因素	病机
先天因素	父母精血虚损，或孕期调摄失宜，精神、起居、饮食、药治不慎，或年高得子，或堕胎不成而成胎者
后天因素	分娩时难产、产伤，颅内出血，或生产过程中胎盘早剥、脐带绕颈，或生后护理不当，发生窒息、中毒，或温热病后，因高热惊厥、昏迷造成脑髓受损，或乳食不足，哺养失调

2. 病机　肝脾肾不足，则筋骨肌肉失养，可见立迟、行迟。肾精不足，可见牙齿出迟。肾气不充，血虚失养，可见发迟或发稀而枯。心气不足，肾精不充，髓海不足，则见言语迟缓、智力不聪。脾气不足，则可见口软乏力，咬嚼困难，肌肉软弱，松弛无力。

三、诊断与鉴别诊断

1. 诊断要点　五迟、五软的诊断要点见表 7-13。

表 7-13　五迟、五软的诊断要点

要点	具体内容
病史	可有孕期调护失宜、药物损害产伤、窒息、早产，以及喂养不当史，或有家族史，父母为近亲结婚者
立迟、行迟	小儿 2 ～ 3 岁还不能站立、行走
发迟	初生无发或少发，随年龄增长，仍稀疏难长
齿迟	12 个月时尚未出牙以及此后牙齿萌出过慢
语迟	1 ～ 2 岁还不会说话
头项软	小儿半岁前后颈项仍软弱下垂
口软	咀嚼无力，时流清涎
手软	手臂不能握举
足软	2 岁以后尚不能站立、行走
肌肉软	皮宽肌肉松软无力
五迟、五软不一定悉具，但见一二症者可分别作出诊断	

2. 鉴别诊断　五迟、五软需与智力低下及脑性瘫痪相鉴别。智力低下和脑性瘫痪的诊断要点分别见表 7-14、表 7-15。

表 7-14　智力低下的诊断要点

要点	内容
智力	明显低于同龄儿童正常水平，即智商低于均值以下两个标准差，在 70 以下。18 岁以下，轻度者智商为 50 ～ 70，中度者为 35 ～ 49，重度者为 20 ～ 34，极重度者在 20 以下
表现	存在适应功能缺陷或损害，如社会技能、社会责任、交谈、日常生活料理、独立和自给智力的缺陷或损害
理化检查	某些疾病引起的智能低下，如苯丙酮尿症者，尿三氯化铁试验阳性；先天性愚型者，染色体检查有助诊断；甲状腺功能减退者，骨骼 X 线检查提示发育落后，甲状腺功能检查提示甲状腺功能减退

表 7-15　脑性瘫痪的诊断要点

要点	内容
病因	出生前到生后 1 个月以内各种原因（如早产、多胎、低体重、高龄妊娠、窒息、高胆红素血症）所致的非进行性脑损伤
表现	中枢性运动障碍及姿势异常，表现为多卧少动，颈项、肢体关节活动不灵，分为痉挛型（约占 2/3）、共济失调型、肌张力低下型、混合型等。常伴有智力迟缓，视、听、感觉障碍，以及学习困难
X 线或 CT 检查	了解脑部有无异常、畸形，或异常钙化影等，脑电图有助于支持合并癫痫的诊断

四、辨证论治

1. 辨证要点

（1）辨脏腑（表 7-16）

表 7-16　五迟、五软辨脏腑的要点

表现	涉及的病位
立迟、行迟、齿迟、头项软、手软、足软	肝肾脾
语迟、发迟、肌肉软、口软	心脾
伴有脑性瘫痪、智力低下	痰浊瘀血阻滞心经脑络

（2）辨病因（表 7-17）

表 7-17　五迟、五软辨病因的要点

病因	本质
肉眼能查出的脑病（包括遗传变性）及原因不明的先天因素、染色体病，可归属于先天不足	病位在肝肾脑髓
代谢营养因素所致者	病位在脾
不良环境，社会心理损伤，伴发精神病者	病位在心肝
感染、中毒、损伤、物理因素所致者	痰浊瘀血

（3）辨轻重：五迟、五软仅见一二症者，病情较轻；五迟、五软并见，病情较重；脑性瘫痪伴重度智力低下或痴病者，病重。

命题趋势　疾病病位的相关知识点，考试多以 A1、B1 型题为主。

金题直击

1. 下列哪些脏腑的功能不足导致五软

A. 心、肝、肾　　B. 肝、脾、肾

C. 心、脾、肾　　D. 肝、脾

E. 心、肝、脾

【答案】B

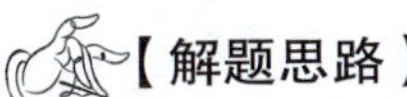
【解题思路】

题干中问五软的病位，结合中医基础知识，肝主筋，肾主骨，脾主肌肉，构成运动系统的主要部分。

2. 治疗原则　以补为其治疗大法。

3. 分证论治　五迟、五软的辨证论治见表 7-18。

表 7-18　五迟、五软的辨证论治

证型	证候	治法	方剂
肝肾亏损证	筋骨痿弱，发育迟缓，坐起、站立、行走、生齿等明显迟于正常同年龄小儿，头项痿软，天柱骨倒，头型方大，目无神采，反应迟钝，囟门宽大，易惊，舌质淡，舌苔少，脉沉细无力，指纹淡	补肾填髓，养肝强筋	加味六味地黄丸

续表

证型	证候	治法	方剂
心脾两虚证	语言发育迟滞，精神呆滞，智力低下，头发生长迟缓，发稀萎黄，四肢痿软，肌肉松弛，口角流涎，吮吸咀嚼无力，纳食欠佳，舌质淡胖，苔少，脉细缓，指纹色淡	健脾养心，补益气血	调元散
痰瘀阻滞证	失聪失语，反应迟钝，意识不清，动作不自主，或有吞咽困难，口流痰涎，喉间痰鸣，或关节强硬，肌肉软弱，或有痫病发作，舌体胖有瘀斑瘀点，苔腻，脉沉涩或滑，指纹暗滞	涤痰开窍，活血通络	通窍活血汤合二陈汤

证型治法的相关知识点，考试多以 A1、B1 型题为主合。

金题直击

2. 治疗五迟、五软心脾两虚证的治法是

A. 益气健脾，宁心安神　　B. 健脾补肾，养肝强筋

C. 温振心阳，宁心安神　　D. 健脾养心，补益气血

E. 涤痰开窍，活血通络

【答案】D

【解题思路】

心脾两虚，即补益心脾，健脾养心。

高频考点速递

1. 水肿病因　肺的通调、脾的传输、肾的开阖及三焦、膀胱的气化异常，不能输布水津。

2. 遗尿病因　肾气不足、膀胱虚寒。治疗原则：温补下元、固摄膀胱。

3. 水肿、遗尿的肺脾气虚证代表方剂

（1）水肿：肺脾气虚证——参苓白术散合玉屏风散。

（2）遗尿：肺脾气虚证——补中益气汤合缩泉丸。

第八单元　传染病

单元	年份 / 级别	2019	2020	2021	2022	2023
传染病	执业	7	6	7	7	8
	助理	3	3	2	3	2

第一节　麻　疹

一、发病特点

1. 定义　麻疹是由麻疹时邪引起的一种急性出疹性传染病，临床以发热恶寒，咳嗽咽痛，鼻塞流涕，泪水汪汪，羞明畏光，口腔两颊近臼齿处可见麻疹黏膜斑，周身皮肤依序布发红色斑丘疹，皮疹消退时皮肤有糠状脱屑和棕色色素沉着斑为特征。

2. 发病季节　以冬春季多见。

3. 发病年龄　6 个月至 5 岁小儿发病率较高。

4. 特点 容易并发肺炎。

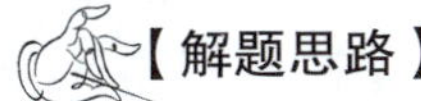
疾病好发年龄段的相关知识点，考试多以 A1、B1 型题为主。

金题直击

1. 麻疹的好发年龄是

A. 6 个月以内
B. 6 个月到 5 岁
C. 6 ～ 7 岁
D. 8 ～ 9 岁
E. 10 ～ 12 岁

【答案】B

【解题思路】

麻疹发病以 6 个月到 5 岁小儿为多。

二、病因病机

1. 病因 感受麻疹时邪。

2. 病位 肺脾。

3. 病机 邪犯肺脾，肺脾热炽，外发肌肤。

（1）麻疹时邪由口鼻而入，侵犯肺脾，早期邪郁肺卫，宣发失司，临床出现发热、咳嗽、喷嚏、流涕等肺卫表证，类似伤风感冒，此为初热期。麻毒入于气分，正气与毒邪抗争，驱邪外泄，皮疹依序透发于全身，达于四肢末端，并出现高热、神烦、口渴，此为见形期。疹透之后，邪随疹泄，麻疹逐渐收没，热去津亏，肺胃阴伤，进入收没期。此为麻疹发病的一般规律，属顺证。

（2）若因正虚、毒重、失治、护理不当等原因，均可致麻毒郁闭，出疹不顺，形成逆证。

三、诊断要点

麻疹的诊断要点见表 8-1。

表 8-1 麻疹的诊断要点

要点	内容
病史	易感儿，流行季节，近期有麻疹接触史
表现	初期发热，流涕，咳嗽，两目畏光多泪，口腔两颊黏膜近臼齿处可见麻疹黏膜斑
皮疹	典型皮疹自耳后发际及颈部开始，自上而下，蔓延全身，最后达于手足心。皮疹为玫瑰色斑丘疹，可散在分布，或不同程度融合。疹退后有糠麸样脱屑和棕褐色色素沉着
实验室检查	应用荧光标记的特异抗体，检测患儿鼻咽分泌物或尿沉渣涂片的麻疹病毒抗原，有助于早期诊断；非典型麻疹可在发病后 1 个月做血清学检查，血清抗体超过发病前 4 倍或抗体＞ 1∶100 时可确诊

命题趋势
疾病临床表现的相关知识点，考试多以 A1、B1 型题为主。

金题直击

2. 麻疹的特殊体征是

A. 高热
B. 咳嗽
C. 眼泪汪汪
D. 喷嚏流涕
E. 麻疹黏膜斑

【答案】E

【解题思路】

麻疹的特殊体征是麻疹黏膜斑。

【易错点】

容易错选成 C 眼泪汪汪，C 选项是发病初期的表现。

四、辨证论治

1. 辨证要点 首先要判断证候的顺逆。

2. 治疗原则 以透为顺，以清为要，以“麻不厌透”“麻喜清凉”为指导原则。透疹宜取清凉。初热期以透表为主，见形期以清解为主，收没期以养阴为主。若是已成逆证，治在祛邪安正。

3. 分证论治

（1）顺证 麻疹顺证的分证论治见表 8-2。

表 8-2 麻疹顺证的分证论治

证型	证候	治法	方剂
邪犯肺卫证（初热期）	发热咳嗽，微恶风寒，喷嚏流涕，咽喉肿痛，两目红赤泪水汪汪，畏光羞明，神烦哭闹，纳减口干，小便短少，大便不调。发热第 2 ～ 3 天，口腔两颊黏膜近臼齿处见麻疹黏膜斑，舌苔薄白或微黄，脉浮数	辛凉透表，清宣肺卫	宣毒发表汤
邪入肺胃证（出疹期）	壮热持续，起伏如潮，肤有微汗，烦躁不安，口渴引饮，目赤眵多，咳嗽阵作，皮疹布发，疹点由细小稀少而逐渐稠密，疹色先红后暗，稍见凸起，触之碍手，压之褪色，大便干结，小便短少，舌质红赤，苔黄腻，脉数有力	清凉解毒，透疹达邪	清解透表汤
阴津耗伤证（收没期）	麻疹出齐，发热渐退，咳嗽渐减，皮疹依次渐回，皮肤呈糠麸状脱屑，并有色素沉着，精神好转，舌质红少津，舌苔薄净，脉细无力或细数	养阴益气，清解余邪	沙参麦冬汤

（2）逆证 麻疹逆证的分证论治见表 8-3。

表 8-3 麻疹逆证的分证论治

证型	证候	治法	方剂
邪毒闭肺证	高热烦躁，咳嗽气促，鼻翼扇动，喉间痰鸣，疹点紫暗或隐没，舌质红，苔薄黄或黄腻，脉数	宣肺开闭，清热解毒	麻杏石甘汤
邪毒攻喉证	咽喉肿痛，声音嘶哑，咳声重浊，声如犬吠，喉间痰鸣，甚则吸气困难，胸高胁陷，面唇发绀，烦躁不安，舌质红，苔黄腻，脉滑数	清热解毒，利咽消肿	清咽下痰汤
邪陷心肝证	高热不退，烦躁谵语，皮肤疹点密集成片，色泽紫暗，甚则神昏、抽搐，舌质红绛，苔黄糙，脉数有力	平肝息风，清营解毒	羚角钩藤汤

命题趋势 辨证论治相关知识点，考试多以 A2 型题为主。

金题直击

3. 患儿，3 岁 5 个月。壮热如潮，肤有微汗，烦躁不安，目赤眵多，皮疹布发，疹点稠密，疹色暗红，大便干结，小便短赤，舌质红赤，舌苔黄腻，脉数有力，其治法是

A. 燥湿化痰，宣肺止咳
B. 清凉解毒，透疹达邪
C. 清热解毒，利湿泄浊
D. 辛温解表，宣肺化痰
E. 养阴润肺，止咳化痰

【答案】B

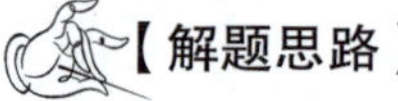

【解题思路】

本题根据目赤眵多、皮疹布发、疹点稠密、疹色暗红，诊断为麻疹；根据壮热如潮、舌质红赤、舌苔黄腻、脉数有力，辨证为麻疹顺证中的邪入肺胃证，即出疹期，治法为清凉解毒，透疹达邪。

五、其他治疗

1. 外治疗法 芫荽子（或新鲜茎叶）适量，加鲜葱、黄酒同煎取汁，趁热置于罩内熏蒸，然后擦洗全身，再覆被保暖，以取微汗，用于麻疹初热期或出疹期，皮疹透发不畅者。西河柳、荆芥穗、樱桃叶，煎汤熏洗，用于麻疹初热期或出疹期，皮疹透发不畅者。

2. 推拿疗法 麻疹各期的推拿治疗选穴见表 8-4。

表 8-4　麻疹各期的推拿治疗选穴

分期	穴位
初热期	推攒竹，分推坎宫，推太阳，擦迎香，按风池，清肺经
出疹期	拿风池，清脾胃，清肺经，清天河水，按揉二扇门，推天柱
收没期	补脾胃，补肺金，揉中脘，揉脾俞、胃俞，揉足三里

第二节　奶　麻

一、发病特点

1. 定义　奶麻又称假麻，西医学称为幼儿急疹，是由人疱疹病毒 6 型感染而引起的一种急性出疹性传染病，临床以持续高热 3 ～ 5 天，热退疹出为特征。

2. 发病年龄　6 ～ 18 个月小儿，3 岁以后少见。

3. 发病季节　多见于冬春两季。

4. 特点　患病后可获持久免疫力，很少有两次得病者。

命题趋势　疾病临床表现的相关知识点，考试多以 A1、B1 型题为主。

金题直击

1. 以热退疹出为特征的疾病是

A. 麻疹　　B. 奶麻

C. 风疹　　D. 丹痧

E. 手足口病

【答案】B

【解题思路】

题干中问热退疹出的疾病，结合儿科总论四诊中望诊的知识点，特指疾病为奶麻。

【易错点】

传染病一般都是热时疹出，只有奶麻特殊，是热退疹出。

二、病因病位

1. 病因　感受幼儿急疹时邪。

2. 病位　脾胃。

三、诊断要点

1. 诊断要点　奶麻的诊断要点见表 8-5。

表 8-5　奶麻的诊断要点

要点	内容
发病年龄	多在 2 岁以内，尤以 6 ～ 12 个月婴儿多见
表现	起病急骤，常突然高热，持续 3 ～ 4 天后热退，但全身症状轻微
皮疹	身热始退，或热退稍后，即出现玫瑰红色皮疹。皮疹出现部位以躯干、腰部、臀部为主，面部及四肢较少。皮疹出现 1 ～ 2 天后即消退，疹退后无脱屑及色素沉着斑
血常规检查	白细胞总数正常或偏低，分类淋巴细胞增高

2. 鉴别诊断

（1）麻疹：发热 3 ～ 4 天出疹，出疹时发热更高，玫瑰色斑丘疹自耳后发际到额面、颈部，到躯干，到四肢，3 天左右出齐。病程 2 ～ 3 天时可出现麻疹黏膜斑。疹退后遗留棕色色素斑、糠麸样脱屑。

（2）猩红热（丹痧）：多见于3～15岁儿童，起病急骤，发热数小时至1天皮肤猩红，伴细小红色丘疹，自颈、胸、腋下、腹股沟处开始，2～3天遍布全身。在出疹时可伴见口周苍白圈、皮肤线状疹、草莓舌等典型症状。

四、辨证论治

1. 辨证要点 以卫气营血辨证为纲，但一般不深入营血。

2. 治疗原则 以解表清热为主。

3. 分证论治 奶麻的分证论治见表8-6。

表8-6 奶麻的分证论治

证型	证候	治法	方剂
邪郁肌表证	骤发高热，持续3～4天，神情正常或稍有烦躁，饮食减少，偶有囟填，或见抽风，咽红，舌质偏红，苔薄黄，指纹浮紫	疏风清热，宣透邪毒	银翘散
毒透肌肤证	身热已退，肌肤出现玫瑰红色小丘疹，皮疹始见于躯干部，很快延及全身，经1～2天皮疹消退，肤无痒感，舌质偏红，苔薄少津，指纹淡紫	清热生津，以助康复	银翘散合养阴清肺汤

命题趋势 证型选方的相关知识点，考试多以A1、B1型题为主。

金题直击

2. 奶麻毒透肌肤证的首选方剂是

A. 清燥救肺汤　　B. 普济消毒饮

C. 清瘟败毒饮　　D. 凉营清气汤

E. 银翘散合养阴清肺汤

【答案】E

【解题思路】

题干中给出证型，奶麻在大纲中只涉及两个方，毒透肌肤证对应的是银翘散合养阴清肺汤。

第三节　风　痧

一、发病特点

1. 定义 风痧即风疹，是感受风痧时邪，以轻度发热，咳嗽，全身皮肤出现细沙样玫瑰色斑丘疹，耳后及枕部臖核（淋巴结）肿大为特征的一种急性出疹性传染病。

2. 发病年龄 1～5岁多见。

3. 发病季节 冬春季节好发，且可造成流行。

4. 特点 患病后可获得持久性免疫。孕妇在妊娠早期若患本病，常可影响胚胎的正常发育，引起流产，或导致胎儿有先天性心脏病、白内障、脑发育障碍等疾病。

命题趋势 疾病定义的相关知识点，考试多以A1、B1型题为主。

金题直击

1. 患儿，1岁。发热1天，全身见散在细小淡红色皮疹，喷嚏，流涕，偶有咳嗽，精神不振，胃纳欠佳，耳后臖核肿大，咽红，舌苔薄白，其诊断的疾病是

A. 麻疹　　B. 奶麻

C. 风疹　　D. 丹痧

E. 水痘

【答案】C

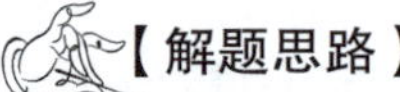

【解题思路】

题干中给出症状，抓住全身见散在细小淡红色皮疹，耳后臖核肿大的表现，诊断为风疹。

二、病因病机

1. **病因** 感受风疹时邪。

2. **病位** 在肺卫。风疹时邪毒轻病浅，一般只犯于肺卫。若邪毒阻滞少阳经络，则耳后、枕部臀核肿胀，或胁下可见痞块。少数患儿邪势较盛，可内犯气营，形成燔灼肺胃之证。

3. **病机** 邪犯肺卫，外发肌肤。

三、诊断要点

风疹的诊断要点见表 8-7。

表 8-7 风疹的诊断要点

要点	内容
病史	患儿有风疹接触史
表现	初期类似感冒，发热 1 天左右，皮肤出现淡红色斑丘疹，经过 1 天后皮疹布满全身，出疹 1 ～ 2 天后，发热渐退，皮疹逐渐隐没，皮疹消退后，可有皮肤脱屑，但无色素沉着
特点	一般全身症状较轻，但常伴耳后及枕部臀核肿大、左胁下痞块
实验室检查	血象检查可见白细胞总数减少，分类淋巴细胞相对增多。直接免疫荧光试验法可在咽部分泌物中查见病毒抗原。患儿恢复期血清学检测风疹病毒抗体增加 4 倍以上可确诊

四、辨证论治

1. **辨证要点** 按温病卫气营血辨证为纲，主要分辨证候的轻重。

2. **治疗原则** 以疏风清热为基本原则。

命题趋势 疾病治疗原则的相关知识点，考试多以 A1、B1 型题为主。

金题直击

2. 风疹的治疗原则是

A. 疏风清热　　B. 清热燥湿

C. 养阴润肺　　D. 清热凉血

E. 补中益气

【答案】A

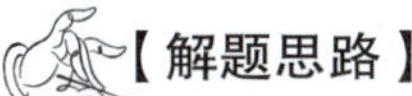
【解题思路】

初期类似感冒，有发热表现，皮肤出现淡红色斑丘疹，中医学可按风热辨证。

3. **分证论治** 风疹的分证论治见表 8-8。

表 8-8 风疹的分证论治

证型	证候	治法	方剂
邪犯肺卫证	发热恶风，喷嚏流涕，轻微咳嗽，精神倦怠，饮食欠佳，皮疹先起于头面、躯干，随即遍及四肢，分布均匀，稀疏细小，疹色浅红，2 ～ 3 日消退，肌肤有瘙痒感，耳后及枕部臀核肿大有压痛，舌质偏红，苔薄白或薄黄，脉浮数	疏风清热透疹	银翘散
邪入气营证	壮热口渴，心烦哭闹，疹色鲜红或紫暗，疹点稠密，甚至可见皮疹融合成片或皮肤猩红，小便短黄，大便秘结，舌质红赤，苔黄糙，脉洪数	清气凉营解毒	透疹凉解汤

命题趋势 证型选方的相关知识点，考试多以 A1、B1 型题为主合。

金题直击

3. 治疗风疹邪入气营证的首选方剂是

A. 银翘散　　B. 白虎汤

C. 透疹凉解汤　　D. 凉营清气汤

E. 解肌透痧汤　　【答案】C

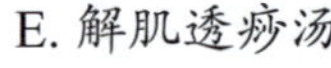【解题思路】

题干中给出病证，问用何方，风疹在大纲中只涉及两个方，邪入气营对应的是透疹凉解汤。

第四节　丹　痧

一、发病特点

1. 定义　丹痧是因感受痧毒疫疠之邪所引起的急性时行疾病。临床以发热，咽喉肿痛或伴腐烂，全身布发猩红色皮疹，疹后脱屑脱皮为特征。因本病发生时多伴有咽喉肿痛、腐烂、化脓，全身皮疹细小如沙，其色丹赤猩红，故又称“烂喉痧”“烂喉丹痧”。西医学则称“猩红热”。

2. 发病年龄　2～8岁儿童发病率较高。

3. 发病季节　以冬春两季为多。

4. 特点　有少数病例可并发心悸、水肿、痹证等疾病。

二、病因病机

1. 病因　痧毒疫疠之邪，乘时令不正之气，寒暖失调之时，机体脆弱之机，从口鼻侵入人体。

2. 病位　肺、胃二经。

3. 病机　邪侵肺胃，热毒炽盛，内外充斥，外透肌肤。

三、诊断要点与鉴别诊断

1. 诊断要点　丹痧的诊断要点见表8-9。

表8-9　丹痧的诊断要点

要点	内容
病史	有与猩红热患者接触史
表现	起病急，突然高热，咽部红肿疼痛，并可化脓
皮疹	在起病12～36小时内开始出现皮疹，先于颈、胸、背及腋下、肘弯等处，迅速蔓延全身，其色鲜红细小，并见环口苍白圈和草莓舌。皮疹出齐后1～2天，身热、皮疹渐退，伴脱屑或脱皮
实验室检查	周围血象白细胞总数及中性粒细胞增高。咽拭子细菌培养可分离出A族乙型溶血性链球菌

命题趋势　疾病临床表现的相关知识点，考试多以A1、B1型题为主。

金题直击

1. 病程中面部潮红而无疹的出疹性疾病是

A. 麻疹　　B. 风疹

C. 药物疹　　D. 幼儿急疹

E. 猩红热　　【答案】E

【解题思路】

丹痧的皮疹，先于颈、胸、背及腋下、肘弯等处，迅速蔓延全身，病程中面部潮红而无疹，需要特殊记住。

2. 鉴别诊断

（1）金黄色葡萄球菌：金黄色葡萄球菌可产生红疹毒素，引起猩红热样皮疹。其皮疹比猩红热皮疹消退快，而且退疹后无脱皮现象，皮疹消退后全身症状不减轻。咽拭子、血培养可见金黄色葡萄球菌。

（2）皮肤黏膜淋巴结综合征（川崎病）：可有草莓舌、猩红热样皮疹或多形性红斑皮疹。川崎病婴儿多见持续高热 1 ～ 3 周，眼结膜充血，唇红皲裂，手足出现硬性水肿，掌、跖及指趾端潮红，持续 10 天左右始退，于甲床皮肤交界处出现特征性指趾端薄片状或膜状脱皮。有时可引起冠状动脉病变。青霉素等抗生素治疗无效。

四、辨证论治

1. 辨证要点 属于瘟疫，以卫气营血为主要辨证方法。

2. 治疗原则 清热解毒、清利咽喉。

3. 分证论治 丹痧的分证论治见表 8-10。

表 8–10 丹痧的分证论治

证型	证候	治法	方剂
邪侵肺卫证	发热骤起，头痛畏寒，无汗，咽喉红肿疼痛，影响吞咽，皮肤潮红，痧疹隐隐，舌质红，苔薄白或薄黄，脉浮数有力	辛凉宣透，清热利咽	解肌透痧汤
毒炽气营证	壮热不解，烦躁口渴，咽喉肿痛，伴有糜烂白腐，皮疹密布、色红如丹，甚则色紫如瘀点，疹由颈、胸开始，继而弥漫全身，压之褪色，见疹后的 1 ～ 2 天舌苔黄糙，舌质起红刺，3 ～ 4 天后舌苔剥脱，舌面光红起刺状如草莓，脉数有力	清气凉营，泻火解毒	凉营清气汤
疹后阴伤证	丹痧布齐后 1 ～ 2 天，身热渐退，咽部糜烂疼痛亦渐减轻，或见低热，唇干口燥，或伴有干咳，食欲不振舌质红少津，苔剥脱，脉细数。约 2 周后可见皮肤脱屑、脱皮	养阴生津，清热润喉	沙参麦冬汤

命题趋势 证型选方的相关知识点，考试多以 A1、B1 型题为主。

金题直击

2. 治疗猩红热邪侵肺卫证的首选方剂是

A. 桑菊饮　　B. 银翘散

C. 透疹凉解汤　　D. 葱豉桔梗汤

E. 解肌透痧汤

【答案】E

【解题思路】

题干中给出病证，问用何方，丹痧在大纲中只涉及三个方，邪侵肺卫对应的是解肌透痧汤。

五、西医治疗

首选青霉素。如青霉素过敏，可用红霉素或头孢菌素。

第五节　水　痘

一、发病特点

1. 定义 水痘是由水痘时邪引起的一种传染性强的出疹性疾病。以发热，皮肤黏膜分批出现瘙痒性皮疹，丘疹、疱疹、结痂同时存在为主要特征。因其疱疹内含水液，形态椭圆，状如豆粒，故中、西医均称为水痘。

2. 发病年龄 以 6 ～ 9 岁儿童最为多见。

3. 发病季节 冬春二季发病率高。

4. 特点 一次感染水痘大多可获终生免疫，也可有第二次感染，但症状轻微。

二、病因病机

1. 病因 感受水痘时邪。

2. 病位 肺、脾两经。

3. 病机 时邪蕴郁肺脾，湿热蕴蒸，透于肌表。

命题趋势 疾病病位的相关知识点，考试多以 A1、B1 型题为主。

金题直击

1. 水痘的主要病位在

A. 肺、卫　　B. 肺、脾
C. 脾、肾　　D. 脾、胃
E. 肺、胃

【答案】B

【解题思路】

题干中问水痘的病位，结合证型和临床表现，时邪与湿邪分别对应肺和脾。

三、诊断与鉴别诊断

1. 诊断要点　水痘的诊断要点见表 8-11。

表 8-11　水痘的诊断要点

要点	内容
病史	起病 2 ～ 3 周前有水痘接触史
表现	初起有发热、流涕、咳嗽、不思饮食等症，发热大多不高。在发热同时 1 ～ 2 天内即于头、面、发际及全身其他部位出现红色斑丘疹，以躯干部较多，四肢部位较少，疹点出现后很快成为疱疹，大小不等，内含水液，周围有红晕，继而结成痂盖脱落，不留瘢痕
皮疹	分批出现，此起彼落，在同一时期，丘疹、疱疹、干痂往往同时并见
实验室检查	血常规检查及刮取新鲜疱疹基底物检查等可协助诊断

2. 鉴别诊断　水痘需与脓疱疮及水疥相鉴别（表 8-12）。

表 8-12　水痘的鉴别诊断

疾病	表现
脓疱疮	好发于炎热夏季，多见于头面部及肢体暴露部位，病初为疱疹，很快成为脓疱，疱液浑浊。疱液可培养出细菌
水疥（丘疹样荨麻疹）	好发于婴儿，多有过敏史，多见于四肢，呈风团样丘疹，长大后其顶部略似疱疹，较硬，不易破损，数日后渐干或轻度结痂，瘙痒重，易反复出现

四、辨证论治

1. 辨证要点　本病辨证，重在辨卫分、气分、营分。
2. 治疗原则　清热解毒利湿。
3. 分证论治　水痘的分证论治见表 8-13。

表 8-13　水痘的分证论治

证型	证候	治法	方剂
邪伤肺卫证	发热轻微，或无发热，鼻塞流涕，喷嚏流涕，起病后 1 ～ 2 天出疹，疹色红润，疱浆清亮，根盘红晕，皮疹瘙痒，分布稀疏，此起彼伏，躯干为多，苔薄白，脉浮数	疏风清热，利湿解毒	银翘散
邪炽气营证	壮热不退，烦躁不安，口渴欲饮，面红目赤，皮疹分布较密，疹色紫暗，疱浆浑浊，甚至可见出血性皮疹、紫癜，大便干结，小便短黄，舌质红或绛，苔黄糙而干，脉数有力	清气凉营，解毒化湿	清胃解毒汤

命题趋势 辨证论治相关知识点，考试多以 A2 型题为主。

金题直击

2. 患儿，5 岁。发热 2 天，咳嗽，鼻塞，流涕，皮肤出疹，见有丘疹、水疱，泡浆清亮，分布稀疏，以躯干为多，舌苔薄白，脉浮数，治疗应首选的方剂是

A. 柴葛解肌汤　　B. 透疹凉解汤
C. 清胃解毒汤　　D. 银翘散
E. 桑菊饮

【答案】D

【解题思路】

本题根据丘疹、水疱，泡浆清亮，以躯干为多，诊断为水痘；根据舌苔薄白、脉浮数，辨证为邪伤肺卫证，方剂选银翘散。

第六节　手足口病

一、发病特点

1. **定义**　手足口病是由感受手足口病时邪引起的发疹性传染病，临床以手足肌肤、口咽部发生疱疹为特征。
2. **发病年龄**　常见于 5 岁以下小儿。
3. **发病季节**　夏秋季节多见。
4. **特点**　少数重症患儿可合并心肌炎、脑炎、脑膜炎等，甚或危及生命。

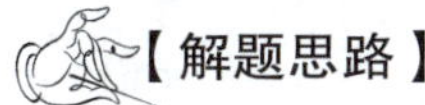

疾病临床表现的相关知识点，考试多以 A1、B1 型题为主。

金题直击

1. 手足口病的临床特征是
A. 热退疹出
B. 鸡皮样皮疹，颜面无疹，口周苍白圈
C. 充血，生皮疹，耳后、枕部淋巴结肿大
D. 皮疹以口腔、四肢为主，口腔疱疹破溃后形成溃疡
E. 皮疹向心性分布，同一皮损区丘疹、疱疹、结痂并存

【答案】D

【解题思路】

手足口病主要表现为口腔及手足部发生疱疹。

二、病因病机及病位

1. **病因**　感受手足口病时邪。
2. **病位**　肺脾二经。
3. **病机**　邪蕴肺脾，外透肌表。

三、诊断与鉴别诊断

1. **诊断要点**　手足口病的诊断要点见表 8-14。

表 8-14　手足口病的诊断要点

要点	内容
病史	发病前 1 ～ 2 周有手足口病接触史
表现	多数患儿突然起病，于发病前 1 ～ 2 天或发病的同时出现发热，多在 38℃左右，可伴头痛、咳嗽、流涕、口痛、纳差、恶心、呕吐、泄泻等症状。一般体温越高，病程越长，则病情越重
皮疹	主要表现为口腔及手足部发生疱疹。口腔疱疹多发生在硬腭、颊部、齿龈、唇内及舌部，破溃后形成小的溃疡，疼痛较剧，年幼儿常表现烦躁、哭闹、流涎、拒食等。在口腔疱疹出现后 1 ～ 2 天可见皮肤斑丘疹，呈离心性分布，以手足部多见，并很快变为疱疹，疱疹呈圆形或椭圆形扁平凸起，如米粒至豌豆大，质地较硬，多不破溃，内有浑浊液体，周围绕以红晕。疱疹长轴与指、趾皮纹走向一致。少数患儿臂、腿、臀等部位也可出现疱疹，但躯干及颜面部极少。疱疹一般 7 ～ 10 天消退，疹退后无瘢痕及色素沉着
血象检查	血白细胞计数正常，淋巴细胞和单核细胞比值相对增高

2. 鉴别诊断　手足口病需与水痘及疱疹性咽峡炎相鉴别（表 8-15）。

表 8-15　手足口病的鉴别诊断

疾病	表现
水痘	疱疹较手足口病稍大，呈向心性分布，躯干、头面多，四肢少，疱壁薄，易破溃结痂，疱疹多呈椭圆形，其长轴与躯体的纵轴垂直，且在同一时期同一皮损区斑丘疹、疱疹、结痂并见
疱疹性咽峡炎	多见于5岁以下小儿，起病较急，常突发高热、流涕、口腔疼痛甚或拒食，体检可见软腭、悬雍垂、舌腭弓、扁桃体、咽后壁等部位出现灰白色小疱疹，1～2天内疱疹破溃形成溃疡，颌下淋巴结可肿大，但很少累及颊黏膜、舌、龈以及口腔以外部位皮肤

四、辨证论治

1. 辨证要点　以脏腑辨证为纲，根据病程、发疹情况及临床其他症状区分轻证、重证。

2. 治疗原则　清热祛湿解毒。

3. 分证论治　手足口病的分证论治见表 8-16。

表 8-16　手足口病的分证论治

证型	证候	治法	方剂
邪犯肺脾证	发热轻微或无发热，或流涕咳嗽，纳差恶心，呕吐泄泻，1～2天后或同时出现口腔内疱疹，破溃后形成小的溃疡，疼痛流涎，不欲进食。随病情进展，手掌，足跖部出现米粒至豌豆大斑丘疹，并迅速转为疱疹，分布稀疏，疹色红润，根盘红晕不著，疱液清亮，舌质红，苔薄黄腻，脉浮数	宣肺解表，清热化湿	甘露消毒丹
湿热蒸盛证	身热持续，烦躁口渴，小便黄赤，大便秘结，手、足、口部及四肢、臀部疱疹，痛痒剧烈，甚或拒食，疱疹色泽紫暗，分布稠密，或成簇出现，根盘红晕显著，疱液浑浊，舌质红绛，苔黄厚腻或黄燥，脉滑数	清热凉营，解毒祛湿	清瘟败毒饮

命题趋势　辨证论治相关知识点，考试多以 A2 型题为主。

金题直击

2. 患儿，2岁。发热2天来诊，体温37.8℃，流涕，咳嗽，不欲进食，便稀，查体：口腔黏膜散在疱疹、溃疡，手足散在斑丘疹，偶见疱疹，疹色红润，疱液清亮，舌质红，苔薄黄略腻，脉浮数，其治法是

A. 清气凉营，解毒化湿　　B. 疏风清热，利湿解毒

C. 辛凉宣透，泻火解毒　　D. 宣肺解表，清热化湿

E. 清热凉营，解毒化湿

【答案】D

【解题思路】

本题根据口腔黏膜散在疱疹、溃疡，手足散在斑丘疹，诊断为手足口病；根据疹色红润，疱液清亮，辨证为邪犯肺脾证，治法为宣肺解表，清热化湿。

第七节　痄　腮

一、发病特点

1. 定义　痄腮是由痄腮时邪引起的一种急性传染病，西医学称之为流行性腮腺炎，以发热、耳下腮部肿胀疼痛为主要特征。

2. 发病年龄　多发于3岁以上儿童，2岁以下婴幼儿少见。

3. 发病季节　以冬春两季易于流行。

4. 特点　少数患儿因素体虚弱或邪毒炽盛，可见邪陷心肝、毒窜睾腹之变证。感染本病后可获终生免疫。

命题趋势　疾病好发年龄段的相关知识点，考试多以 A1、B1 型题为主。

1. 流行性腮腺炎的好发年龄为

A. 1 岁以内 B. 1 ～ 2 岁

C. 3 岁以上儿童 D. 6 个月以内

E. 12 岁以后 【答案】C

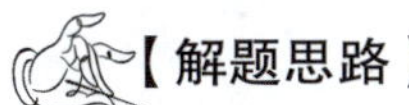

【解题思路】

流行性腮腺炎多发于 3 岁以上儿童，2 岁以下婴幼儿少见。

二、病因病机

1. 病因 感受痄腮时邪所致。

2. 病机 邪毒壅阻足少阳经脉，与气血相搏，凝滞于耳下腮部。

三、诊断与鉴别诊断

1. 诊断要点 痄腮的诊断要点见表 8-17。

表 8-17 痄腮的诊断要点

要点	内容
病史	发病前 2 ～ 3 周有流行性腮腺炎接触史
表现	发热，以耳垂为中心的腮部肿痛，边缘不清，触之有弹性感，压痛明显。常一侧先肿大，2 ～ 3 天后对侧亦可肿大。腮腺管口红肿。有时颌下腺出现肿痛
实验室检查	血常规检查见白细胞总数可正常，或稍降低或稍增高，淋巴细胞可相对增加。血清、尿淀粉酶增高。可疑病例应做血清学检查及病原学检查以明确诊断

2. 鉴别诊断 痄腮，需与化脓性腮腺炎相鉴别。

化脓性腮腺炎：腮腺肿大多为一侧，表皮泛红，疼痛剧烈，拒按，按压腮部可见口腔内腮腺管口有脓液溢出，无传染性，血白细胞总数及中性粒细胞增高。中医学称之为发颐。

四、辨证论治

1. 辨证要点 以经络辨证为主，同时辨常证、变证。

2. 治疗原则 清热解毒、软坚散结。

3. 分证论治

（1）常证的分证论治（表 8-18）

表 8-18 痄腮常证的分证论治

证型	证候	治法	方剂
邪犯少阳证	轻微发热恶寒，一侧或两侧耳下腮部漫肿疼痛，咀嚼不便，或有头痛、咽红、纳少，舌质红，苔薄白或淡黄，脉浮数	疏风清热，散结消肿	柴胡葛根汤
热毒壅盛证	高热，一侧或两侧耳下腮部肿胀疼痛，坚硬拒按，张口咀嚼困难，或有烦躁不安，口渴欲饮，头痛，咽红肿痛，颌下肿块胀痛，大便秘结，尿少而黄，舌质红，苔黄，脉滑数	清热解毒，软坚散结	普济消毒饮

（2）变证的分证论治（表 8-19）

表 8-19 痄腮变证的辨证论治

证型	证候	治法	方剂
邪陷心肝证	高热不退，耳下腮部肿痛，坚硬拒按，神昏，嗜睡，项强，四肢抽搐，头痛，呕吐，舌质红，苔黄，脉弦数	清热解毒，息风开窍	清瘟败毒饮
毒窜睾腹证	腮部肿胀消退后，一侧或双侧睾丸肿胀疼痛，或脘腹、少腹疼痛，痛时拒按，舌质红，苔黄，脉数	清肝泻火，活血止痛	龙胆泻肝汤

命题趋势 证型选方的相关知识点，考试多以 A1、B1 型题为主。

金题直击

2. 痄腮之热毒壅盛证的首选方剂是

A. 柴胡葛根汤　　B. 银翘散

C. 普济消毒饮　　D. 清瘟败毒饮

E. 龙胆泻肝汤

【答案】C

【解题思路】

题干中给出病证，问用何方，痄腮在大纲中涉及常证和变证，常证中的热毒壅盛所用的方剂是普济消毒饮。

五、其他疗法

1. 药物外治　鲜地龙加白糖、鲜仙人掌、鲜马齿苋，捣烂外敷腮部，适用于腮部肿痛；如意金黄散、紫金锭、青黛散，以水或醋调匀后外敷腮部，适用于腮部肿痛。

2. 针灸疗法

（1）灯火灸法：取患侧角孙穴，用灯芯草蘸麻油，点燃后，迅速按于角孙穴上。

（2）针刺法：取翳风、颊车、合谷穴，泻法，强刺激。发热者，加大椎、曲池；睾丸、小腹疼痛者，加血海、三阴交。

3. 激光疗法　用氦 - 氖激光穴位照射。

（1）主穴：合谷、少商、阿是穴（腮肿痛处）。

（2）配穴：风池、曲池。

第八节　顿咳（助理不考）

一、发病特点

1. 定义　顿咳是指感受时行邪毒引起的肺系时行疾病，临床以阵发性痉挛咳嗽，咳后有特殊的鸡鸣样吸气性吼声为特征。西医学称之为百日咳。

2. 发病年龄　5 岁以下小儿最易发病，10 岁以上儿童较少发病。

3. 发病季节　冬春季节多见。

4. 特点　本病病程较长，如不及时治疗，可持续 2 ～ 3 个月以上。

二、病因病机

1. 病因病机　外感时行邪毒侵入肺系，夹痰胶结气道，导致肺失肃降。

2. 病变脏腑　以肺为主，继则影响肝、胃、大肠、膀胱，重者可内陷心肝。

命题趋势 疾病病机的相关知识点，考试多以 A1、B1 型题为主。

金题直击

1. 顿咳的主要病因病机是

A. 外感时邪，引动伏痰　　B. 感受风邪，肺气失宣

C. 外感时邪，肺气上逆　　D. 禀赋不足，胎毒内蕴

E. 肺脾气虚，痰浊阻肺

【答案】C

【解题思路】

顿咳以阵发性痉挛咳嗽，咳后有特殊的鸡鸣样吸气性吼声为特征，以咳为主，病机为外感时行邪毒侵入肺系，夹痰胶结气道，导致肺失肃降，上逆而咳。

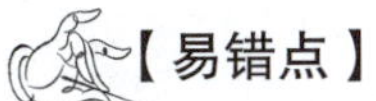【易错点】

容易错选为A，伏痰指哮喘而言，顿咳为肺气失宣而夹痰。

三、诊断要点

顿咳的诊断要点见表8-20。

表8-20 顿咳的诊断要点

要点	内容
病史	有百日咳接触史，且未接种过百日咳疫苗
表现	发病初期感冒症状逐渐减轻，而咳嗽反增；阵发性痉咳，咳嗽末有鸡鸣样吸气性回声，日轻夜重；面目浮肿，目睛出血，舌系带溃疡等
实验室检查	血常规检查、细菌培养、免疫荧光检查、血清抗体检测可助确诊

四、辨证论治

1. **辨证要点** 初咳期辨风寒、风热；痉咳期辨痰火、痰浊；恢复期邪辨阴虚、气虚。
2. **治疗原则** 涤痰清火，泻肺降逆。
3. **分证论治** 顿咳的分证论治见表8-21。

表8-21 顿咳的分证论治

证型	症状	治法	方剂
邪犯肺卫证（初咳期）	鼻塞流涕，喷嚏咳嗽，2～3天后咳嗽日渐加重，并渐显日轻夜重，咳痰稀白、量不多或痰稠不易咳出，咳声不畅，苔薄白或薄黄，脉浮紧或浮数，指纹浮红或浮紫在风关。历时1周左右	疏风祛邪，宣肺止咳	三拗汤
痰火阻肺证（痉咳期）	咳嗽明显较前加重，咳呛不已，持续难止，日轻夜重，痉咳后伴有深吸气样鸡鸣声，吐出痰涎或食物后方暂止，不久可又发作。痉咳3周后，常可伴有舌系带溃疡、两胁作痛、目睛红赤等。舌质红，苔薄黄，脉数，指纹紫达气关。历时一般持续2～6周，亦有达8周以上者	清热泻肺，涤痰镇咳	桑白皮汤合葶苈大枣泻肺汤
气阴耗伤证（恢复期）	痉咳缓解，咳嗽逐渐减轻，仍有干咳无痰，或痰少而稠，声音嘶哑，伴低热，午后颧红，烦躁，夜寐不宁，盗汗，口干，舌质红，苔少或无苔，脉细数；或表现为咳声无力，痰白清稀，神倦乏力，纳差食少，自汗或盗汗，大便不实，舌质淡，苔薄白，脉细弱。历时2～4周	养阴润肺，益气健脾	肺阴亏虚证用沙参麦冬汤；肺脾气虚证用人参五味子汤

命题趋势 辨证论治相关知识点，考试多以A2型题为主。

金题直击

2. 患儿，3岁。患百日咳4周，现咳声无力，痰白清稀，神倦乏力，气短懒言，纳差食少，自汗或盗汗，大便不实，舌质淡，苔薄白，脉细弱，其治法是

A. 清热解毒，利湿化痰　　B. 宣肺止咳，疏风祛邪

C. 宣肺散邪，益气健脾　　D. 泻肺清热，涤痰镇咳

E. 养阴润肺，健脾益气

【答案】E

【解题思路】

题干中给出疾病为百日咳，即顿咳，依据自汗或盗汗、脉细弱，辨证为气阴耗伤证，阴虚则养阴，气虚则补气，故答案为E，注意不要选择B，B项没有阴虚的症状。

高频考点速递

1. 麻疹治疗原则　以透为顺，以清为要，以“麻不厌透”“麻喜清凉”为指导原则。透疹宜取清凉。

2. 奶麻病位　肺脾。

3. 风痧定义　即风疹，是感受风痧时邪，以轻度发热，咳嗽，全身皮肤出现细沙样玫瑰色斑丘疹，耳后及枕部臖核（淋巴结）肿大为特征的一种急性出疹性传染病。

4. 丹痧　西医学称为“猩红热”。

5. 水痘特征　以发热，皮肤黏膜分批出现瘙痒性皮疹，丘疹、疱疹、结痂同时存在为主要特征。

6. 手足口病特征　临床以手足肌肤、口咽部发生疱疹为特征，有传染性。

7. 痄腮的病机　邪毒壅阻足少阳经脉，与气血相搏，凝滞于耳下腮部。

8. 顿咳病因病机　外感时行邪毒侵入肺系，夹痰胶结气道，导致肺失肃降。

第九单元　虫　证

考情分析

单元	年份 / 级别	2019	2020	2021	2022	2023
虫证	执业	6	6	5	4	3
	助理	2	2	2	1	2

第一节　蛔虫病

一、发病特点

1. 定义　蛔虫病是感染蛔虫卵引起的小儿常见肠道寄生虫病、以脐周疼痛、时作时止，饮食异常，大便下虫，或粪便镜检有蛔虫卵为主要特征。

2. 发病年龄　多见于 3 ～ 10 岁的儿童。

3. 特点　影响小儿的食欲及肠道功能和生长发育。重者可能出现并发症，其中以蛔厥证、虫瘕证多见。

二、诊断要点

蛔虫病的诊断要点见表 9-1。

表 9-1　蛔虫病的诊断要点

要点	内容
病史	可有吐蛔、便蛔史
表现	反复脐周疼痛，时作时止，腹部按之有条索状物或团块，轻揉可散，食欲异常，形体消瘦，可见挖鼻、咬指甲、睡眠磨牙、面部白斑。合并蛔厥、虫瘕，可见阵发性剧烈腹痛，伴恶心呕吐，甚或吐出蛔虫。蛔厥者，可伴有畏寒发热，甚至出现黄疸。虫瘕者，腹部可扪及虫团，按之柔软可动，多见大便不通
大便病原学检查	应用直接涂片法，或厚涂片法，或饱和盐水浮聚法，检出粪便中蛔虫卵即可确诊，但粪检未查出虫卵也不能排除本病

命题趋势　疾病临床表现的相关知识点，考试多以 A1、B1 型题为主。

金题直击

1. 蛔虫病以腹痛为主要症状，其疼痛部位主要在

A. 胃脘部　　B. 脐周部

C. 右下腹　　D. 左下腹

E. 痛无定处

【答案】B

【解题思路】

蛔虫病主要表现为反复脐周疼痛，蛔虫主要盘踞在小肠，不仅影响小儿的食欲及肠道功能，而且影响小儿的生长发育。

三、辨证论治

1. 辨证要点　以六腑辨证为纲。

2. 治疗原则　以驱蛔杀虫为主，辅以调理脾胃之法。出现蛔厥、虫瘕等并发症者，根据蛔“得酸则安、得辛则伏、得苦则下”的特性，先予酸、辛、苦等药味，以安蛔止痛治标，也可以标本兼施，安蛔、驱虫、通下并用，使胆腑、肠腑通利，腹痛较快缓解。

3. 分证论治　蛔虫病的分证论治见表 9-2。

表 9-2　蛔虫病的分证论治

证型	症状	治法	方剂
肠虫证	脐腹部疼痛，轻重不一，时作时止，或不思饮食，或嗜食异物，大便不调，或泄泻或便秘，或便下蛔虫，面色多黄滞，可见面部白斑，白睛蓝斑，唇内粟状白点，夜寐蚧齿。甚者，腹部可扪及条索状物，时聚时散，形体消瘦，肚腹胀大，青筋显露。舌苔多见花剥或腻，舌尖红赤，脉弦滑	驱蛔杀虫，调理脾胃	使君子散
蛔厥证	突然发生剧烈腹痛，以右胁下及胃脘部疼痛为主，弯腰曲背，辗转不安，肢冷汗出，恶心呕吐，常吐蛔虫。发作间歇时，痛止如常人。重者，腹痛持续不止，畏寒发热，甚则出现黄疸。舌质红，舌苔厚腻，脉象弦数或滑数	安蛔定痛，继则驱虫	乌梅丸
虫瘕证	突然阵发性脐腹剧烈疼痛，部位不定，频繁呕吐，可呕出蛔虫，大便不下或量少，腹胀，腹部可扪及质软、无痛的可移动团块。病情持续不缓解者，见腹痛、压痛明显，肠鸣，无矢气。舌苔白或黄腻，脉滑数或弦数	行气通腑，散蛔驱虫	驱蛔承气汤

命题趋势　证型治法的相关知识点，考试多以 A1、B1 型题为主。

金题直击

2. 治疗蛔虫病虫瘕证，治法是

A. 安蛔定痛，继则驱虫　　B. 驱蛔杀虫，调理脾胃

C. 行气通腑，散蛔驱虫　　D. 散蛔驱虫，调胃定痛

E. 调气活络，驱蛔杀虫

【答案】C

【解题思路】

题干中给出病证为虫瘕，治法为行气通腑，散蛔驱虫。

四、其他疗法

1. 单方验方

（1）使君子仁，文火炒黄嚼服，用于驱蛔；鹤虱丸，蜜汤下，以虫出为度；用于蛔虫腹痛。

（2）椒目，豆油。油烧开后入椒目，椒目以焦为度，去椒喝油，用于虫瘕证。

2. 推拿疗法

（1）按压上腹部剑突下 3 ～ 4cm 处，一压一推一松，待腹肌放松时，突然重力推压一次，若患儿腹痛消失或减轻，表明蛔虫已退出胆道，可停止推拿。用于蛔厥证。

（2）用掌心以旋摩法顺时针方向按摩患儿脐部，手法由轻到重。如虫团松动，但解开较慢，可配合捏法帮助松解。用于虫瘕证。

3. 针灸疗法 迎香透四白、胆囊穴、内关、足三里、中脘、水沟，强刺激，泻法，用于蛔厥证。天枢、中脘、足三里、内关、合谷，强刺激，泻法，用于虫瘕证。

4. 西医治疗 甲苯咪唑，阿苯哒唑（丙硫咪唑），枸橼酸哌嗪（驱蛔灵）。

第二节　蛲虫病（助理不考）

一、发病特点

1. 定义 蛲虫病是由蛲虫寄生人体所致的小儿常见肠道寄生虫病，以夜间肛门及会阴附近奇痒并见到蛲虫为特征。蛲虫色白，形细小如线头，俗称“线虫”。

2. 发病年龄 2～9岁儿童感染率最高，患儿是唯一的传染源。

3. 特点 蛲虫的寿命不超过2个月，如果无重复感染可自行痊愈。

二、诊断要点

蛲虫病的诊断要点见表9-3。

表9-3　蛲虫病的诊断要点

要点	内容	
病史	有喜以手摄取食物、吮手指等不良卫生习惯	
表现	以夜间肛门及会阴部奇痒，睡眠不安为主要临床表现，可并见尿频、遗尿、腹痛等症。大便或肛周可见8～13mm长的白色线状成虫	
肛门拭纸法检查虫卵	透明胶纸法	用透明胶纸黏擦肛门周围皮肤，虫卵即被黏于胶面，然后将纸平贴在玻璃片上，镜检虫卵
	棉签拭子法	用蘸有生理盐水的消毒棉签拭擦肛周，然后将拭擦物洗入饱和生理盐水，用漂浮法查虫卵

命题趋势 疾病临床表现的相关知识点，考试多以A1、B1型题为主。

金题直击

蛲虫病的主要特征是

A. 腹部有移动性包块　　B. 夜间肛门奇痒

C. 阵发性腹痛　　D. 夜间睡中磨牙

E. 食欲异常

【答案】B

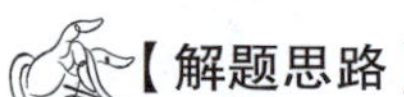【解题思路】

蛲虫病主要表现为以夜间肛门及会阴附近奇痒为特征。

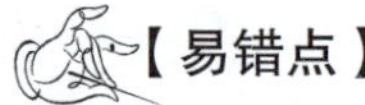【易错点】

A选项腹部有移动性包块为蛔虫病虫瘕证的表现。

三、辨证论治

1. 辨证要点 应辨明虚实轻重。病初多属实证，病程较久，耗伤气血，以脾胃虚弱为主。

2. 治疗原则 以驱虫为主，常内服、外治相结合。

3. 分证论治

（1）证候：肛门、会阴部瘙痒，夜间尤甚，睡眠不宁，烦躁不安，或尿频、遗尿，或女孩前阴瘙痒，分泌物增多，或食欲不振，形体消瘦，面色苍黄，舌质淡，苔白，脉无力。

（2）治法：杀虫止痒，结合外治。

（3）代表方剂：驱虫粉。

四、其他疗法

1. **外治疗法**

（1）百部，苦楝皮，乌梅。煎汁保留灌肠，用于驱杀蛲虫。

（2）百部，苦参。研细末，加凡士林调成膏状，用温水洗肛门后涂药，用于杀虫止痒。

（3）蛲虫软膏，擦肛门皱襞周围，并挤少许入肛门内，有杀虫止痒作用。

2. **西医治疗**　扑蛲灵，阿苯哒唑（丙硫咪唑）。

高频考点速递

1. 蛔虫病以六腑辨证为纲，以驱蛔杀虫为主，辅以调理脾胃之法。
2. 蛲虫病以夜间肛门及会阴附近奇痒并见到蛲虫为特征。

第十单元　其他疾病

单元	级别＼年份	2019	2020	2021	2022	2023
其他疾病	执业	1	2	2	2	3
	助理	2	2	2	2	1

第一节　夏季热（助理不考）

一、发病特点

1. **定义**　夏季热是婴幼儿在暑天发生的特有的季节性疾病，临床以长期发热、口渴多饮、多尿、少汗或汗闭为特征，又称暑热症。

2. **发病年龄**　多见于 6 个月至 3 岁的婴幼儿，5 岁以上者少见。

3. **发病季节**　6 月、7 月、8 月三个月，与气温升高、气候炎热有密切关系。秋凉以后，症状能自行消退。

二、病因病机

1. **病因**　小儿体质不能耐受夏季炎暑。

2. **病机**　小儿正气虚弱，不耐暑气熏蒸，气阴耗伤而致。

三、诊断与鉴别诊断

1. **诊断要点**　夏季热的诊断要点见表 10-1。

表 10–1　夏季热的诊断要点

要点	表现
发热	多数患儿表现为暑天渐渐起病，随着气温上升而体温随之上升，可在 38 ～ 40℃之间，并随着气温升降而波动，发热期可达 1 ～ 3 个月，随着气候转为凉爽，体温自然下降至正常
少汗或汗闭	虽有高热，但汗出不多，仅在起病时头部稍有汗出，甚或无汗
多饮多尿	患儿口渴逐渐明显，饮水日增，24 小时可饮水 2000 ～ 3000mL，甚至更多。小便清长，次数频繁，每日可达 20 ～ 30 次，或随饮随尿

续表

要点	表现
其他症状	病初一般情况良好。发热持续不退时可伴食欲减退、形体消瘦、面色少华，或伴倦怠乏力、烦躁不安，但很少发生惊厥
实验室检查	除部分患儿血常规可呈淋巴细胞百分数增高外，其他检查在正常范围

2. 鉴别诊断

（1）疰夏：多发生在长夏季节，主要表现为低热，一般无高热、汗闭、口渴多饮、多尿等症状，可伴有食欲减退、身困乏力。

（2）湿温：感受湿热时邪所致。主要发生于夏秋季节，发热持续不退，与夏季热相类似，但口渴不甚明显、尿不多，这是与夏季热的主要区别之处。

命题趋势 疾病临床表现的相关知识点，考试多以A1、B1型题为主。

金题直击

1. 夏季热的主要临床特征为

A. 发热，口渴，便秘，尿少　　B. 长期发热，口渴多饮，多尿，汗闭

C. 发热，口渴多饮，多尿，多汗　　D. 大热，大渴，大汗，脉洪大

E. 发热，多食多饮，多尿，消瘦

【答案】B

【解题思路】

出汗本身能调节体温，带走热量。少汗或汗闭为夏季热的特点，暑气伤于肺卫，腠理开阖失司，肌肤闭而失宣，又肺津为暑热所伤，津气两亏，水源不足，水液无以输布，故见少汗或汗闭。

四、辨证论治

1. 辨证要点 根据患儿的体质状况、临床表现，辨别是以暑气熏蒸伤及肺胃气阴为主，还是已损及下焦肾之阳气。

2. 治疗原则 清暑泄热、益气生津。

3. 分证论治 夏季热的分证论治见表10-2。

表10-2 夏季热的分证论治

证型	证候	治法	方剂
暑伤肺胃证	入夏后体温逐渐增高，发热持续，气温越高，体温越高，皮肤灼热，少汗或无汗，口渴引饮，小便频数，甚则饮一溲一，精神烦躁，口唇干燥，舌质红，苔薄黄，脉数	清暑益气，养阴生津	王氏清暑益气汤
上盛下虚证	发热日久不退、朝盛暮衰，精神萎靡或虚烦不安，面色苍白，下肢清冷，小便清长、频数无度，大便稀溏，口渴多饮，舌质淡，舌苔薄黄，脉细数无力	温补肾阳，清心护阴	温下清上汤

命题趋势 辨证论治相关知识点，考试多以A2型题为主。

金题直击

2. 患儿，2岁。时值夏季，发热持续1月余，朝盛暮衰，口渴多饮，尿多清长，无汗，面色苍白，下肢欠温，大便溏薄，舌质淡苔薄，治疗应首选的方剂是

A. 白虎汤　　B. 新加香薷饮

C. 温下清上汤　　D. 竹叶石膏汤

E. 王氏清暑益气汤

【答案】C

【解题思路】

本题根据时值夏季，发热无汗，诊断为夏季热；根据尿多清长、下肢欠温，辨证为上盛下虚证，方剂选温下清上汤。

第二节　紫　癜

一、发病特点

紫癜以血液溢于皮肤、黏膜之下，出现瘀点瘀斑，压之不褪色为其临床特征，常伴鼻衄、齿衄，甚则呕血、便血、尿血。本病包括西医学的过敏性紫癜和免疫性血小板减少性紫癜。

二、病因病机

1. **病因**　内因是小儿素体正气亏虚；外因是外感风热时邪及其他异气。
2. **病位**　心、肝、脾、肾。

三、诊断与鉴别诊断

1. 过敏性紫癜的诊断要点（表 10-3）

表 10-3　过敏性紫癜的诊断要点

要点	内容
好发年龄	为 3 ～ 14 岁，男性多于女性
发病季节	春秋两季发病较多
病史	发病前可有上呼吸道感染或服食某些致敏食物、药物等诱因
表现	紫癜多见于下肢伸侧及臀部、关节周围，为高出皮肤的鲜红色至深红色丘疹、红斑或荨麻疹，大小不一，多呈对称性，分批出现，压之不褪色。可伴有腹痛、呕吐、血便等消化道症状，游走性大关节肿痛，以及血尿、蛋白尿等
实验室检查	血小板计数、出凝血时间、血块收缩时间均正常。应注意定期检查尿常规，可有镜下血尿、蛋白尿

2. 血小板减少性紫癜的诊断要点（表 10-4）

表 10-4　血小板减少性紫癜的诊断要点

要点	内容
发病年龄	多在 2 ～ 5 岁，男女发病比例无差异
主要死因	颅内出血
表现	皮肤、黏膜见瘀点、瘀斑，瘀点多为针尖样大小，一般不高出皮面，多不对称，可遍及全身，但以四肢及头面部多见。可伴有鼻衄、齿衄、尿血、便血等，严重者可并发颅内出血
实验室检查	血小板计数显著减少。出血时间延长，血块收缩不良，束臂试验阳性

命题趋势　疾病临床表现的相关知识点，考试多以 A1、B1 型题为主。

金题直击

1. 下列哪项不是过敏性紫癜临床特点的是

A. 紫癜多见于下肢伸侧及臀部、关节周围　B. 多呈对称性分布

C. 不高出皮肤　D. 压之不褪色

E. 可伴腹痛及关节痛

【答案】C

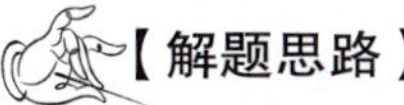

【解题思路】

过敏性紫癜为高出皮肤的鲜红色至深红色丘疹、红斑或荨麻疹。

四、辨证论治

1. 辨证要点 首先辨虚实。其次判断病情轻重，以出血量的多少及是否伴有肾脏损害或颅内出血等作为判断轻重的依据。

2. 治疗原则 实证以清热凉血为主；虚证以益气摄血、滋阴降火为主。

3. 分证论治 紫癜的分证论治见表10-5。

表10-5 紫癜的分证论治

证型	证候	治法	方剂
风热伤络证	起病较急，全身皮肤紫癜散发，尤以下肢及臀部居多，呈对称分布，色泽鲜红，大小不一，或伴痒感，可有发热、腹痛、关节肿痛、尿血等，舌质红，苔薄黄，脉浮数	疏风散邪，清热凉血	连翘败毒散
血热妄行证	起病较急，皮肤出现瘀点瘀斑，色鲜红；或伴鼻衄、齿衄、便血、尿血，血色鲜红或紫红；心烦、口渴、便秘，舌质红，苔黄燥，脉数有力	清热解毒，凉血止血	犀角地黄汤
气不摄血证	起病缓慢，病程迁延，紫癜反复出现，瘀点、瘀斑颜色淡紫，常有鼻衄、齿衄，面色苍黄，神疲乏力，食欲不振，头晕心慌，舌质淡胖，苔薄，脉细无力	健脾养心，益气摄血	归脾汤
阴虚火旺证	紫癜时发时止，鼻衄，齿衄，血色鲜红，低热盗汗，心烦少寐，大便干燥，小便黄赤，舌光红，苔少，脉细数	滋阴降火，凉血止血	大补阴丸、知柏地黄丸

命题趋势 辨证论治相关知识点，考试多以A2型题为主。

金题直击

2. 患儿，5岁。皮肤出现瘀点瘀斑，色泽鲜红，伴见鼻衄、齿衄，尿色红赤，大便如柏油样，心烦，口渴，舌质红，脉数有力，治疗应首选的方剂是

A. 麻黄连翘赤小豆汤　　B. 银翘散

C. 连翘败毒散　　D. 黄连解毒汤

E. 犀角地黄汤

【答案】E

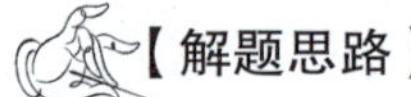
【解题思路】

本题根据皮肤出现瘀点瘀斑，诊断为紫癜；根据色泽鲜红、口渴、舌质红、脉数有力，辨证为血热妄行证，方剂选犀角地黄汤。

第三节　皮肤黏膜淋巴结综合征（助理不考）

一、发病特点

1. 定义 皮肤黏膜淋巴结综合征是以全身血管炎性病变为主要病理的急性发热性出疹性疾病，临床以急性发热、多形红斑、球结膜充血、草莓舌、颈淋巴结肿大、手足硬肿为特征，又称川崎病。

2. 发病年龄 好发于婴幼儿，男女比例为（1.3～1.5）∶1，病程多为6～8周。

3. 死因 多为心肌炎、动脉瘤破裂及心肌梗死。

命题趋势 疾病好发年龄段的相关知识点，考试多以A1、B1型题为主。

金题直击

1. 皮肤黏膜淋巴结综合征的好发年龄是

A. 婴幼儿　　B. 幼儿和儿童

C. 年长儿和青少年　　D. 青少年和成年人

E. 老年人

【答案】A

【解题思路】

本病好发于婴幼儿，病程多为 6～8 周。D 和 E，成年人和老年人，在儿科学中，可以排除。

二、病因病机

温热邪毒从口鼻而入，犯于肺卫，蕴于肌腠，内侵气营及血分而传变，尤以侵犯营血为甚。病位以肺、胃为主，可累及心、肝、肾。

三、诊断与鉴别诊断

1. 诊断要点　皮肤黏膜淋巴结综合征的诊断要点见表 10-6。

表 10-6　皮肤黏膜淋巴结综合征的诊断要点

要点	表现
发热	持续发热 5 天以上，抗生素治疗无效
眼	双侧球结合膜充血
口	口唇鲜红、皲裂，草莓舌，口咽黏膜弥漫充血
手足	硬肿，掌趾红斑，恢复期指（趾）脱皮
躯干部	多形性红斑样皮疹
颈淋巴结	肿大，多为单侧，很快消退

表中 6 项中具备包括发热在内的 5 项即可确诊。不足 4 项，而有冠状动脉损害者，也可确诊。

2. 鉴别诊断　皮肤黏膜淋巴结综合征需与幼年类风湿病相鉴别。

幼年类风湿病：发热时间较长，可持续数周或数月，对称性、多发性关节炎，尤以指（趾）关节受累比较突出，类风湿因子可为阳性。

四、辨证论治

1. 辨证要点　以卫气营血辨证为纲。

2. 治疗原则　以清热解毒、活血化瘀为主。温毒之邪多从火化，最易伤阴，又要滋养胃津，顾护心阴。

3. 分证论治　皮肤黏膜淋巴结综合征的分证论治见表 10-7。

表 10-7　皮肤黏膜淋巴结综合征的分证论治

证型	证候	治法	方剂
卫气同病证	病起急骤，持续高热，微恶风，目赤，咽红，手掌足底潮红，面部、躯干部初现皮疹，或见颈部淋巴结肿大，或伴咳嗽，轻度腹泻，舌质红，苔薄白，脉浮数	辛凉透表，清热解毒	银翘散
气营两燔证	壮热不退，昼轻夜重，咽红目赤，唇赤干裂，肌肤斑疹，或见关节痛，单侧或双侧颈部淋巴结肿大，手足硬肿，掌跖及指、趾端潮红，随后指、趾端脱皮，舌质红绛，状如草莓，苔薄黄，脉数有力	清气凉营，解毒化瘀	清瘟败毒饮
气阴两伤证	身热已退（或有低热留恋），倦怠乏力，动辄汗出，咽干唇裂，口渴喜饮，手足硬肿及红斑消退，而在指、趾末端沿指（趾）甲与皮肤交界处出现薄片或膜样脱屑，舌质红，苔少，指纹紫，脉细弱不整	益气养阴，清解余热	沙参麦冬汤

命题趋势　证型治法的相关知识点，考试多以 A1、B1 型题为主。

金题直击

2. 皮肤黏膜淋巴结综合征卫气同病证的治法是

A. 辛凉透表，清热解毒　　B. 疏风解表，清热凉血

C. 清气凉营，解毒化瘀　　D. 益气养阴，清解余热

E. 疏风清热，利湿解毒

【答案】A

【解题思路】

| 卫气同病证治法为辛凉透表，清热解毒。

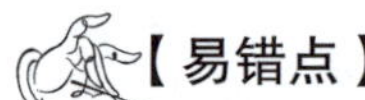【易错点】

| C 为气营两燔证的治法。

五、西医治疗

丙种球蛋白，阿司匹林。如有心源性休克、心力衰竭及心律失常者，予相应治疗。

第四节　维生素 D 缺乏性佝偻病

一、发病特点

1. 定义　维生素 D 缺乏性佝偻病是由于儿童体内维生素 D 不足，导致钙磷代谢失常的一种慢性营养性疾病，以正在生长的骨骺端软骨板不能正常钙化，造成骨骼病变为其特征，简称佝偻病。

2. 发病年龄　主要见于 2 岁以内婴幼儿。

3. 特点　轻者如治疗得当，预后良好；重者如失治、误治，易导致骨骼畸形，留有后遗症。

二、病因病机

1. 病因　胎元失养，乳食失调，其他因素如日照不足或体虚多病等。

2. 病机　脾肾亏虚，常累及心、肺、肝。

命题趋势　疾病病机的相关知识点，考试多以 A1、B1 型题为主。

金题直击

1. 维生素 D 缺乏性佝偻病的主要病机是

A. 心脾不足　　B. 心肝血虚

C. 肝肾阴虚　　D. 脾肾亏虚

E. 肺脾两虚

【答案】D

【解题思路】

| 维生素 D 缺乏性佝偻病属于慢性营养性疾病，病机为脾肾亏虚。

三、诊断与鉴别诊断

1. 诊断要点　早期的多汗、烦躁等神经兴奋性增高的症状无特异性，要结合患儿年龄、季节、早产、日光照射或维生素 D 摄入不足以及母亲孕期情况等进行综合分析。可疑病例可做 X 线长骨检查和血清生化检测以助诊断。

2. 鉴别诊断　维生素 D 缺乏性佝偻病需与先天性甲状腺功能低下及脑积水相鉴别（表 10-8）。

表 10-8　维生素 D 缺乏性佝偻病的鉴别诊断

疾病	表现
先天性甲状腺功能低下	出生 3 个月后呈现生长发育迟缓，体格明显矮小，出牙迟，前囟大而闭合晚，神情呆滞，腹胀，食欲不振等。患儿智力低下，有特殊面容。血清 TSH、T_4 测定可资鉴别
脑积水	中医学称“解颅”。发病常在出生后数月，前囟及头颅进行性增大，且前囟饱满紧张，骨缝分离，两眼下视，如“落日状”。X 线片示颅骨穹隆膨大，颅骨变薄，囟门及骨缝宽大等

四、辨证论治

1. 辨证要点　采用脏腑辨证，辨别以脾虚为主或肾虚为主；继而辨症状的轻重。

2. 治疗原则 以调补脾肾为要。

3. 辨证论治 维生素D缺乏性佝偻病的辨证论治见表10-9。

表10-9 维生素D缺乏性佝偻病的辨证论治

证型	证候	治法	方剂
肺脾气虚证	多汗夜惊，烦躁不安，发稀枕秃，囟门增大，伴有轻度骨骼改变，肌肉松软，食欲不振，易反复感冒，舌质淡，苔薄白，脉细无力	健脾补肺	人参五味子汤
脾虚肝旺证	头部多汗，发稀枕秃，囟门迟闭，出牙延迟，坐立行走无力，易惊多惕，甚则抽搐，纳呆食少，舌质淡苔薄，脉细弦	健脾助运，平肝息风	益脾镇惊散
肾精亏损证	有明显的骨骼改变症状，如头颅方大、肋软骨沟、肋串珠、鸡胸、漏斗胸等，出牙、坐立、行走迟缓，并有面白虚烦，多汗肢软，舌质淡，苔少，脉细无力	补肾填精，佐以健脾	补肾地黄丸

命题趋势 证型治法的相关知识点，考试多以A1、B1型题为主合。

金题直击

2. 佝偻病之肺脾气虚证的治法是

A. 健脾补肺　　B. 清热解毒

C. 益气养阴　　D. 滋养胃津

E. 疏风清热

【答案】A

【解题思路】

虚则补之，肺脾气虚则补脾肺，治法为健脾补肺。

五、西医治疗

维生素D缺乏性佝偻病的西医治疗见表10-10。

表10-10 维生素D缺乏性佝偻病的西医治疗

分期	用药	疗程
初期	每日口服维生素D5000～10000U	连服1个月
激期	每日口服维生素D10000～20000U	连服1个月
	不能坚持口服者，可肌内注射维生素D_2，每次40万单位	连用1～3次，每次间隔1个月
	在给维生素D的同时应给钙剂每次0.5～1.0g	每日2～3次，连服2～3个月

高频考点速递

1. 过敏性紫癜与血小板减少性紫癜的鉴别（表10-11）

表10-11 过敏性紫癜与血小板减少性紫癜的鉴别

鉴别要点	过敏性紫癜	血小板减少性紫癜
好发年龄	3～14岁，男性多于女性	多在2～5岁，男女发病无差异
病史	感染或服食某些致敏食物、药物	—
临床表现	紫癜多见于下肢伸侧及臀部、关节周围，高出皮肤的丘疹、红斑或荨麻疹，大小不一，多呈对称性	瘀斑，瘀点　般不高出皮面，多不对称，可遍及全身，但以四肢及头面部多见
实验室检查	血小板计数、出凝血时间、血块收缩时间均正常	血小板计数显著减少，出血时间延长，血块收缩不良

2. 维生素D缺乏性佝偻病　发病年龄为2岁以内婴幼儿。轻者如治疗得当，预后良好；重者如失治、误治，易导致骨骼畸形，留有后遗症。

第五节　传染性单核细胞增多症

一、发病特点

1. 定义　传染性单核细胞增多症是由传单时邪（EB 病毒）引起的急性传染病。临床表现多样，以发热、咽峡炎、淋巴结肿大、肝脾肿大、外周血中淋巴细胞增多并出现异型淋巴细胞增多为特征。

2. 发病年龄　以年长儿及青少年为多见。

3. 发病季节　四季均可发病，多散发或小流行。

4. 特点　患病后可获得持久免疫力，二次发病的很少。属中医学“瘟疫”范畴。

疾病好发年龄段的相关知识点，考试多以 A1、B1 型题为主。

金题直击

1. 传染性单核细胞增多症的好发年龄是

A. 婴儿和幼儿　　B. 幼儿和儿童

C. 年长儿和青少年　　D. 青少年和成年人

E. 老年人

【答案】C

【解题思路】

本病任何年龄均可发病，以年长儿及青少年多见。

二、病因病机

1. 病因　传单时邪。

2. 病机　热痰瘀互结。

三、诊断与鉴别诊断

1. 诊断要点　传染性单核细胞增多症的诊断要点见表 10-12。

表 10–12　传染性单核细胞增多症的诊断要点

要点	内容
病史	有传单接触史
不规则发热	热型不定，体温波动在 39℃左右，发热持续 1 周左右，少数热程可达数周
咽峡炎	咽痛，咽部充血，扁桃体肿大、充血，可有灰白色假膜，或腭及咽部有小出血点及溃疡
淋巴结肿大	全身浅表淋巴结普遍受累，以颈部最为常见，腋下、腹股沟次之，中等硬度，无粘连及明显压痛，一般在发热退后数天或数周逐渐消退
肝脾肿大	约 1/3 患者有肝大，可有肝功能异常及黄疸。有半数患者脾大，偶有发生脾破裂者
皮疹	约 10% 左右的患者在病后 1 周出现皮疹，形态多样，可为斑疹、丘疹、猩红热样斑疹，多在躯干部位，1 周左右消退
累及心、肺、肾、脑	可出现咳喘、惊厥、血尿、水肿、失语、偏瘫等症状
实验室检查	血常规白细胞计数增高，淋巴细胞和单核细胞增多，异型淋巴细胞 10% 以上。嗜异性凝集试验阳性，EB 病毒特异性抗体阳性

2. 鉴别诊断（助理不考）　传染性单核细胞增多症需与溶血性链球菌感染引起的咽峡炎、传染性淋巴细胞增多症、急性淋巴细胞白血病相鉴别（表 10-13）。

表 10-13　传染性单核细胞增多症的鉴别诊断

疾病	表现
溶血性链球菌感染引起的咽峡炎	传单早期发热、咽峡炎、淋巴结肿大，与链球菌性咽峡炎类似，但溶血性链球菌感染引起的咽峡炎血象示中性粒细胞增多，咽拭子细菌培养可得阳性结果，且青霉素治疗有效
传染性淋巴细胞增多症	临床症状轻微，轻度发热，多无明显肝脾及淋巴结肿大。外周血白细胞总数可升高，分类中以成熟淋巴细胞为主，占 60% ～ 90%，异常淋巴细胞并不增高，骨髓象正常，嗜异性凝集试验阴性
急性淋巴细胞白血病	传单病程远较急性淋巴细胞白血病缓和，且嗜异性凝集试验阳性，血液异常淋巴细胞呈多形性，红细胞及血小板大多正常，骨髓象幼稚细胞比例不增高

四、辨证论治

1. **辨证要点**　按卫气营血辨证。
2. **治疗原则**　以清热解毒、化痰祛瘀为基本原则。
3. **分证论治**　传染性单核细胞增多症的分证论治见表 10-14。

表 10-14　传染性单核细胞增多症的分证论治

证型	证候	治法	方剂
邪犯肺胃证	发热，微恶风寒，鼻塞流涕，头痛咳嗽，咽红疼痛，恶心呕吐，不思饮食，颈淋巴结轻度肿大，或见皮肤斑丘疹，舌质红，苔薄白或薄黄，脉浮数	疏风清热，宣肺利咽	银翘散
气营两燔证	壮热烦渴，咽喉红肿疼痛，乳蛾肿大，甚则溃烂，口疮口臭，面红唇赤，红疹显露，便秘尿赤，淋巴结或肝脾肿大，舌质红，苔黄糙，脉洪数	清气凉营，解毒化痰	普济消毒饮
痰热流注证	发热，热型不定，颈、腋、腹股沟处浅表淋巴结肿大，以颈部为重，肝脾肿大，舌质红，苔黄腻，脉滑数	清热化痰，通络散瘀	清肝化痰丸
湿热蕴滞证	发热持续，缠绵不退，身热不扬，汗出不透，头身重痛，精神困倦，呕恶纳呆，口渴不欲饮，胸腹痞闷，面色苍黄，皮疹色红，大便黏滞不爽，小便短黄不利，舌质红，苔黄腻，脉濡数	清热解毒，行气化湿	甘露消毒丹
正虚邪恋证	病程日久，发热渐退，或低热不退，神疲气弱，口干唇红，大便或干或稀，小便短黄，咽部稍红，淋巴结、肝脾大逐渐缩小，舌质红绛或淡红，或剥苔，脉细弱	益气生津，兼清余热	气虚邪恋，竹叶石膏汤；阴虚邪恋，青蒿鳖甲汤、沙参麦冬汤

命题趋势　辨证论治相关知识点，考试多以 A2 型题为主。

金题直击

2. 患儿，4 岁。发热 4 天，高热烦渴，乳蛾肿大溃烂，颈、腋、腹股沟处浅表淋巴结肿大，肝脾肿大，舌质红，苔黄腻，脉滑数，治疗应首选的方剂是

A. 清肝化痰丸　　B. 安宫牛黄丸
C. 犀角地黄汤　　D. 犀角地黄汤合增液汤
E. 青蒿鳖甲汤合清络

【答案】A

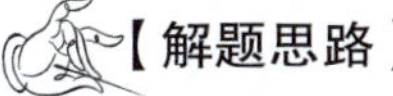
【解题思路】

本题根据乳蛾肿大溃烂，颈、腋、腹股沟处浅表淋巴结肿大，肝脾肿大，诊断为传染性单核细胞增多症；根据苔黄腻、脉滑数，辨证为痰热流注证，方剂选清肝化痰丸。

【易错点】

此题有一定难度，容易和湿热蕴滞证混淆，湿热蕴滞证型的脉象为濡数，另外还有身重、呕恶纳呆的湿邪阻滞特点，需仔细鉴别。